Vrouw

Mia Couto

Vrouwen van as

Uit het Portugees vertaald en van een nawoord
voorzien door Harrie Lemmens

Amsterdam · Antwerpen
Em. Querido's Uitgeverij BV
2016

De vertaler ontving voor deze vertaling een projectsubsidie
van het Nederlands Letterenfonds.

Funded by the Direcção-Geral do Livro e das
Bibliotecas/Portugal

GOVERNO DE PORTUGAL | SECRETÁRIO DE ESTADO DA CULTURA

isbn 978 90 214 0210 9 / nur 302
www.querido.nl

Opmerking vooraf

Dit boek gaat over de laatste dagen van wat de Gazastaat heette, het op een na grootste door een Afrikaan geleide keizerrijk in Afrika. Ngungunyane (of Gungunhana, zoals hij bekend werd bij de Portugezen) was de laatste keizer die heerste over de hele zuidelijke helft van wat nu Mozambique is. In 1895 werd hij door een Portugese legermacht onder leiding van Mouzinho de Albuquerque verslagen en gedeporteerd naar de Azoren, waar hij in 1906 kwam te overlijden. Zijn stoffelijke resten werden in 1985 overgebracht naar Mozambique, maar sommigen beweren dat niet het gebeente van de heerser in de kist zat, maar gewoon zand. Van de grote tegenstander van Portugal rest slechts zand dat werd opgeschept op Portugees grondgebied.

Het verhaal dat ik hier vertel is een op feiten en werkelijke personen gebaseerde fictionele herschepping. Als informatiebron dienden een uitgebreide documentatie aangelegd in Mozambique en Portugal en, belangrijker nog, een reeks gesprekken in Maputo en Inhambane, vooral met Afonso Silva Dambila, aan wie ik mijn diepste dank wil betuigen.

'Doch het lijkt alsof God, vanwege onze zonden of een van Zijn ondoorgrondelijke oordelen, bij alle ingangen van dat grootse Ethiopië, waarop wij varen, een engel met een van dodelijke koorts vlammend zwaard heeft geplaatst die ons belet binnen te dringen in de lente van Zijn tuinen, waar de gouden rivieren ontspringen die naar de zee stromen...'
   — João de Barros

De weg is een zwaard. Zijn blad rijt het lijf van de aarde open. Het duurt niet lang meer of onze natie is een wirwar van littekens, een landkaart gemaakt van zoveel houwen dat we trotser zijn op onze wonden dan op het ongedeerde deel dat we nog kunnen redden.

Hoofdstuk 1

Opgegraven sterren

Moeder zegt: het leven is als een touw. Je moet het net zo lang vlechten tot je de draden niet meer kunt onderscheiden van je vingers.

Elke morgen kwamen er zeven zonnen op boven de vlakte van Inharrime. In die tijd was het firmament veel groter en pasten alle hemellichamen erin, de levende en de dode. Naakt, zoals ze had geslapen, liep onze moeder naar buiten met een zeef in haar hand en koos de beste zon uit. De overige zes sterren stopte ze in haar zeef en bracht ze naar het dorp. Ze begroef ze naast de termietenheuvel achter ons huis. Dat was ons kerkhof van hemelse schepsels. Ooit zouden we daar, als dat nodig was, sterren opgraven. Vanwege dat erfgoed waren we niet arm. Dat zei onze moeder, Chikazi Makwakwa. Of gewoon *mame*, in onze moedertaal.

Wie ons bezoekt, krijgt ook de andere reden van dat geloof te horen. In die termietenheuvel werd namelijk de placenta van de pasgeborenen begraven. Er was een boom over de metershoge hoop heen gegroeid, een *mafurreira*. We bonden de witte doeken om zijn stam. Daar praatten we met onze doden.

De termietenheuvel was evenwel het tegendeel van een kerkhof. Omdat hij hoeder van de regens was, woonde daar onze eeuwigheid.

Op zekere dag, toen de ochtend al gezeefd was, trapte er een laars op de zon, de zon die moeder had uitgekozen. Het was een legerlaars, zo een als de Portugezen droegen. Ditmaal zat hij echter om de voet van een Nguni-soldaat die gestuurd was door keizer Ngungunyane.

Heersers hongeren naar grond en hun soldaten zijn monden die landen verslinden. Die laars brak de zon in duizend stukken. En het werd donker die dag. Evenals de andere dagen. De zeven zonnen stierven onder de laarzen van de militairen. Onze grond werd opgevreten. Zonder sterren om voedsel te geven aan onze dromen leerden we arm te zijn. En we verloren de eeuwigheid. In de wetenschap dat eeuwigheid slechts een ander woord is voor het leven.

*

Ik heet Imani. Eigenlijk is dat niet echt een naam. In mijn moedertaal betekent *imani* 'wie is daar'. Als je op een deur klopt, vraagt iemand aan de andere kant: 'Imani?'

Die vraag heb ik als identiteit gekregen. Alsof ik een schaduw zonder lichaam ben, het eeuwige wachten op een antwoord.

In ons dorp Nkokolani zeggen ze dat de naam van een nieuw kind afkomstig is van een fluistering die vlak voor de geboorte te horen is. In de buik van de moeder wordt niet alleen een nieuw lichaam geweven. Daar wordt ook de ziel in elkaar gezet, de *moya*. Nog in het donker van de schoot wordt die moya gemaakt op basis van de stemmen van degenen die al gestorven zijn. Een van die voorouders vraagt het nieuwe wezen om zijn naam aan te nemen. In mijn geval werd me Layeluane ingefluisterd, de naam van mijn oma van vaderskant.

Zoals de traditie voorschrijft, raadpleegde mijn vader een waarzegger. Hij wilde weten of we ook echt de wil van die geest hadden vertaald. En wat hij nooit had verwacht gebeurde: de helderziende zei dat het niet klopte dat ik zo gedoopt was. Hij moest een tweede waarzegger raadplegen, die hem allervriendelijkst en tegen betaling van een pond sterling garandeerde dat alles in orde was. Maar omdat ik de eerste maanden van mijn leven onophoudelijk huilde, dacht mijn familie dat ze mij de verkeerde naam hadden gegeven. Daarop werd tante Rosi geraadpleegd, de waarzegster van mijn famillie. Na het werpen van de magische botjes verzekerde onze tante hun: 'In het geval van dit meisje is niet de naam verkeerd, maar moet haar leven worden bijgesteld.'

Mijn vader trok zijn handen ervan af. Mijn moeder moest het maar regelen. En dat deed ze door mij 'As' te dopen. Niemand begreep het waarom van die naam, die in feite slechts van heel korte duur was. Toen mijn zusjes verdronken tijdens de grote overstromingen, werd ik 'de Levende' genoemd. Dat zeiden ze als ze het over mij hadden, alsof het feit dat ik het overleefd had het enige was waardoor ik me onderscheidde. Zo zeiden mijn ouders tegen mijn broers als ze me zochten: 'Ga eens kijken waar de Levende is.' Het was geen naam. Het was een manier om niet te hoeven zeggen dat hun andere dochters dood waren.

De rest van het verhaal is nog vager. Op een bepaald moment draaide mijn vader zijn beslissing terug en liet hij zich toch gelden. Ik zou een naam krijgen die er geen was: Imani. De orde in de wereld was ten slotte toch hersteld. Iemand een naam geven is een machtshandeling, de eerste en meest definitieve bezetting van een vreemd territorium. Mijn vader, die zo fel protesteerde tegen de overheersing door anderen, werd zelf een kleine heerser.

Ik weet niet waarom ik hier zo lang bij stil blijf staan, want ik ben niet geboren om een mens te worden. Ik ben een ras, ik ben een stam, ik ben een sekse, ik ben alles wat mij belet mezelf te zijn. Ik ben zwart, ik behoor tot de VaChopi's, een kleine stam in het kustgebied van Mozambique. Mijn stamgenoten hadden de euvele moed zich te verzetten tegen de invasie van de VaNguni's, de krijgers die uit het zuiden kwamen en zich vestigden alsof ze de baas van de wereld waren. In Nkokolani zeggen we dat de wereld zo groot is dat er geen baas in past.

Onze streek werd evenwel betwist door twee bezitters: de VaNguni's en de Portugezen. Daarom haatten ze elkaar zozeer en voerden ze oorlog tegen elkaar: omdat ze zo gelijkaardig waren in hun bedoelingen. Het leger van de VaNguni's was veel talrijker en machtiger. En ook hun geesten waren veel sterker. Die heersten aan weerszijden van de grens die onze streek doormidden had gescheurd. Aan de ene kant het Gazarijk, beheerst door de leider van de VaNguni's, keizer Ngungunyane. Aan de andere kant het kroondomein, waar een vorst heerste die geen Afrikaan ooit zou ontmoeten: Dom Carlos I, koning van Portugal. De andere volkeren, onze buren, hadden zich gevoegd naar de taal en gebruiken van de zwarte indringers, degenen die uit het zuiden kwamen. Wij, de VaChopi's, behoren tot de weinigen die in het kroondomein wonen en zich in het conflict met het Gazarijk hebben verbonden met de Portugezen. Wij zijn met weinigen, ommuurd door onze trots en omringd door de *khokholos*, de houten wallen die we rond onze dorpen optrekken. Vanwege die verschansingen was ons dorp zo klein geworden dat zelfs de stenen een naam hadden. In Nkokolani dronken we allemaal uit dezelfde put, met één druppel vergif zou je het hele dorp kunnen uitmoorden.

*

Talloze keren werden we gewekt door het roepen van onze moeder. Slapend en roepend liep ze rond in huis, met de stappen van een slaapwandelaar. Tijdens die nachtelijke ijldromen voerde ze de familie aan op een eindeloze reis waarop ze dwars door moerassen, beken en hersenschimmen trok. Ze keerde terug naar ons oude dorp, waar we geboren waren, vlak bij de zee.

In Nkokolani bestaat een spreekwoord dat het volgende zegt: als je een plaats wilt leren kennen, praat dan met degenen die er weg zijn gegaan; als je een mens wilt leren kennen, luister dan naar zijn dromen. En de enige droom van onze moeder was terugkeren naar de plaats waar we gelukkig waren geweest en in vrede hadden geleefd. Dat heimwee was eindeloos. Bestaat er trouwens heimwee dat niet eindeloos is?

De droom die mij bezighoudt is heel anders. Ik roep niet en dool ook niet door ons huis. Maar er gaat geen nacht voorbij zonder te dromen dat ik moeder word. En vandaag droomde ik opnieuw dat ik zwanger was. De welving van mijn buik wedijverde met de ronding van de maan. Ditmaal was wat er gebeurde echter het omgekeerde van een bevalling: mijn kind verstootte mij. Misschien is het dat wel wat de ongeboren kinderen doen: ze bevrijden zich van hun moeder, scheuren zich los uit dat enkele, ononderscheiden lichaam. Zo ook het kind waar ik van droomde, dat schepsel zonder gezicht en naam. Het ontdeed zich van mij met felle, pijnlijke krampen. Ik werd badend in het zweet en met vreselijke pijn in mijn rug en mijn benen wakker.

Toen besefte ik dat het geen droom was maar een bezoek van mijn voorouders, die me een boodschap brachten: ze waarschuwden me dat ik met mijn vijftien jaar al veel te lang treuzelde met moeder worden. Alle meisjes van mijn leeftijd in Nkokolani waren al zwanger geworden. Alleen ik leek gedoemd om droog te blijven. Uiteindelijk was ik niet slechts een vrouw zonder naam. Ik was een naam zonder mens. Een lege verpakking. Zo leeg als mijn buik.

*

Als er bij ons thuis een kind wordt geboren, doen we de ramen niet dicht. In de rest van het dorp doen ze dat wel: zelfs als het op zijn heetst is draaien de moeders hun baby in dikke doeken en sluiten ze zich op in het donker van de slaapkamer. Wij niet: deuren en ramen blijven wagenwijd open tot het eerste bad van de pasgeborene. Die ruwe blootstelling is eigenlijk een bescherming: het nieuwe schepseltje wordt overspoeld met lichten, geluiden en schaduwen. En zo is het sinds de geboorte van de tijd: alleen het leven beschermt ons tegen het feit dat we leven.

Die ochtend in januari 1895 deden de ramen die ik open had gelaten geloven dat er net een kind was geboren. Voor de zoveelste keer had ik gedroomd dat ik moeder was geworden en er hing een sterke babygeur in huis. Heel geleidelijk hoorde ik het ritmische vegen van een bezem. Ik was niet de enige die er wakker van werd. Dat zachte ruisen wekte het hele huis. Het was onze moeder, die achter het huis aan het vegen was. Ik liep naar de deur en keek naar haar, zoals ze daar, sierlijk en slank, gebogen stond alsof ze danste en zo veranderde in stof.

De Portugezen snappen niets van onze drang om rond het

15

huis te vegen. Zij vinden dat alleen binnenshuis zinvol. Het komt niet bij hen op het losse zand van het erf te vegen. Europeanen begrijpen niet dat buiten voor ons ook binnen is. Bij ons is het huis niet het gebouw. Het is de plek die gezegend is door de doden, de bewoners die geen deuren of muren kennen. Daarom vegen wij ons erf schoon. Mijn vader is het nooit eens geweest met die in zijn ogen veel te vergezochte uitleg.

'Wij vegen het zand om een heel andere, veel praktischer reden: we willen gewoon weten wie er 's nachts in en uit gelopen is.'

Die ochtend waren de enige voetstappen die van een *simba*, dat katachtige dier dat in het holst van de nacht om onze kippenhokken heen sluipt. Moeder ging de kippen tellen. Er ontbrak er niet een. Het falen van het roofdier voegde zich bij onze mislukking: als we het beest gezien hadden, zou er onmiddellijk jacht op zijn gemaakt. De gestippelde huid van een genetkat werd begeerd als teken van aanzien. Er was geen beter geschenk om de grote leiders te behagen. Vooral de commandanten van het vijandelijke leger, die zich versierden tot ze elke menselijke vorm verloren hadden. Daarvoor dienen uniformen ook: om de soldaat te verwijderen van zijn menselijkheid.

De bezem corrigeerde kordaat de nachtelijke overmoed. De herinnering aan de kat vervloog in een paar seconden. Daarna verwijderde moeder zich met een kruik over de paadjes om water te halen in de rivier. Ik zag haar verdwijnen in het bos, slank en kaarsrecht in haar felgekleurde doeken. Mijn moeder en ik waren de enige vrouwen die zich niet kleedden met *sivanyula*, de stoffen gemaakt uit boomschors. Wij hadden onze kleren gekocht in de winkel van de Portugees, en ze bedekten ons lichaam maar stelden ons tegelijk bloot aan de afgunst van de vrouwen en de begeerte van de mannen.

Toen ze bij de rivier kwam, klapte moeder in haar handen, waarmee ze toestemming vroeg om dichterbij te komen. Rivieren zijn huizen van geesten. Voorovergebogen op de oever keek ze nauwgezet of er geen krokodil op de loer lag. Iedereen in het dorp gelooft dat die reuzenhagedissen 'bazen' hebben en alleen hun gehoorzamen. Chikazi Makwakwa schepte water met de stroom mee, om de rivier niet te storen. Toen ze zich opmaakte om naar huis te gaan, kreeg ze van een visser een mooie vis, en ze wikkelde hem in een lap die ze aan haar middel droeg.

Vlak bij huis gebeurde het onverwachte. Een troep VaNguni-soldaten brak door het dichte struikgewas heen. Chikazi week een paar stappen terug terwijl ze dacht: ik ben aan de krokodillen ontsnapt om in de muil van nog woester monsters te belanden. Sinds de oorlog van 1889 slopen de troepen van Ngungunyane niet meer rond onze akkers. Zes jaar lang hadden we de vrede geproefd en we dachten al dat die eeuwig zou duren. Maar de vrede is een schaduw op een grond van barre ellende: de tijd hoeft maar te verstrijken of hij verdwijnt.

De soldaten omringden onze moeder en merkten onmiddellijk dat zij hen verstond als ze Zoeloe spraken. Chikazi Makwakwa was in het zuiden geboren. De taal uit haar kinderjaren was nauw verwant aan die van de indringers. Haar moeder was een *Mabuingela*, degenen die vooroplopen om de dauw van het gras te vegen. Dat was de naam die de indringers gaven aan de mensen die ze gebruikten om zich een weg te banen door de savanne. Mijn broers en ik waren het voortbrengsel van die vermenging van geschiedenissen en culturen.

Jaren later waren de overvallers teruggekeerd met dezelfde dreigende arrogantie. De mannen dromden rond mijn moeder, in de vreemde roes die pubers voelen door het simpele feit dat ze met veel zijn, en riepen daarmee oude angsten op. De strakgespannen rug van Chikazi hield sterk en sierlijk de waterkruik op haar hoofd. Zo zette zij haar waardigheid tegenover de dreiging van de vreemdelingen. De soldaten begrepen de belediging en voelden nog meer noodzaak haar te vernederen. Ze stootten ogenblikkelijk de kruik om en juichten toen die op de grond in duizend stukken brak. En ze lachten om het kletsnatte magere lijf van die vrouw. Daarna kostte het de militairen geen moeite om haar al sinds lang doorschijnende en versleten kleren kapot te scheuren.

'Mishandel me niet,' smeekte ze. 'Ik ben zwanger.'

'Zwanger? Op jouw leeftijd?'

Ze keken naar de kleine uitstulping onder haar doeken,

waar ze de vis die ze had gekregen verstopt had. En opnieuw werd de twijfel in haar gezicht gespuwd: 'Zwanger? Jij? Hoeveel maanden?'

'Ik ben al twintig jaar zwanger.'

Het liefst had ze gezegd dat haar kinderen nooit uit haar weg waren gegaan. Dat ze al haar vijf kinderen nog in haar schoot droeg. Maar ze beheerste zich. Ze stak alleen haar handen tussen haar doeken op zoek naar de ingepakte vis. De soldaten keken toe hoe zij onder haar *capulana* de geheime plekken van haar lichaam aftastte. Terwijl niemand het merkte pakte ze met haar linkerhand de ruggengraat van de vis en gebruikte die om haar rechterpols door te snijden. Ze liet het bloed stromen en zette vervolgens haar benen uit elkaar, alsof ze aan het bevallen was. Ze haalde de vis onder haar doeken uit alsof die uit haar ingewanden kwam. Daarna stak ze hem met haar bebloede armen omhoog en riep: 'Hier, kijk, mijn kind! Mijn jongen is geboren!'

De VaNguni-soldaten deinsden bevreesd terug. Dat was niet zomaar een vrouw, dat was een *noyi*, een tovenares. En ze had geen onheilspellender spruit kunnen voortbrengen. Een vis was voor de bezetters taboe. Bij het verboden dier voegde zich op datzelfde ogenblik de ergste onzuiverheid: het bloed van een vrouw, die viezigheid die de wereld vervuilt. De dikke donkere olie gleed langs haar benen af tot hij de hele aarde rondom donker kleurde.

Het verhaal van die gebeurtenis zaaide verwarring onder de vijandelijke rangen. Naar verluidt deserteerden veel soldaten uit angst voor de macht van de medicijnvrouw die vissen baarde.

*

Met gescheurde kleren en een verscheurde ziel kwam mijn moeder, Chikazi Makwakwa, rond de middag thuis. Bij de deur vertelde ze wat er gebeurd was, zonder tranen of emotie. Het bloed drupte van haar pols alsof haar verhaal druppel voor druppel werd gespeld. Mijn vader en ik luisterden naar haar en we wisten niet wat we moesten zeggen. Tot slot waste mijn moeder haar handen en mompelde met onherkenbare stem: 'We moeten iets doen.'

Mijn vader, Katini Nsambe, fronste zijn wenkbrauwen en betoogde dat zwijgen en rustig blijven nog het beste antwoord was. We waren een bezette natie en konden beter onopgemerkt blijven. Wij, de VaChopi's, hadden het land verloren dat van ons en onze voorouders was. Het zou niet lang meer duren of de invallers vertrapten het kerkhof waar wij placenta's en sterren begroeven.

Mijn moeder reageerde ferm: 'Mollen leven in het donker.' Mijn vader schudde zijn hoofd en antwoordde zachtjes: 'Ik hou van het donker. In het donker zie je de gebreken van de wereld niet. Leven als een mol is altijd mijn droom geweest. Zoals het met de wereld gesteld is, kun je God alleen maar dankzeggen dat we blind zijn.'

Moeder zuchtte luidruchtig van ergernis terwijl ze zich over het vuur boog om in de maïsbrij, de *ushua*, te roeren. Ze maakte haar vingertop nat om te doen alsof ze wilde voelen hoe heet de pan was.

'Ooit zal ik als een mol zijn. Dan heb ik de hele grond boven mij,' siste mijn vader, nu al met spijt om zijn aangekondigde lot.

'Dat hebben we ooit allemaal,' zei mijn moeder.

'Pas maar op of ik vertrek naar de mijn. Net als mijn vader. Ik ga hier weg en bouw een leven op in Zuid-Afrika. Ja, dat ga ik doen.'

Dat was geen aankondiging maar een dreigement. Hij haalde een pluk tabak en een oud vloeitje uit zijn zak. Met chirurgische precisie begon hij langzaam een sigaret te draaien. Geen enkele zwarte in ons dorp kon er prat op gaan zijn eigen rookwaar te maken. Alleen hij. Als een koning stapte hij naar het vuur en haalde er een gloeiend brokje houtskool uit om zijn sigaret mee aan te steken. Daarna blies hij stokstijf en met geheven kin de rook in het gezicht van zijn onverschillige echtgenote.

'Chikazi, lieve schat, je beledigt de mollen terwijl je weet dat je daarmee mijn vader zaliger beledigt.'

Mijn moeder neuriede een oud liedje, een traditionele *ngodo*. Het was de klaagzang van een vrouw die treurt omdat ze bij haar geboorte al weduwe was. Gekrenkt trok mijn vader zich met veel rumoer terug.

'Ik ga hier weg,' liet hij weten.

Hij wilde laten zien dat hij gekwetst was, dat zijn vrouw niet de enige was die bloedde. Hij scheidde zich af van zijn eigen schaduw en liep naar de grote termietenheuvel, waar hij door zijn afwezigheid zichtbaarder dacht te worden.

Daarna zagen we hem nog een keer om het huis heen lopen, tot hij ten slotte wegstapte in de richting van het dal. De gloeipunt van zijn sigaret verdween in het donker alsof het de laatste glimworm op aarde was.

*

Mijn moeder en ik bleven zitten in een stilte die alleen vrouwen kunnen breien. De smalle vingers van mijn moeder wroetten in het zand alsof ze de vertrouwdheid met de grond bevestigden. Haar stem had een aardse klank toen ze vroeg: 'Heeft hij wijn meegebracht van de Portugees?'

'Er waren nog een paar flessen over. Bent u bang dat vader u zal slaan?'

'Je weet hoe het gaat: drinkt hij, dan slaat hij.'

Een onbevattelijk mysterie: de manier waarop mijn vader zulke tegengestelde zielen in zich verenigde. Nuchter was hij fijngevoelig als een engel. Vertroebeld door drank sloeg hij om in het kwaadaardigste aller schepselen.

'Ongelooflijk dat vader nooit gedacht heeft dat u liegt.'

'Lieg ik dan?'

'Natuurlijk liegt u. Als hij u slaat en u huilt van pijn, liegt u dan niet?'

'Die ziekte is een geheim, je vader mag niets vermoeden. Als hij me slaat, denkt hij dat mijn tranen echt zijn.'

Het was een aangeboren ziekte: Chikazi Makwakwa voelde geen pijn. Haar man keek vreemd op van alle brandwonden die ze had op haar handen en armen. Hij geloofde echter dat die ongevoeligheid het resultaat was van amuletten die afkomstig waren van zijn schoonzus Rosi. Alleen ik wist dat het een aangeboren afwijking was.

'En de andere pijn, ma.'
'Welke andere?'
'De pijn in uw ziel.'
Ze lachte en haalde haar schouders op. Welke ziel? Wat voor ziel had ze nou nog nadat twee van haar dochters waren gestorven en haar twee zoons het huis hadden verlaten?
'Werd uw moeder ook geslagen?'
'Ja. Net als mijn grootmoeder, mijn overgrootmoeder en mijn betovergrootmoeder. Dat is al zo sinds de vrouw vrouw is. Reken maar dat ook jij geslagen wordt.'
Als dochter spreek je je ouders niet tegen. Ik deed haar gebaar na en schepte een handvol zand op, dat ik ruisend liet vallen. Dat rode zand gold bij ons als voedsel voor zwangere vrouwen. De verspilling van mijn bestaan stroomde tussen mijn vingers door. Chikazi Makwakwa onderbrak mijn gedachten: 'Weet je hoe je oma gestorven is?' En ze wachtte niet op een antwoord. 'Getroffen door de bliksem. Zo is ze gestorven.'
'Waarom moest u daar juist nu aan denken?'
'Omdat ik ook zo wil sterven.'
Dat was het einde dat ze wilde: zonder lijk, zonder gewicht, zonder resten om te begraven. Alsof een dood zonder lijden alle leed van een leven tenietdeed.

*

Telkens als het begon te onweren rende mijn moeder de velden op en bleef daar met haar armen omhoog staan als een dorre boom. Ze wachtte op de fatale ontlading. As, stof en roet: haar droom was dat te worden. Dat was haar gewenste lot: onopvallend stuifmeel worden, licht, zo licht dat ze op de wind door de wereld kon reizen. Mijn vroegere naam vond zijn verklaring in die wens van mijn oma. Daaraan wilde mijn moeder me herinneren.
'Ik hou van de naam As,' zei ik. 'Waarom weet ik niet, maar het doet me denken aan engelen.'
'Ik heb je die naam gegeven om je te beschermen. Als je as bent, kan niets je pijn doen.'
Mannen zouden me kunnen slaan zo hard als ze wilden,

niemand zou me ooit pijn doen. Dat was de bedoeling van dat doopsel.

Haar handen krabden in de grond: vier zandstromen gleden tussen haar vingers door. Ik zweeg, begraven onder het stof dat opstoof uit haar handen.

'Ga je vader nu halen. Hij is jaloers op ons.'

'Jaloers?'

'Op mij omdat ik hem niet al mijn aandacht geef; op jou omdat je bent opgevoed door de paters. Jij behoort tot een wereld waar hij nooit toegang toe zal hebben.'

Zo zijn mannen, legde ze uit: ze zijn bang voor vrouwen als die praten en nog banger als ze zwijgen. Maar ik moest wel weten dat mijn vader een goede man was. Hij was alleen bang dat hij kleiner was dan de andere mannen.

'Je vader was kwaad toen hij wegliep. Neem dit van mij aan, kind: het ergste wat een vrouw tegen een man kan zeggen is dat hij iets moet doen.'

'Ik ga vader halen.'

'Vergeet de wijn niet.'

'Maakt u zich geen zorgen. Ik heb de flessen verstopt.'

'Nee kind, precies andersom. Neem een fles mee om hem te laten drinken!'

'Bent u niet bang dat hij u dan later slaat?'

'Wat die oude stijfkop niet mag doen is buiten slapen. Breng hem terug, nuchter of dronken. De rest zien we wel.'

Na die woorden werd mijn moeder weer somber, als een tam dier dat terugkeert naar de stal. Ik was al bijna weg toen ze toch zei: 'Vraag hem om weer in Makomani te gaan wonen, vraag hem om terug te gaan naar zee. Naar jou luistert hij. Vraag het hem, Imani, in godsnaam!'

Hoofdstuk 2

Eerste brief van de sergeant

Lourenço Marques, 21 november 1894

Edelachtbare heer
Staatsraad José d'Almeida,

Gedetacheerd in Nkokolani, om daar leiding te geven aan de legerpost en op die grens met de vijandelijke Gazastaat de belangen van de Portugezen te behartigen, stuur ik, Uw nederige ondergeschikte sergeant Germano de Melo, U hierbij mijn eerste rapport. Ik zal pogen U niet te vermoeien door me te beperken tot de feiten die U naar ik meen absoluut noodzakelijk dient te weten.

Ik ben in Lourenço Marques aangekomen daags voordat de stad werd bestormd door de opstandige Landins. Tegen de ochtend klonken er schoten en ontstond er grote onrust onder de zwarte, Indiase en blanke bevolking. Ik logeerde in het pension van een Italiaanse, midden in het centrum. De overige gasten klopten op mijn deur en eisten onder tranen en luid geschreeuw dat ik hen verdedigde bij de ingang van het etablissement. Ze hadden me de avond tevoren gewapend en in uniform zien binnenkomen. Ik was een door de hemel gezonden engel om hen te beschermen.

De pensionhoudster, die luistert naar de naam Dona Bianca, nam de touwtjes in handen, bracht de doodsbange gasten naar de zolder en sloot ze daar op. Daarna nam ze mij mee naar een plat dak van waaraf het grootste gedeelte van de stad te zien was. Hier en daar stegen rookkolommen op, in de buurt van het estuarium weerklonken schoten en explosies. Het was dui-

23

delijk dat er amper sprake was van verzet onzerzijds tegen de inval van de inboorlingen.

Binnen de kortste keren was het fort de enige verzetshaard. De overvallers – Landins en geen Vátua's, zoals men links en rechts koppig blijft beweren – bewogen zich vrij door de straten. Nadat ze alle verdedigingslinies van de stad hadden opgerold, overvielen en plunderden ze winkels, en ze vermoordden alleen maar geen mensen meer omdat ze dat nog niet wilden. Wij in het logies ontsnapten aan de wervelstorm van de Kaffers omdat die geloofden dat alle Portugezen naar het fort waren gevlucht.

Vanaf het dak waar wij ons einde zagen naderen, woonde ik een scène bij die zeer veel indruk op mij heeft gemaakt: tussen de dichte rookgordijnen doken plotseling twee galopperende paarden op. Ze werden bereden door twee Portugezen, de een in uniform, de ander in burger. Die laatste prikkelde nog het meest mijn nieuwsgierigheid, want hij miste een arm en hield zich uitsluitend met de kracht van zijn benen in het zadel. Met de hand die hij over had hield hij niet alleen de teugels vast maar ook een geweer, waarmee hij min of meer op goed geluk vuurde. De pensionhoudster identificeerde hem als Silva Maneta, een deserteur die naar Transvaal was ontsnapt en daar een ongeluk had gehad bij het plaatsen van een dynamietlading. Hij was teruggekeerd naar Mozambique en vanwege bewezen moed vrijgesproken van zijn desertie.

De militair volgde direct achter die Silva, op een paard dat veel afgemetener draafde. Zodra er een afstand was ontstaan tussen de twee ruiters, werd de fiere militair omsingeld door een horde met speren en schilden zwaaiende negers. Wanhopig vuurde de man een aantal schoten af, totdat zijn kogels bijna op waren. Toen hij zag dat de omsingeling nauwer werd en hij het einde dat hem wachtte bevroedde, schoot hij zichzelf door het hoofd. Het paard schrok van het schot en rende wild steigerend weg. Verderop vertraagde het zijn draf, waardoor de half van zijn hoofd beroofde ruiter in het zadel kon blijven zitten, terwijl het bloed als een fontein uit hem spoot. En zo stapte het paard langzaam door tot het in de mist verdween. Voor mijn geestesoog zag ik die dodenmars buiten de stad doorgaan tot ver in de Afrikaanse wildernis, net zo lang tot het lichaam van de zelfmoordenaar nog slechts een slingerend skelet was in het zadel van het eenzame dier.

Kanonschoten wekten me uit die funeste mijmeringen. Het waren onze schepen, die de stad bombardeerden vanuit de Baía do Espírito Santo. Dat was ons laatste redmiddel. En het werkte, godzijdank. De Kaffers weken ten slotte terug, met achterlating van een spoor van vernieling en chaos.

Let u nochtans op de onzinnigheid dat wij, om ons te bevrijden van een vijand, onze eigen stad moesten bombarderen, een van de grootste plaatsen op de Portugese oostkust. Het pension waar ik mij bevond werd getroffen door een van die kanonskogels. De pensionhoudster huilde wanhopig naast de vernielde muur, in de wetenschap dat ze aan niemand een vergoeding kon vragen voor de geleden schade. Bianca huilde zo uitzinnig dat ze niet eens zag dat naast de vernielde muur het lichaam van een Portugese soldaat lag. Ik knielde ernaast om het lijk te bedekken met een doek. En ik zag dat hij onder op zijn arm een hart had staan met daardoorheen het woord 'Moederliefde!' Die tatoeage raakte mij meer dan het zien van de dode.

U zult ongetwijfeld de beschikking hebben over nauwkeuriger verslagen van deze ramp die zich heeft voltrokken over Lourenço Marques. Probeert U, wil ik U voorstellen, de ware oorzaken te achterhalen van de opstand der onderworpenen rond de stad. Beperkt U zich echter niet tot de gebruikelijke bronnen. Ik weet via via dat de Commissaris des Konings zelf een Zwitserse missionaris om een verslag heeft gevraagd. Deze, luisterend naar de naam Henri Junod, schreef zijn verslag op basis van verklaringen van katholieke negers, die als bron van de opstand redenen aanwijzen die niet bepaald gunstig voor ons zijn. Ik raad U aan om dat verslag in te zien.

Wat de ware uitleg ook moge zijn, feit is dat ik mijn verblijf in Afrika op de slechtst mogelijke manier ben begonnen. Op dat dak van mijn pension liet de Italiaanse mij in een paar minuten datgene zien wat ik al vermoedde: onze kolonies, die zo pompeus worden aangeduid als 'kroondomeinen', zijn volledig overgeleverd aan wanbestuur en zedeloosheid. In het grootste deel van die territoria zijn we gedurende al die eeuwen nooit echt aanwezig geweest. En in de streken waar we dat wel waren, was het nog erger, want daar lieten we ons bijna altijd vertegenwoordigen door ballingen en misdadigers. Onder onze officieren heerst niet het minste geloof dat wij in staat zijn Gungunhana en diens Gazastaat te verslaan.

De nieuwe Commissaris des Konings, António Enes, heeft een uitermate moeilijke missie, belaagd als hij wordt door rampspoed en tegenstrevers. Hij wordt veracht door het merendeel der militairen, die hem uitsluitend de competentie toedichten van een burger, en dan ook nog eens een schrijver en journalist. Anderzijds zal onze Commissaris geen enkele steun of reactie kunnen verwachten vanuit Lissabon. De monarchisten zijn te zeer bezig met overleven. En de militaire adviseurs die hem door het ministerie van Marine en de Koloniën werden toegewezen weten niets van Afrika. Gelukkig hebben we nog mensen als U, Excellentie, met jaren ervaring in Mozambique, Angola en Guinee. Ik smeek U in alle nederigheid om mij permanent van Uw zo waardevolle advies te dienen.

Vanwege al deze verontrustende zaken vertrek ik met een beklemd hart naar Nkokolani, meer dan vijfhonderd mijlen hiervandaan, in het uitgestrekte achterland van Inhambane. Ik hoop dat de beloften om die onvoltooide buitenpost te veranderen in een ware kazerne worden ingelost. En ik vertrouw erop dat me een contingent Angolezen wordt toegezonden opdat ik mijn functies prompt en nauwgezet kan uitoefenen.

De Italiaanse – die veel van onze officieren goed en van nabij kent – vertelde me dat ik alle beloften die me werden gedaan moet vergeten. Volgens haar ben ik immers slechts in schijn een militair. Om dat vast te stellen had ze naar eigen zeggen genoeg gehad aan de oprechtheid van mijn blik. Los van de lichtzinnigheid van dat oordeel gaf Dona Bianca ook andere redenen aan voor haar overijlde mening. Ze vroeg me wie mijn meerdere was en toen ik de vrijheid nam haar te vertellen dat ik verantwoording moet afleggen aan Staatsraad José d'Almeida, lachte ze. Vervolgens merkte ze met enig cynisme op: 'U zult nooit een schot lossen. En u mag van geluk spreken als ze niet op u schieten!'

En ze voegde eraan toe dat ze andere gevallen kende waarin eeuwig werd gewacht op een toegezegde militaire post. Bij het afscheid beloofde de Italiaanse dat ze me zou bezoeken in Nkokolani. Ze zou die reis maken omdat ze wist dat generaal Mouzinho de Albuquerque gedetacheerd was bij het regiment van Inhambane. Hem wilde ze per se ontmoeten, alsof dat het enige doel in haar leven was.

De voorspelling van Bianca spookt nog altijd door mijn hoofd en ik ben bang dat ze wel enigermate gefundeerd is. Iedereen hier heeft weet van mijn republikeinse verleden, iedereen kent de reden van mijn verblijf op Afrikaans grondgebied. Mijn deelname aan de opstand van 31 januari in Porto zal ook voor Dona Bianca geen geheim zijn. Ik mag niet klagen over de straf die me ten deel viel, vergeleken bij het vonnis dat werd geveld over de meeste opstandelingen, die allemaal een gevangenisstraf van onbegrensde duur opgelegd kregen. In mijn geval werd besloten tot deportatie naar het afgelegen binnenland van Inhambane. Ze deden dat in de hoop dat ik daar een gevangenis zou aantreffen zonder tralies en daarmee verstikkender dan elke andere kerker. Ze waren echter wel zo verstandig mij een valse militaire missie toe te vertrouwen. De Italiaanse heeft volkomen gelijk: in dit uniform zit geen soldaat maar een balling die ondanks alles de verantwoordelijkheid van zijn verplichtingen aanvaardt. Ik heb evenwel geen zin mijn leven te geven voor dit bekrompen en oud geworden Portugal. Voor het Portugal dat mij heeft genoopt Portugal te verlaten. Mijn vaderland is een ander en dat moet nog geboren worden. Ik weet hoezeer deze ontboezemingen de toon die ik in dit verslag zou moeten handhaven overschrijden. Maar ik hoop dat U begrijpt in wat voor totale eenzaamheid ik verkeer en hoezeer dit isolement mijn onderscheidingsvermogen begint aan te tasten.

Slechts als slotopmerking: hedenmorgen werd ik door de Commissaris des Konings ontvangen voor een kort beleefdheidsbezoek. Hoewel karig in zijn woorden bekende Commissaris António Enes dat hij twee vertrouwelingen als steunpunten voor zijn werk in Mozambique had gekozen: kapitein Freire de Andrade en luitenant Paiva Couceiro. Hij liet zelfs weten dat hij onmiddellijk na onze ontmoeting samen met zijn twee trouwe adviseurs een actieplan zou opstellen voor de zuidelijke districten van de kolonie. Noch Ayres de Ornelas noch Eduardo Costa had hij daartoe uitgenodigd. Ik vond dat detail gewichtig genoeg om U ervan in kennis te stellen.

Hoewel hij bedrukt was, kende António Enes toch ook een moment waarop er vreugde op zijn gezicht lag, met een kortstondige twinkeling achter zijn brillenglazen, die het lichte loensen waaraan hij lijdt niet kunnen verhullen. Die blijdschap werd duidelijk toen hij mij een telegram van Paiva Couceiro toonde, waarin deze mededeelde dat de plaats Marracune omgedoopt was in Vila Luiza, als eerbetoon aan de geliefde dochter van de Commissaris. Eenzelfde glinstering verlichtte zijn ziel toen hij in herinnering bracht dat wij verder naar het noorden een plaats hadden gesticht met de naam Koningin Dona Amélia. Naar verluidt is van alle persoonlijkheden in Lissabon de koningin de enige die de in de steek gelaten Commissaris een hart onder de riem steekt. Van de kant van onze koning en andere eminenties nog niet één opbeurend woordje. Arm koninkrijk, dat noch hier, noch in Portugal heerst. Arm Portugal.

Vergeeft U mij dit lange en trieste defilé van bekentenissen die van persoonlijke aard zijn. Ik geloof dat U zult begrijpen dat ik in U een beschermende vaderfiguur zie, die ik, dat geef ik toe, altijd node heb gemist.

Hoofdstuk 3

De bladzijde van de grond

Ziehier de valkuil van de roem: hoe groter de overwinning is, hoe meer de held zal worden achtervolgd en belaagd door het verleden. Dat verleden zal het heden verslinden. Het doet er niet toe hoeveel onderscheidingen hij heeft gekregen of nog zal krijgen: het enige lintje dat uiteindelijk zal overblijven is trieste en dodelijke eenzaamheid.

De schaduwen waren al langgerekt toen ik op zoek ging naar mijn vader. Aan mijn arm droeg ik een mandje waarin een fles wijn klokte met een etiket waarop in vette letters stond: *wijn voor de neger.* De volle maan verlichtte het slapende landschap. Mijn voeten volgden de verse sporen van de oude Katini in het zand. Wie anders droeg immers laarzen in het dorp? Geleidelijk aan verbaasde het me dat hij zo ver weg was gegaan. Mijn beverige roepen stierf weg zonder echo of antwoord: 'Pa! Pa?!'

Ten slotte kwam ik uit bij een veld zo ver als het oog reikte. Het leek een akker. Als om de bestemming van dat landschap te bevestigen was mijn vader daar aan het graven. De VaChopi-mannen zijn de enigen die het land samen met hun vrouwen bewerken. Mijn vader bewerkte in feite meer de ketel waarmee hij drank stookte.

Toen ik vlakbij was, zag ik dat wat een hak had geleken een spitse stok was. Hij hakte niet, maar kraste slechts in de grond, alsof hij aan het tekenen was op een oneindig groot doek.

'Ik ben aan het schrijven,' zei hij toen hij me opmerkte.

'Aan het schrijven?'

'Jij bent niet de enige die kan schrijven...'

'En wat schrijft u dan zoal, pa?'

'De namen van alle mensen die in de oorlog zijn gesneuveld.'

Ik keek naar de grond en zag dat de door hem omgewoelde aarde zich uitstrekte tot voorbij de horizon. Maar zelfs in het intense maanlicht waren de krabbels in het zand onleesbaar.

'En wie moet dit allemaal lezen?'

'God!'

Hij wees met zijn stok nergens heen, gewoon een vaag gebaar, nog onduidelijker dan zijn stem. Stamelend herhaalde hij: 'God! God zal me lezen!' Hij draaide in het rond en ging op de grond zitten, omgeduwd door een onzichtbare zet.

'Jouw moeder...'

Hij maakte de zin niet af. Was blind geworden voor woorden. Dat overkwam hem telkens als hij over zijn vrouw wilde praten. Hij kauwde op de stilte alsof die een bittere vrucht was. En zo bleef hij zitten, roerloos en verslagen.

Overtrekkende wolken bedekten de maan. De namen van de doden die op de grond stonden waren opgeslokt door het donker toen mijn vader weer begon te praten: 'Kom je me soms halen? Zeg dan maar tegen je moeder dat ik niet terugkom. Ze moet leren ontzag te hebben. Ik ben haar man. Bovendien ben ik de oudste in de familie Nsambe.'

'Ik heb dit voor u meegebracht, pa, moest ik u geven van ma.' En ik stak hem de fles wijn toe.

Een felle gloed verlichtte zijn gezicht. Met zijn tanden trok hij de kurk uit de fles en met traag ceremonieel goot hij de eerste druppels uit in het zand. Daarna nam hij zelf, met luidruchtig genot. En hij dronk door, alsof drinken zijn enige taak op aarde was. Zijn knokige handen draaiden de fles eindeloos rond, alsof hij de wijn al in de wieg dronken wilde maken. Op het zelfgemaakte etiket waren veel letters vervaagd, alleen het woord 'neger' stond er nog. Mijn vader had geen kleur, maar naarmate hij dronk werd hij steeds donkerder. Ik was al bang dat hij ook zou worden opgeslokt door het donker. Ik stak mijn hand naar hem uit om hem te redden. Toen hij mijn vingers voelde, vroeg hij: 'Ben je bang, Imani?'

Ik knikte. Ontroerd wilde hij me sussen. Was ik soms net als mijn moeder bang dat hij te veel zou drinken?

'Ik ben een dronkaard, zeggen ze. Jij kent me, wat denk je dat ik drink?'

'Ik weet het niet, pa. Wijn, *nsope*. U drinkt zoveel.'

Zoveel was nog altijd heel weinig. De oude Katini dronk alles. Op een keer had hij een heel flesje eau de cologne opgedronken, dat hij bij de sergeant thuis had gestolen. We hadden hem moeten reanimeren en de zoetige lucht die hij uitademde had de nacht verpest. Maar zelf had hij daar kennelijk een heel andere kijk op: 'Ik ben een bange, eenzame man. Je moeder begrijpt dat niet. Ik drink alleen mensen. Ik drink de dromen van anderen.'

In onze familie had de drank diepe wortels: we dronken om ergens van weg te vluchten. En we werden dronken omdat we niet konden vluchten van onszelf.

*

Ten slotte bezweek mijn vader voor de slaap. Ik vlijde me tegen hem aan, zonder me te storen aan de alcohol die hij uitwasemde. Ik zocht bescherming bij hem, maar het omgekeerde gebeurde: hij was de zwakste, de meest weerloze van ons beiden.

Een troep hyena's won aan zelfvertrouwen en omsingelde ons schuilplekje. Dieren boezemen meer angst in naarmate ze meer op mensen lijken. En de hyena's leken veel zatter dan mijn vader.

Het schrikwekkende koor van de *quizumbas* bracht waarschijnlijk een schrikeffect teweeg in de onderaardse regionen van Katini. Hij schrok namelijk wakker, liep slaapdronken het struikgewas in en urineerde lange tijd met zijn rug naar me toe. Het ging hier niet alleen om een lichamelijke behoefte. Met zijn urine markeerde hij de grenzen van zijn kleine rijk. Daarna zwaaide hij wild met zijn armen en slaakte een aantal kreten. De hyena's dropen af met hun grijnslach van oude roddeltantes.

*

Wie de nachten bij ons kent, weet dat er als de cicaden verstommen een andere nacht begint. Dat andere donker is zo dicht dat de dromen erin verdwalen. Mijn vader luisterde naar die stilte en zei: 'Nu is God in slaap gevallen.'

'Kom, pa. We gaan naar huis. Ik ben bang.'

'Laat me eerst de laatste nog doen.'

'De laatste wat?'

'De laatste dode.'

Langzaam en zorgvuldig schreef hij de naam van zijn vader, opa Tsangatelo. Er liep een rilling over mijn rug en ik rende naar hem toe om zijn lange armen te boeien met mijn wanhoop: 'Niet doen, pa.'

'Houd je mond, Imani. Dit is een ceremonie, je bent niet oud genoeg om hierbij te zijn...'

'Opa is niet dood!'

'O jawel. Geen twijfel mogelijk.'

'Heeft iemand zijn lijk gezien?'

'In de mijnen zijn geen lijken. Daar heb je alleen maar grond, stenen en mensen, levende en dode: allemaal aarde in de aarde.'

*

Hij prevelde een soort litanie voordat we wegliepen over een pad dat opdoemde in het zwakke licht van de vroege morgen. We hadden net de eerste open plek bereikt, toen we verrast werden door stemmen uit het struikgewas. Twee seconden later werden we omringd door een half dozijn mannen die iets riepen in het Zoeloe. Ze hoefden niets te zeggen: de gaatjes in hun oren en de kransen van was in hun haar verrieden hun identiteit. Het waren VaNguni-militairen en ze hadden duidelijk de bedoeling ons angst aan te jagen. Mijn vader fluisterde tegen me: 'Was je straks bang voor de quizumba's? Nou, hier heb je de echte hyena's.'

Onze grootste angst was dat het *timbissi* waren, de beruchte brigades die de keizer gebruikte voor zijn slachtpartijen. Timbissi is het Zoeloewoord voor 'hyena'. Degenen die ons omsingelden hadden echter niet de typische versieringen van de vervloekte eenheid: twee hoorns van geitenbokken op hun borst. Gelukkig voor ons waren de overvallers doodgewone soldaten. Ze kwamen de belasting innen die wij hun naar hun zeggen verschuldigd waren. De dikste, die betwijfelde of we hen wel hadden begrepen, hield zijn hand vlak bij het gezicht van Katini en snauwde: 'Luister, vuile hond: wij komen de huiden ophalen.'

'Voor wie zijn die?'

'Wat denk je? Voor de baas van dit land natuurlijk, keizer Ngungunyane.'

'Maar we hebben al huiden gegeven.'

'Aan wie?'

'Aan de blanken.'

'Welke blanken?'

'De Portugezen.'

'Die heersen hier niet meer.'

'O, dat wisten we niet. De Portugese intendant was hier en die heeft de huiden opgehaald. Nu hebben we er geen meer. Of je moet die van ons willen.'

'Dan zou ik maar eens goed zoeken. Ngungunyane zal niet blij zijn als hij hoort dat jullie hem niet gehoorzamen. En dat mokkeltje,' wees hij naar mij, 'van wie is dat?'

De militairen kwamen om me heen staan en begonnen tegen me te duwen en in mijn dijen te knijpen. Tot mijn verrassing sprong mijn vader voor me, zijn borst zo breed en zijn armen zo gespreid dat hij me een van die houten wallen rond ons dorp leek.

'Dat mokkeltje is mijn dochter!'

'Dat kan wel zo zijn, maar haar lichaam begint al te ontluiken. Wat deden jullie hier trouwens in het donker?'

'Blijf van mijn dochter af!'

De houding van Katini Nsambe met zijn stijgende woede was een onacceptabele belediging. Een van de VaNguni's wierp zich met een van haat vertrokken gezicht op ons. De man gromde en haalde uit om mijn vader te schoppen. Daarbij struikelde hij en viel hulpeloos op de grond. Hij spartelde in het zand, maar kon niet overeind komen. De anderen moesten hem helpen. Ineens zag ik dat de belager gevallen was toen hij op de plek stapte waar de namen geschreven stonden. De andere VaNguni's merkten ook iets vreemds op in dat zand. Als één man begonnen ze hard op de grond te stampen. Ze wezen nogmaals naar mij en zeiden: 'De volgende keer nemen we dat snoepje mee naar Ngungunyane. Jullie weten dat hij in elke plaats een maagd heeft. Of moeten we jullie daaraan herinneren?'

Ze spuwden op de grond en verdwenen onder het roepen van schunnigheden. Hun spuug bruiste in het zand als een giftige vervloeking. Nog lang was het gelach van de militairen te horen. Geen twijfel mogelijk: het waren hyena's. Of nog erger: van die wezens die zich alleen levend voelen in dronken moordzucht.

*

Toen we ten slotte alleen waren, groeide mijn vader van pure woede, draaide rond op zijn tenen en schreeuwde in het Portugees: 'Jullie mogen dan wapens hebben, maar ik heb al die grond hier waar ik de namen van de overledenen neerschrijf. Pas maar op voor mij...'

Hij mopperde in zichzelf, alsof hij op gif kauwde: 'Duivels, jullie hebben niet eens een woord voor papier in dat brabbeltaaltje van jullie.' En leunend op zijn stok liep hij gezwind verder, naar huis. Met snelle stappen volgde ik hem over de paden, die nat waren van de nevel.

'Vertel hier thuis niets van, anders kwel je alleen je moeder maar. En oom Musisi wil nóg liever gaan vechten.'

Heel even bedacht ik dat het niet eens zo erg zou zijn als ze me ontvoerden. En meenamen naar een plaats waar een koning mij als zijn koningin zou kiezen. Ik zou eindelijk een vrouw worden. En moeder. En als koningin en als moeder zou ik macht hebben over de VaNguni's. En zou ik vrede brengen tussen onze volkeren. Mijn broers zouden weer naar huis komen, mijn zusjes zouden terugkeren naar het leven, mijn moeder zou niet langer slaapwandelend door het donker dolen.

Misschien was die vorst voor wie iedereen zo bang was eenzaam en leed hij bij het stichten van zijn immense rijk. Wie weet was de liefde wel het enige rijk dat Ngungunyane zocht. Of misschien had hij een andere bedoeling gehad tijdens al die jaren van oorlog voeren: een vrouw als ik vinden, in staat tot eindeloze hartstocht. Dat zou meteen zijn eindeloze reeks huwelijken verklaren. De keizer, zeiden ze, had zo veel vrouwen dat hij dacht dat alle kinderen op aarde van hem waren. De vraag was alleen: zou hij mij, als ik me zou aandienen aan zijn hof, als vrouw bij zich opnemen of als dochter? Of zou hij me ter dood laten brengen om de angst te versterken waar zijn troon op steunde?

*

Bij ons weet je dat je een dorp nadert door het roepen, zingen en huilen van de kinderen. Dat was nu ook het geval. Het geroezemoes van de kinderen bereikte ons lang voor we het dorp in liepen.

Chikazi Makwakwa stond bij de deur op ons te wachten. Zelfs vanuit de verte merkte ik dat zij dit keer ook had gedronken. Anticiperend op de dwaasheden die haar man zou uitkramen kwam ze hem met geheven wijsvinger tegemoet: 'Jij houdt niet van mij, Katini!'

'Wie zegt dat?'

'Waarom heb je dan alleen mij? Er zijn er hier zoveel met een aantal vrouwen.'

'Ik ben niet zoals die VaTsonga's, die vrouwen verzamelen alsof het een veestapel is... En we hebben er toch ooit voor gekozen om beschaafd te zijn, weet je nog?'

'Jij ja. En vanwege jouw keuze willen onze zonen niets meer met ons te maken hebben...'

'We hebben Imani nog.'

'Die gaat ook weg. Ze is trouwens allang niet meer hier.'

Ze praatte alsof ze me niet zag. Ik liep naar haar toe en tikte tegen haar arm: 'Ik ben hier, ma.'

'Nee kind, je bent al weg. Je praat Portugees tegen ons, je slaapt met je hoofd naar het westen en gisteren nog had je het over je verjaardag.'

Waar had ik geleerd de tijd te meten? De jaren en maan-

35

den, zei ze, hebben namen en geen nummers. We geven ze namen alsof het levende wezens zijn, alsof ze geboren worden en
doodgaan. De maanden noemen we de tijd van de vruchten, de
tijd waarin de paden dichtgroeien, de tijd van de vogels en de
korenaren. En nog veel meer andere namen.

Nog veel erger was het dat ik een vreemde werd: mijn dromen over liefde waren niet in onze taal en gingen niet over
mensen van bij ons. Zo sprak mijn moeder. En pas na een lange pauze reageerde ze op Katini: 'Jij kent mijn grootste wens,
man. Ik wil dat we teruggaan naar de zee. Daar hadden we
rust, ver van deze oorlog hier. Waarom gaan we niet terug?'

'Je stelt de verkeerde vraag, vrouw. Je zou moeten vragen:
waarom zijn we daar weggegaan? Je bent bang voor het antwoord op die vraag, dat je maar al te goed kent. En die angst is
groter dan je wens.'

Toen stond hij op, wankelde even en pakte zijn vrouw bij de
arm. Het leek alsof hij op haar leunde, maar hij dwong haar
alleen maar mee te gaan naar de slaapkamer. Ik trok me ook
terug op mijn kamer. Ik kroop in bed en trok mijn capulana
over mijn hoofd, bang dat het rieten dak instortte. Huizen zijn
hongerige wezens. 's Nachts eten ze de bewoners op en laten
dromen in hun plaats achter, die rillerig rondwaggelen, even
rillerig als mijn dronken vader. En ons huis had meer dan elk
ander huis een onstilbare trek. De hele nacht zagen we de doden in en uit lopen. In het donker slokte het huis ons op. Als het
licht werd, spuugde het ons weer uit.

*

Mijn broers waren de helft van de wereld die ik nog had, maar
ze woonden nu ver van ons vandaan. Daarom was het huis
doormidden gescheurd. Mijn moeder droomde van de zee. Ik
droomde van de terugkeer van mijn broers. 's Nachts werd ik
wakker en riep hun naam: Dubula en Mwanatu. Terwijl ik
rechtop in het donker zat, trokken de tijden aan me voorbij
waarin zij als kind de ruimte met ons hadden gedeeld.

Dubula was al heel vroeg intelligent en ondernemend geble-
ken. Hij had een Zoeloenaam gekregen en die keuze zei al heel

veel over zijn vreemde fascinatie voor de VaNguni-indringers. Dubula betekent 'geweerschot'. Mijn vader had hem die naam gegeven omdat hij tijdens de bevalling, moe van het wachten, de oude karabijn had gepakt en op het plafond had geschoten. Kwam door de zenuwen, had hij later als verontschuldiging aangevoerd. In feite had die knal de geboorte van het kind versneld. Dubula was de vrucht van een schrik, van een flits. Hij was als de regen, kind van een donderslag.

Mwanatu daarentegen, de jongste, was sloom en klunzig. Van jongs af aan had hij een zwak voor de Portugezen. Die fascinatie werd nog eens extra aangemoedigd door onze vader, die hem op prille leeftijd naar godsdienstles stuurde. En samen met mij werd hij intern op de missiepost. Toen hij terugkwam, was hij een nog grotere kluns. Op bevel van mijn vader werd hij het hulpje van sergeant Germano, bij wie hij in feite hetzelfde deed als hij eerder had gedaan bij de winkelier, zijn vorige baas. Hij zat nu dag en nacht in de kazerne en zocht ons nooit meer op. Hij hield de wacht voor de sergeant, stond in een oude legerjas en met een politiepet op zijn hoofd voor zijn deur. Apetrots was hij op zijn uitdossing en hij had niet door dat dat toneelstukje een bron van vermaak was voor de passerende Portugezen. Mwanatu was maar een schets van een mens, de karikatuur van een soldaat. Je kreeg gewoon medelijden als je hem daar zag staan: nooit had iemand een opdracht zo ernstig opgevat. Daar stond tegenover dat ook nooit iemand zo bespot was.

Meer dan aan zijn uniform zat hij vast aan een belofte: de belofte om op een dag naar Lissabon te varen en daar naar de Militaire School te gaan. Die reis werd door hem ervaren als een terugkeer. Hij zou terugkeren naar zijn 'familie'. De trouw van Mwanatu aan de Portugese kroon bracht ons, zijn echte familie, in verlegenheid. Met uitzondering van mijn vader, die het heel anders zag: zolang we onder de protectie van de Lusitaanse kroon vielen, hadden we enorm veel baat bij die trouw, of die nu echt of gespeeld was.

*

De verschillen tussen mijn twee broers stonden model voor de grens die onze familie verdeelde. Het waren moeilijke tijden en er werd trouw van ons verlangd. Dubula, de oudste, hoefde niet te kiezen. Dat deed het leven voor hem. Als kind onderging hij de rituelen van de inwijding volgens de oude tradities. Op zijn zesde werd hij meegenomen naar het bos, waar hij besneden werd en voorgelicht omtrent seks en vrouwen. Wekenlang sliep hij in het bos onder bundels gras, om niet herkend te worden door doden of levenden. Elke ochtend bracht moeder hem te eten, maar ze meed het deel van het bos waar de ingewijden bijeen zaten. Eeuwige schande zou de vrouw ten deel vallen die dat verboden territorium betrad.

Van eenzelfde verbod was sprake nu Dubula van huis weggelopen was en ergens op een onduidelijke plek woonde. Ze zeiden dat hij elke nacht in een ander hoekje van het bos sliep. In de ochtendschemering sloop broerlief rond ons erf, omdat hij wist dat moeder stiekem een bord eten had neergezet op de termietenheuvel. De sporen die vader in het zand zocht waren niet van dieren maar van zijn eigen zoon.

Mwanatu daarentegen had les gekregen in letters en cijfers. De rituelen waaraan hij had meegedaan waren die van de blanken: katholiek en Lusitaans. Onze moeder waarschuwde dat de ziel die ze hem hadden gegeven niet meer op de grond ging zitten. De taal die hij had geleerd was geen wijze van praten, maar een manier van denken, leven en dromen. Op dat vlak waren hij en ik gelijk. De vrees van onze moeder was duidelijk: door dat vele eten van het Portugees zou onze mond geen andere taal meer aankunnen. En zouden we allebei verslonden worden door die mond.

Nu denk ik dat moeder gelijk had met haar angsten. Waar haar zoon woorden zag, zag zij mieren. En ze droomde dat die mieren van de bladzijden af zouden kruipen en de ogen van degene die ze las zouden opschrokken.

*

Zo vaak denk ik terug aan de allerlaatste keer dat Dubula bij ons was, dat het lijkt alsof hij nooit echt opgegaan is in de wereld. Die lang vervlogen middag zag ik toen ik thuiskwam mijn oudste broer met zijn rug naar de deur gekeerd zitten. In het flauwe schijnsel glinsterde het zweet dat over zijn schouders stroomde. Dichterbij merkte ik dat het geen zweet was, maar bloed.

'Heeft pa dat...?' vroeg ik al half huilend.

'Nee, ikzelf,' antwoordde hij.

Bang liep ik om zijn doodstille lichaam heen. Het bloed welde traag en dik uit zijn oren.

'Waarom heb je dat gedaan, Dubula?'

De sneeën in zijn oorlellen lieten er geen misverstand over bestaan: Dubula had het teken van een andere geboorte op zijn lichaam geschreven. Hij was niet meer van ons. Hij was een Nguni, net als de anderen die ons bestaan ontkenden. Ik omhelsde hem alsof ik hem nooit meer zou zien. Of hem al niet meer zag. En ik vroeg hem weg te gaan voordat vader kwam.

Ik zag zijn magere gestalte verdwijnen op de weg en gleed met mijn handen over mijn borst alsof ik mezelf kwijt was. Toen voelde ik het bloed van mijn broer op mijn huid.

Hoofdstuk 4

Tweede brief van de sergeant

Chicomo, 15 december 1894

Edelachtbare heer
Staatsraad José d'Almeida,

In de eerste plaats wil ik U vragen mildheid jegens mij te betrachten inzake het verslag van mijn ontmoeting met de Commissaris des Konings. Ik bied U mijn welgemeende verontschuldigingen aan voor dat verslag. Het is volkomen onpartijdig en werd niet beïnvloed door enige persoonlijke sympathie die ik wellicht koester voor António Enes. Ik was niet op de hoogte van U beider onderlinge antipathie. Nu weet ik dat die animositeit ver teruggaat, dateert van de eerste missie van de Commissaris in Mozambique, in 1891. Ik zal mij niet mengen in dit conflict en geheel en al loyaal zijn aan U, wie ik gehoorzaam met een oprechtheid die ver uitstijgt boven wat ik op grond van mijn rang verplicht ben.

Ik kon nochtans niet nalaten U de animositeit over te brengen waarvan António Enes blijk gaf toen ik hem sprak over mijn werk in Nkokolani: onze aanwezigheid zichtbaar maken bij de bevolkingsgroepen die ons met zoveel gevaar en opoffering ondersteunen. De Commissaris sprak zich uiteraard niet uit tegen mij, maar tegen U en de onderhandelingen die U voert met de Gazastaat, welke in de opvatting van de Commissaris buitengewoon traag verlopen. Het werd duidelijk, hoewel het nooit met zoveel woorden is gezegd, dat de Commissaris meent dat men zich veel te toegeeflijk opstelt jegens Gungunhana. Tevens betreurde hij dat de doeltreffendheid van onze

militaire campagnes door de traagheid ernstig in het geding
komt. Tot slot klaagde António Enes over de legerleiding in
Inhambane, onder de verantwoordelijkheid van kolonel Eduardo Costa, die in zijn ogen slechts argumenten zoekt om niet
te hoeven oprukken.

'Die traagheid kan ons noodlottig worden,' waren de woorden van Enes. En hij voegde er nog iets aan toe, ditmaal met
kwaadwillende insinuaties omtrent Uw goede bedoelingen.
Hij beweerde letterlijk het volgende: '...die José d'Almeida
heeft altijd maling gehad aan het nationale belang!' En hij in-
sinueerde dat u het doel van Gungunhana zou begunstigen,
namelijk ons de oorlog zonder slag of stoot te laten verliezen.
Die oorlog, zo zei hij, zullen wij verliezen als we onze contin-
genten in de steden houden en onze troepen niet willen of kunnen verplaatsen naar het vijandelijke gebied. Wij zullen sneuvelen in onze garnizoenen, verlamd door angst en futloosheid
en belaagd door koorts en de wanhoop van het wachten. En
onze Europese vijanden, Engeland voorop, zullen juichen omdat wij het bewijs leveren van ons onvermogen om koloniën te
bezitten in Afrika. Oorlog vereist krijgslieden en ik heb alleen
maar ambtenaren gekregen, klaagde António Enes. Dat alles
zei de Commissaris. En ik voel de noodzaak dat alles te vermel-
den in dit verslag, dat reeds lang begint te worden.

Staat U mij toe te zeggen dat ik als militair niet ongevoelig
kan zijn voor de argumenten van António Enes. De ergste manier om een oorlog te verliezen is inderdaad eeuwig wachten
tot die uitbreekt. Het dient gezegd dat onze overwinningen in
Marracuene, Coolela en Magul een buitengewoon belangrijke
stap waren in het herwinnen van ons moreel en de verbetering
van ons imago bij de inboorlingen. Overal waar ik kwam op
mijn reis naar Nkokolani — een tocht waarover ik verderop zal
berichten — trof ik talrijke lokale hoofden die hun loyaliteit
hadden veranderd na die roemrijke veldslagen. Ze staan thans
aan onze kant. Maar ik moet er wel bij zeggen dat die overwinning werd behaald op de Vátua's, die de slaven van de Nguni's
zijn. Ze werd niet behaald op de troepen van Gungunhana.
Wat die machthebber betreft is er nog niets gebeurd.

Dan stap ik nu over op het verslag van mijn reis naar Nkokolani tot dusver. Gisteren zijn wij aangekomen in Chicomo, na een tocht van twee weken te voet door een ruig gebied dat me fascineert en beangstigt. In alles wat bos is verbeeld ik mij beesten op de loer. In het donker van elke nacht bespeur ik een valstrik. Wat maakt het voor iemand die zal sterven uit of hij wordt aangevallen door monsterlijke roofdieren of door ontembare negers?

Ik moet echter bekennen dat de tocht ondanks mijn angsten zonder veel strubbelingen verliep. In alle Kafferdorpen waar ik doorheen kwam maakte vooral de manier waarop de kinderen bij het zien van ons als kippen uiteenstuiven diepe indruk op mij. Verschrikt pakken de moeders hun kroost bij de arm en slepen het mee naar hun strohutten. Weliswaar is één woord van een lokaal stamhoofd voldoende om de onrust te beëindigen, en er zijn gevallen waarin dat aanvankelijke gevoel omslaat in een uitbundig welkom, maar één vraag blijft me bezighouden: waarom vrezen zij de leden van het blanke ras zozeer? Dat ze schrikken omdat ze nog nooit een Europeaan hebben gezien, vooruit, maar de angst die wij hun inboezemen kan alleen worden vergeleken met het zien van spoken.

En zo ben ik gaan nadenken over een ruimere vraag: wat denken de negers van ons? Wat voor verhalen verzinnen ze met betrekking tot onze aanwezigheid? Ik weet dat zulke twijfels mij als soldaat eigenlijk niet zouden mogen kwellen. Misschien stel ik te veel vragen voor een militair. Misschien word ik wel nooit een echte soldaat. Of in elk geval in dienst van dit regime. Niet omdat ik een overtuigd republikein ben, maar omdat ik, zoals ik al zei, niet op grond van een roeping de Militaire School heb bezocht. Thuis lieten ze mij geen keus. Ze zetten me af voor de poort van de school en niemand uit mijn familie heeft me daarna nog ooit bezocht. Zoals ze ook nu niet weten en niet willen weten waar ik mij bevind. Het leger heeft gezorgd voor mijn opvoeding en het zal ongetwijfeld het leger zijn dat zorg draagt voor mijn begrafenis.

In het kamp van Chicomo, waar ik overnacht, heb ik de gelegenheid gehad kapitein Sanches de Miranda te ontmoeten. Tijdens het luisteren naar zijn verhalen over Afrika kon ik het niet laten mij een aantal dingen af te vragen. Wie van onze andere officieren beschikt over zo'n kennis van de Afrikanen? Hoe kunnen wij regeren over mensen die wij zo slecht kennen? Welk leger zullen wij kunnen verslaan als we nauwelijks iets weten over onze vijand?

Ik sprak Sanches over de vrees die onze doorkomst in de dorpen in eerste instantie veroorzaakte. Daarop glimlachte hij en zei: de angst die zij hebben is in wezen niet anders dan onze eigen angst. Wij geloven dat de negers mensenvlees eten en zij denken dat wij de kannibalen zijn. En dat we hen in onze boten meenemen om hen op volle zee op te peuzelen. We mogen erg verschillend zijn, Europeanen en Afrikanen, en niemand twijfelt eraan dat ons ras superieur is, zelfs de arme negers doen dat niet, maar wat zijn onze angsten aan weerskanten van de oceaan gelijk!

En hij zei nog meer, die kapitein Sanches de Miranda: dat hij de rapporten over de aanval op Lourenço Marques had gelezen en dat daarin volgens hem sprake was van veel verwarring. Wij werden daar niet aangevallen door de troepen van Gungunhana. Onze vijanden op dit moment zijn een aantal Tsonga-stamhoofden. Niet de Vátua's uit Gaza. Ze hebben soldaten van Gungunhana gezien waar er geen waren. En Sanches de Miranda vroeg zich af: waarom willen we het maar niet begrijpen? Waarom blijven we ze allemaal over één kam scheren terwijl het veel gunstiger is ze te onderscheiden en te verdelen?

Nog een laatste woord over deze grote Portugees, deze dappere Sanches de Miranda. De inboorlingen geloven dat hij de zoon is van Diocleciano das Neves, de beroemde *Mafambatcheca*, zoals U weet een reiziger en handelaar die groot aanzien genoot onder de Kaffers en nauw bevriend was met Muzila, de vader van Gungunhana. Die misvatting komt zo goed uit dat Sanches de Miranda haar heel verstandig niet weerlegt. Integendeel, onze kapitein beweert dat Diocleciano hem dingen heeft opgebiecht op zijn doodsbed. En dat hij, als uitverkoren zoon, zijn arme vader heeft beloofd dat hij recht zou doen aan de Afrikaanse erfenis en dat hij de liefdevolle bijnaam die de Landins hem hadden gegeven zou respecteren, mafambatcheca, wat in de taal van de negers betekent 'hij die vrolijk loopt'. De gelijkenis die de Kaffers bespeuren in de twee Lusitaanse personen lijkt me heel toepasselijk. Ik ben me bewust geworden van het feit dat we allemaal dezelfde snor en haarsnit hebben. Zelfs in die mate dat een zwarte me ooit gevraagd heeft of wij Portugezen met een snor geboren worden.

Sanches de Miranda doet het dus voorkomen alsof hij de zoon is van wijlen Diocleciano das Neves. Hoogstwaarschijnlijk weet hij niet hoezeer dat Diocleciano zelf tegen de borst zou hebben gestuit. En Miranda weet ook niet hoezeer zijn zogenaamde verwekker politiek afstand had genomen van onze autoriteiten en opkwam tegen onderdrukking en de voortgezette praktijk van de slavenhandel. Voorts weet hij niet hoezeer Diocleciano de stad Lourenço Marques verachtte. Tussen mijn papieren heb ik een allesbehalve welwillende verklaring van Diocleciano omtrent de stad aangetroffen. Ik neem hier slechts een korte passage over: '...Lourenço Marques bestaat uit weinig zand en veel slijk; om de twee weken wordt de stad volledig overspoeld door het hoogwater. De stinkende lucht die de ongelukkige inwoners daar inademen vergiftigt in snel tempo hun longen. Twee derde van de Europeanen die erheen gaan bezwijkt binnen de drie jaar, en het leven van de overige verslechtert dermate dat het noch voor henzelf noch voor het land van nut kan zijn.'

Ik ben zelf ook blij dat ik ver weg ben van die besmette stad. Morgen vervoegt Mariano Fragata, Uw adjunct, zich hier bij mij en getweeën zullen we in een roeiboot de Inharrime afzakken. Het zal enige uren duren voor we aankomen op onze eindbestemming, waar ik de missie die me werd toegewezen met verve en voortvarendheid hoop uit te voeren.

En tot slot: men heeft mij verteld dat er in Nkokolani een Chope-familie woont die ons ten zeerste genegen is en volledig toegewijd aan onze strijd tegen de duivel Gungunhana. En naar verluidt heeft het hoofd van dat christelijke gezin mij een zoon en een dochter ter beschikking gesteld, die beiden Portugees spreken en opgevoed zijn volgens onze Lusitaanse normen en waarden. Ik dank God voor die nuttige en fortuinlijke hulp.

Hoofdstuk 5

De sergeant die naar rivieren luisterde

Geluk hebben zij die in plaats van mensen wilde dieren worden. Ongelukkig zijn degenen die doden op bevel van anderen en nog ongelukkiger degenen die doden zonder iemands bevel. Verachtelijk tot slot zijn degenen die na te hebben gemoord in de spiegel kijken en denken dat ze nog mensen zijn.

Ik herinner me nog goed de dag waarop sergeant Germano de Melo aankwam in Nkokolani. Meteen die dag al kon je zien dat deze Portugees anders was dan alle andere Europeanen die ooit eerder hier waren geweest. Voordat hij uit de prauw stapte, rolde hij zijn broekspijpen op en waadde op eigen kracht naar de oever. De andere blanken, Portugezen of Engelsen, werden altijd door zwarten naar de kant gedragen. Op hun rug. Hij was de enige voor wie dat niet hoefde.

Destijds liep ik nieuwsgierig naar hem toe. Door zijn bemodderde laarzen leek hij me groter dan hij in werkelijkheid was. Wat me verder opviel, was de schaduw over zijn gezicht. Zijn ogen waren lichtgekleurd, bijna alsof hij blind was. Maar een trieste wolk omfloerste zijn blik.

'Ik ben Imani, *patrão*,' stelde ik mezelf voor met een stuntelige buiging. 'Mijn vader heeft me gestuurd om u te helpen als dat nodig is.'

'O, ben jij dat meisje? Wat spreek je goed Portugees, zeg, met een puntgave uitspraak! God zij geloofd! Waar heb je dat geleerd?'

'Ik heb les gehad van de paters. Ik heb jarenlang op de missiepost bij het strand van Makomani gewoond.'

De Portugees deed een stap achteruit om me beter te kunnen bekijken en zei toen: 'Mooi gezichtje heb je!'

Ik boog mijn hoofd van schaamte. We liepen langs de rivier totdat de bezoeker bleef staan, zijn ogen dichtdeed en me vroeg om niets te zeggen. Na even stil te zijn geweest, zei hij: 'Dit bestaat bij mij thuis niet.'

'Zijn daar geen rivieren?'

'Natuurlijk wel. Alleen luisteren wij daar niet meer naar.'

De Portugees wist niet wat in Nkokolani bijna een gemeenplaats was: dat rivieren ontspringen in de hemel en door onze ziel stromen zoals de regen door de lucht vloeit. Als we naar ze luisteren zijn we minder alleen. Maar ik hield mijn mond, wachtte op mijn beurt.

'Het is fijn als je begroet wordt door een rivier,' merkte hij met zachte stem op. En hij voegde eraan toe: 'Door een rivier en een knap meisje als jij.'

Daarna zei hij dat we even moesten wachten. Pas toen merkte ik dat er iets verder naar achteren nog een Portugees aankwam, een heel donkere en deftige man in burger. Later hoorde ik dat dat Mariano Fragata was, de adjunct van de Portugese intendant bij de Gazastaat. Fragata zat op de rug van een man uit ons dorp, maar heel wankel en bespottelijk, hij was er half af gegleden. Mijn dorpsgenoot wilde hem kennelijk niet loslaten, terwijl de Portugees steeds heftiger smeekte: 'Zet me neer, zet me onmiddellijk neer!'

De twee vielen niet omdat ik de drager tegenhield, die me geamuseerd toevertrouwde in het Txitxope: 'Zo leren ze dat wie boven zit niet altijd de baas is over wie beneden zit.'

De adjunct van de intendant hervond zijn deftige houding, stroopte zijn broekspijpen omlaag en keek me onderzoekend aan. De militair stelde me voor: 'Dit is die Minani...'

'Imani,' corrigeerde ik.

'Dat meisje van hier dat ons zou opvangen, ongelooflijk zo goed als ze Portugees spreekt... zeg eens wat, meisje... Kom, praat een beetje zodat mijn collega je kan horen!'

Ik werd ineens stom, al mijn Portugees was weg. En toen ik iets in mijn moedertaal wilde zeggen, stuitte ik op dezelfde leegte. Onverwachts had ik helemaal geen taal meer. Alleen maar stemmen, vage echo's. De militair hielp me uit de nood: 'Kijk nou toch, ze is verlegen. Je hoeft niet te praten hoor, als je ons maar naar de kazerne brengt.'

Uit zijn bagage leidde ik af dat de sergeant bij ons kwam wonen. De ander, die in burgerkleren, zou maar kort blijven. Ik nam de bezoekers mee naar de winkel van Sardinha, de enige Portugees in onze streek, die we omgedoopt hadden tot Musaradina.

De twee Europeanen keken in alle rust om zich heen in het dorp.

'Moet je nou dit plaatsje zien, beste Fragata. Brandschoon, en netjes geveegd. Ik sta echt paf, die brede straten, met fruitbomen... wat zijn dit voor negers, zo anders dan alle andere die we hebben gezien?'

*

Francelino Sardinha stond in de deuropening en heette zijn landgenoten uitbundig welkom, alsof hij na jaren alleen te zijn geweest de enige twee mensen op de planeet voor zich zag. De winkelier was een klein dik mannetje, met eeuwig en altijd een smoezelige zakdoek in zijn hand, die hij gebruikte om het overvloedige zweet te wissen. Eigenlijk zou je kunnen zeggen dat die vieze zakdoek al bij zijn lichaam hoorde.

'Jij blijft buiten, meisje. Je weet dat jullie hier niet naar binnen mogen.'

'En waarom mag ze niet naar binnen?' vroeg de militair.

'Omdat ze weten dat hier regels gelden, beste sergeant. En een van die regels is dat ze hier niet naar binnen mogen.'

'De regels worden voortaan door mij opgesteld,' liet de sergeant weten. 'Dit meisje praat beter Portugees dan veel Portugezen. Ze is met mij meegekomen, dus gaat ze ook met mij mee naar binnen.'

'Voor mijn part, als u dat per se wilt.' En met zijn rug naar me toe gekeerd zei hij weer tegen mij: 'Ga in de keuken zitten, daar, op dat krukje.'

En verder letten ze niet meer op mij. Ik keek naar het plafond en zag de vele plekken waar dat was opgelapt. En ik werd bang om wat er gezegd werd in het dorp: dat het werk nooit was afgekomen omdat een onzichtbare hand 's nachts ongedaan maakte wat de Portugezen overdag hadden gebouwd. Die spoken woonden hier nog, bungelden aan het dak als enorme vleermuizen.

De twee nieuwkomers bewogen zich moeizaam door het huis. Ze moesten goed uit hun ogen kijken om niet te struikelen over alle dozen en zakken die rommelig door elkaar heen stonden. Het was lang geleden dat ik met hebberige ogen door het raam van de winkel naar de stoffen en schoenen had staan gluren die zich daar ophoopten. Het was intussen nog veel rommeliger geworden: stapels dozen en zakken, gescheurde verpakkingen waaruit blikken en flessen op de grond waren gerold.

Mijn blik bleef hangen aan een wit met blauw geruite lap stof. De militair raadde mijn gedachten en stelde me hardop de vraag: 'Weet je wat dat is?'

'Dat zijn kleren, patrão.'

'Niks patrão, zeg maar gewoon sergeant. Kleren, zei je? Op het etiket staat dat het katoen is, maar om het kleren te noemen heb je wel heel veel fantasie nodig. In Europa zou niemand zoiets accepteren, zelfs de armste sloeber niet.'

Hij scheurde een stuk af en hield het voor het gezicht van de beschaamde winkelier.

'Moet je deze lap zien: wordt gewoon aan elkaar gehouden met stijfsel! Die lost op als je hem wast en dan houd je een spinnenweb over. Net zoiets als die foezel die ze "wijn voor de neger" noemen.'

De winkelier verkropte zijn woede om de belediging: per slot van rekening was de bezoeker een bezetter. De militaire belangen waren sterker dan zijn eigen kleine handel. Toen hij reageerde, deed hij dat op ingehouden toon, om te laten zien dat hij zichzelf omlaag had gebracht van Sardinha naar Musaradina: 'Dat zijn de stoffen die hier verkocht worden, heer. Negers malen niet om de warmte van kleding; bij hen gaat het alleen om het mooie.'

De mensen uit Nkokolani, zo klaagde hij verder, kochten niet zoveel als de andere zwarten. Wij VaChopi's namen genoegen met de opbrengsten van akker en bos. 'Ze eten zelfs slangen, die lui; die anderen, de Vátua's, hebben groot gelijk dat ze hen verachten,' lamenteerde de winkelier.

'Dat zijn geen Vátua's, Vátua's bestaan helemaal niet,' durfde ik daar in mijn hoekje te corrigeren, met zo'n dun stemmetje dat niemand het hoorde.

De militair stapte naar de houten toonbank en veegde in één beweging alle lappen stof op de grond. De rust waarmee hij sprak, contrasteerde met de beslistheid van dat gebaar: 'Ik weet niet hoe ik dit moet zeggen, maar er bestaat blijkbaar geen andere, vriendelijker manier om met u te praten. Beste Sardinha, ik kom hier mijn intrek nemen, maar er is nog een andere reden waarom we hier zijn: wij komen u arresteren.'

'Arresteren?'

'Morgen wordt u door enkele *cipaios* naar Inhambane gebracht.'

'Cipaio's?'

De sullige glimlach verdween geen seconde van het gezicht van de winkelier. Het leek wel alsof hij het vonnis niet had gehoord. 'Ik zal u iets inschenken,' zei hij, terwijl hij de lappen stof die verspreid op de grond lagen oprolde. 'Deze wijn is eersteklas, echt puik spul,' merkte hij op onder het volgieten van twee ijzeren kroezen.

'Zo, dus u komt mij arresteren? Mag ik ook weten waarom?'

'U weet donders goed wat u hier verkoopt. En niet aan de Vátua's of Chopes...'

'Ik weet waar die geruchten vandaan komen, van die Indiër, die zwarte Indiër, Assane, die een winkel heeft in Chicomo. Ik zweer bij God almachtig...'

'Laten we er niet omheen draaien. U weet waarom u aangehouden wordt.'

'Om u de waarheid te zeggen,' antwoordde de winkelier, 'interesseert mij alleen het feit dat u hier bij mij bent. Dat u mij komt arresteren doet er niet toe. Ik heb al zo lang geen blanke gezien dat ik mijn eigen ras al vergeten was. Door in mijn eentje tussen deze Kaffers te leven, zag ik mezelf als een neger. Daarom zeg ik: u komt mij niet arresteren. U komt mij bevrijden.'

En hij haalde een fles uit de kast. Hij wilde dat moment vieren, ook al werd het bepaald door treurige pech. De vreemdelingen reageerden eerst heel behoedzaam. Geleidelijk aan leegden de drie Portugezen echter een aantal flessen, en naargelang ze dronken werden ze één familie, ook al waren ze het soms kortstondig verhit oneens.

Op zeker ogenblik maakte de sergeant aanstalten om plaats te nemen op een houten kist. Hij was duizelig van de drank, onwel van de hitte. De winkelier Sardinha snelde toe om hem tegen te houden: 'Ho, niet gaan zitten, sergeant, in die krat zit een kostbare lading; het zijn flessen port. En weet u voor wie die zijn? Voor Gungunhana... Eersteklas wijn voor onze grootste vijand.'

'Onze grootse vijand is iemand anders. En u weet verdomd goed wie ik bedoel...'

Verlegenheid nam bezit van Sardinha. Je kon de uilen door het donker horen strijken, de paraffine in de lampen dreigde op te raken en de winkelier viel ineens ten prooi aan somberheid: 'Word ik weggebracht door cipaio's? Kan ik niet in mijn eentje gaan? Ik beloof u dat ik niet zal vluchten. Voor de ogen van die lui hier afgevoerd worden door twee zwarte agenten is namelijk...'

'Hoe weet u dat het er twee zijn?'

En Fragata en Germano lachten. 'Hoe dan ook,' voegde de adjunct van de intendant eraan toe, 'zult u begeleid worden door cipaio's en niet door Gungunhana.' En ze lachten nog harder.

'Het is niet Gungunhana. Het is Ngungunyane.'

De Portugezen keken me verrast aan. Ze konden niet geloven dat ik iets had gezegd, en dan ook nog om hun uitspraak te verbeteren.

'Wat zei je daar?' vroeg Fragata verbijsterd.

'Je spreekt het uit als Ngungunyane,' herhaalde ik beleefd.

Ze staarden elkaar aan. Fragata deed mijn stem na, dreef de spot met mijn puristische opmerkingen. Vervolgens keerden ze terug naar de drank en hun lispelend gejammer. Op een bepaald ogenblik hoorde ik de militair fluisteren: 'Wat me nog het meest stoort aan die Gungunhana is niet dat hij ons haat, maar dat hij niet bang voor ons is.'

'Weet je wat we doen?' vroeg Sardinha. 'We doen vergif in de flessen, ik bedoel de flessen die jullie hem zo nodig willen geven! Een kogel is helemaal niet nodig, je hebt genoeg aan één druppel. Eén druppeltje en de Keizer van Gaza slaat tegen de grond.'

'We hebben opdracht om hem niet te doden.'

'Nu moet ík toch echt lachen,' merkte Fragata op. 'Wij hém niet doden? We hebben geluk als hij ons niet allemaal over de kling jaagt.'

De winkelier liep weg en kwam even later terug met een geweer in zijn handen. Hij stelde de twee mannen die hem kwamen arresteren meteen gerust: 'Maakt u zich geen zorgen, heren, het ding is niet geladen.'

Dat geweer had hij 's nachts altijd bij zich in bed. Hij liet het zien met de trots van iemand die geen winkel maar een kruithuis heeft. En hij liet weten: 'Dit is de enige taal die ze verstaan. Of wilt u de oorlog winnen met paaien en present-jes?'

En hij mompelde er nog een stel bittere schunnigheden achteraan tot hij aankondigde dat hij naar bed ging. Hij legde een paar lappen op een slaapmatje en plofte op de grond neer, met het oude geweer in zijn armen.

Germano sleepte een stoel bij en kwam naast me zitten. Daarna keek hij me strak aan, alsof hij een landkaart bestudeerde. Zijn blik was vurig. Ik moest denken aan glimwormen die rond het licht van een lamp cirkelen. De winkelier merkte de belangstelling van de bezoeker op en waarschuwde met half dichtgeknepen ogen: 'Pas maar op met dat wicht. Ze is bloedjong maar heeft het lichaam van een vrouw. Listige duivels zijn het, die zwartjes. Ik weet waarover ik praat.'

Een paar minuten later verlegde de Portugees echter zijn aandacht naar de muur waar hij met zijn voeten tegenaan zat. Na een poosje fluisterde hij: 'Verrek, mijn vaderland zit op die muur.'

En hij wees naar een vlek in de verf. Een verschoten recht-hoek, waar de kalk door het vocht was afgebladderd.

'Dat is Portugal daar op die muur.'

Wankelend klom hij op de stoel en kraste met zijn nagels

over de vlek. Hij keek naar de kalkschilfers op de grond alsof hij voor een dier in doodsnood stond. De winkelier wees met-een volijverig naar een bezem: 'Zeg kind, wat zit je daar te koekeloeren? Veeg die vloer schoon.'

De militair was me voor en stak de bezem omhoog alsof het een zwaard was. Hij verkondigde: 'Wie hier veegt ben ik. Dat kom ik hier namelijk doen, schoonmaken. De troep opruimen die de anderen ervan gemaakt hebben.'

In de stilte die daarop volgde zocht ik naar de beste manier om te zeggen dat ik ging. Mijn verlegenheid had me geleerd dat wie verlegen of onzichtbaar is, afschuwelijk opvalt wanneer hij weggaat. Het was donker en ik was slechts een vrouw tussen vreemde mannen. De winkelier stond op van zijn geïmproviseerde bed en kwam naar me toe met een doos in zijn armen: 'Hier, neem deze port maar mee naar je vader. Dat is mijn dank voor alles wat hij voor me heeft gedaan. Pas op, want hij is zwaar.'

Kromgebogen onder het gewicht wankelde ik over het donkere erf, tot Sardinha's stem me tegenhield: 'Wacht even, ik loop met je mee, help je tot op de straat.' Daarna draaide hij zich om en vroeg aan de militair: 'Mag ik, sergeant? Vijf minuutjes maar, en ik loop heus niet weg.'

Zodra de deur achter hem dichtviel, deed de winkelier met zijn stinkende adem een vreemd verzoek: of ik Txitxope met hem wilde spreken terwijl hij wat kruiden plukte.

'Vooruit, meisje! Zeg iets. Praat tegen mij, ik ben Musaradina.'

'Wat moet ik zeggen, patrão?'

'Maakt niet uit, als je maar blijft praten...'

En hij boog zich over de grond als een snuffelende hond. Hij plukte blaadjes, hield die onder zijn neus en snoof er lange tijd aan. Tot hij overeind kwam en liet weten: 'Hier heb ik hem gezien, op dit veld.'

'Wie, patrão, wie hebt u hier gezien?'

'Ngungunyane. Hij was hier omdat hij zijn geliefde wilde doden. En hij wou zelf ook dood.'

'Is Ngungunyane ooit hier geweest?'

'Clandestien, ja, op zoek naar het gif van de *murre-mbava*, die boom die hier vlakbij groeit, aan het meer van Nhanzié.'

Ik keek naar de winkelier en hij was donker zoals ik hem zag, had de huid van Sardinha en de ziel van Musaradina. De Portugees was een van ons, een Muchope. Niet alleen omdat hij onze taal sprak, maar ook omdat hij met zijn hele lijf praatte. En Sardinha vervolgde in twee talen door elkaar: 'Ngungunyane dacht dat ik hem kon helpen. Hij wilde doden en doodgaan. En allemaal uit liefde, hij had een verboden liefde. Mooi, hè?'

'Wat is er mooi, ik snap het niet?'

'Een man als hij die alle vrouwen heeft die hij maar wil, kan de enige van wie hij echt houdt niet krijgen.'

'Sardinha, is er iets wat u tegen me wilt zeggen?'

Hij gaf geen antwoord. Hij liep terug naar huis en bij de deur zwaaide hij naar me, ik wist niet of het een afscheidsgebaar was of dat hij me wilde zeggen dat ik moest opschieten.

Ik had nog geen vijf stappen gezet of ik hoorde het schot. Achter de gordijnen werd druk bewogen en gefluisterd, dat was duidelijk. Ik liep terug en zag Francelino Sardinha in een plas bloed liggen. De winkelier schokte in doodsnood met armen en benen, maar hij liet zijn oude geweer, zijn *canhangulo*, geen moment los. Hij stierf in dezelfde houding als waarin hij altijd had geslapen, één met zijn geweer.

Opgeschrikt door het schot kwam mijn broer Mwanatu uit de aanbouw waar hij zijn kamer had. Zonder een woord te zeggen hielp hij de Portugezen het lijk achter het huis te slepen en vervolgens rende hij naar de schuur om hakken te halen om een graf te delven. Toen hij terugkwam, zat de sergeant op zijn knieën, met zijn hoofd voorover op zijn borst. Germano de Melo had zulke blauwe ogen dat we vreesden dat hij voorgoed blind zou worden als hij huilde. Er viel geen traan. De blanke bad alleen voor de dode winkelier. Fragata zei dat hij zich moest vermannen en ophouden met dat bidden. Hij wees hem erop dat zelfmoordenaars geen ziel hebben. Je hoeft niet voor ze te bidden. Dat zei Fragata.

De militair stond op en pakte een van de hakken die Mwanatu uit de schuur had gehaald. Verwoed begon hij tussen de harde kluiten te hakken. Ik keek naar het gezwoeg van de mannen en het viel me op hoe onhandig de Portugezen waren. En ik dacht bij mezelf: wij zwarten kunnen onvergelijkbaar veel beter met een hak overweg dan elk ander ras. Dat is aangeboren, net zoals onze drang om te dansen als we moeten lachen, bidden of huilen. Misschien omdat we al eeuwenlang gedwongen zijn zelf onze doden te begraven, en die zijn talrijker dan de sterren. En waarschijnlijk was er nog een reden: de Europeanen hadden bij hen thuis vast en zeker zwarte slaven die dat voor hen deden. Misschien wachtte er in Portugal wel een man van mijn ras op mij. Misschien wachtte de liefde wel daar op mij waar alleen boten en meeuwen komen.

Hoofdstuk 6

Derde brief van de sergeant

Nkokolani, 12 januari 1895

Edelachtbare heer
Staatsraad José d'Almeida,

Ik schrijf U om U te berichten over mijn aankomst gistermorgen in Nkokolani, samen met adjunct Mariano Fragata. Wat ik U bericht is geen goed nieuws, en ik betuig op voorhand mijn spijt voor het feit dat deze regels niet overeen zullen stemmen met wat U het liefst zou willen horen. Anders dan ik had gedacht stond de kruidenier Francelino Sardinha ons niet op te wachten toen we aankwamen. Gelukkig was het meisje er wel over wie ik in mijn vorige brief heb geschreven. Buitengewoon beleefd en een uitzonderlijke beheersing van onze taal. Zij was het die ons verwelkomde. Ze heet Imani en ze zal een nuttige hulp zijn voor het doel van mijn missie.

Ik moet hier aantekenen dat we behoorlijk onder de indruk waren van de omvang en de nette staat van de plaats, die in niets lijkt op de territoria van de naburige Bitonga's en VaTsonga's. Toen ik het meisje vroeg of ze trots was op de afmetingen en de netheid van haar dorp, antwoordde ze op een curieuze manier: dat iedereen die trots voelde, behalve zijzelf. Volgens haar had die groei maar één reden: angst. Nkokolani was evenveel gegroeid als de inwoners gekrompen waren. Dat was het wat Imani zei, in exact die geraffineerde bewoordingen. En ze voegde eraan toe dat haar mensen zich daar verzamelden in de illusie dat ze samen beter beschermd waren. Maar wij worden beheerst door angst, zei ze, en daarbij wees ze naar de lover-

55

rijke sinaasappelbomen langs de straten. Dat zijn de heilige bomen van die Chopes. Deze Kaffers geloven dat de sinaasappelbomen hen beschermen tegen hekserij, hun ergste vijand. Wie weet plant ik er zelf eerdaags wel een in mijn tuin. Als hij geen bescherming biedt, geeft hij tenminste fruit en schaduw.

In tegenstelling tot de rest van het dorp is de legerpost waar ik mijn bivak zal opslaan een schoolvoorbeeld van totale verwaarlozing. Dit vervallen gebouw 'kazerne' noemen kan alleen maar voortkomen uit de verwrongen geest van iemand die wensen met feiten verwart. Het zou eigenlijk nog het beste zijn om dit krot te slopen, een onaanvaardbare mengeling van wapenopslag en een winkel voor de verkoop van allerlei rommel.

U kent de geschiedenis van die bouwval: ruim twintig jaar geleden begonnen de Portugezen met het leggen van de fundering en het optrekken van de muren. Het was echt de bedoeling een kazerne te bouwen, maar verder dan die eerste aanzet kwam het niet. Het bleef bij goede bedoelingen en de kazerne kwijnde weg, vergeten en verlaten. Jaren later maakte een onverschrokken handelaar die luisterde naar de naam Francelino Sardinha het werk af en richtte er zijn winkel in. En nu is het huis een hybride schepsel: half fort, half kruidenier.

Terwijl ik dit schrijf, zittend aan een tafeltje van die rampzalige winkel, kruipen harige spinnen over mijn handen en het papier. De afgrijselijke beesten en allerlei soorten insecten worden aangetrokken door de lampen. Het alternatief zou zijn het licht uit te doen, een onzalige vooruitblik op het helledonker. En U weet hoe snel de avond valt in deze streken.

Gisteravond heb ik een van die walgelijke spinnen platgeslagen met de presse-papier. Een stinkende, kleverige brij spoot op het tafelblad en bedierf alle correspondentie die daar lag. Mijn gezicht, mijn handen en mijn armen kwamen onder de groenige troep te zitten. Ik was bang dat het gif werd opgenomen door mijn huid en door mijn aderen zou stromen. Imani zegt dat ik die beesten niet dood moet slaan. En ze heeft een rare theorie over het nut dat spinnen hebben. Ze zegt dat hun webben de wonden van de wereld hechten. En dat ze onbekende wonden in mezelf genezen. Afijn, van die verzinsels die eigen zijn aan dit onwetende volk.

Het is niet alleen de hopeloze staat van de inkwartiering die me stoort. Ik moet bekennen, heer Staatsraad, dat ik buitengewoon verrast was toen ik zag hoe weinig Portugezen er in deze uitgestrekte gebieden wonen. In mijn onschuld had ik een heel ander idee van de kolonie Mozambique. Ik dacht dat we daadwerkelijk regeerden in onze territoria, maar uiteindelijk beperkt onze aanwezigheid zich al eeuwenlang tot de monding van een paar rivieren die van nut zijn voor de drinkwatervoorraderverrading. De treurige werkelijkheid kan als volgt worden beschreven: er zitten slechts Kaffers en Indiërs in dit immense binnenland. De zeldzame tekens van onze aanwezigheid worden vervalst dankzij lieden van het allooi van de kruidenier.

De loopjongen die deze missive bezorgt heet Mwanatu en is de broer van Imani. De jongen lijkt wat sullig, maar om eerlijk te zijn heb ik dat liever dan een bijdehandje dat je niet kunt vertrouwen. Profiterend van het feit dat hij al boodschappen deed voor Sardinha, heb ik de onnozele Mwanatu taken opgelegd die je normaal gesproken toewijst aan een ordonnans. Zo heb ik hem bijvoorbeeld een oud kapot geweer gegeven, en hij heeft met hartverscheurende ijdelheid de wacht betrokken voor het etablissement.

De wapenvoorraad, die onder de hoede van de kruidenier was gelaten, heb ik nog niet gecontroleerd, maar die lijkt me niet erg omvangrijk. Dat zal tijd en moeite kosten, want op dit moment ligt alles door elkaar heen: koopwaar en krijgstuig. Zodra ik het hele magazijn heb doorzocht zal ik een gedetailleerd verslag sturen van het hier voorradige materieel.

Ik moet er omwille van de waarheid bij zeggen dat men in Nkokolani buitensporig veel verwacht van de komst van Mouzinho de Albuquerque. Niet dat iemand hem kent en, laten we eerlijk zijn, de negers kunnen nauwelijks de naam van de bevelhebber van onze cavalerie uitspreken, maar vanwege hun levensgrote angst doen ze alles wat ze kunnen om een reddende messias te creëren. En het is zeker waar dat veel van de kleine heersertjes in het zuiden na onze recente militaire overwinningen Gungunhana de rug hebben toegekeerd en onze vazallen zijn geworden. Het mag dan kloppen dat dat recente overwicht van ons de inboorlingen hoop heeft gebracht, maar dat ze ons nu trouw zijn kan hun ook noodlottig worden. Als wij niet duidelijk laten zien dat we sterker zijn, zullen die koninkjes wankelen en zich uit angst voor een vreselijke afstraffing opnieuw aan de voeten van de grote koning van Gaza werpen.

Dat is een van de redenen waarom dit volk zoveel hoop koestert op de komst van Mouzinho en diens cavalerie. In feite zijn er ook andere redenen die bijdragen tot dit zich vastklampen aan de figuur van Mouzinho: de eerste is dat het volk van Nkokolani reeds geruime tijd alle gepraat moe is. En ze zijn verbijsterd omdat wij, in plaats van oorlog te voeren tegen onze gemeenschappelijke vijand, blijven vasthouden aan onderhandelingen met iemand die nooit zijn woord houdt.

Maar er is nog een andere reden om te gokken op deze verzonnen constructie van een verlosser. Die reden heeft niets te maken met Mouzinho, maar wel, verbaast U zich niet, met paarden. De Kaffers zeggen dat paarden geen landdieren zijn. Ze weten dat vanwege de manier waarop ze hun hoeven op de grond zetten: een nerveuze, onrustige tred als die van steltvogels. Zebra's en gnoes, de meest gelijkende fauna die ze kennen, lopen en rennen niet zo. Die andere lastdieren zetten hun hoeven met het grootste gemak op de ruwe grond. Paarden doen dat anders, ze raken de grond amper. Ze draven door het binnenland alsof ze wolken zijn die de hemelen bekrassen. Vandaar het geloof dat de paarden, zo stellen zij, hierheen zijn gebracht vanaf die verre plek waar de aarde grenst aan het firmament. De Kaffers hebben vast en zeker weleens afbeeldingen van Sint-Joris en andere heiligen die te paard neerdalen uit de hemel gezien op de prentbriefkaarten die de vorige missionaris hier heeft uitgedeeld.

We kunnen net doen alsof we het begrijpen, maar dat is de zienswijze van de Kaffers, dat is hun perceptie van een dier dat ze nooit eerder hebben gezien. Terwijl paarden voor ons oorlogswapens zijn, doen ze voor dit volkje andere gevechten losbarsten, die even serieus en dodelijk zijn. In Inhambane is een strijd ontbrand van tovenarij, drankjes en vervloekingen. Er is hier geen medicijnman te vinden die de komst van onze cava-

lerle niet zegent. Toen ik in Nkokolani zei dat sommige paarden – zoals dat van Ayres de Ornelas – doodgegaan zijn van ril-
lingen en koorts, werd die ziekte door sommigen onmiddellijk
toegeschreven aan de VaNguni-geesten. Soortgelijke verwijten
verzonnen ze toen ze vernamen dat waar men dacht dat oneindig groen weideland lag, al het gras ineens troosteloos droog
werd. Die plotselinge, onverklaarbare verandering kon alleen
het werk zijn van satanische medicijnmannen.

Gelooft U dus niet, heer Staatsraad, dat er een bijzondere
sympathie bestaat jegens iemand met wie U toevallig geen enkele affiniteit voelt. Om dat alles moedig ik U aan om niet te
piekeren over wat de militairen allemaal zouden denken en
bekokstoven. Gaat U vooral door met Uw gedreven onderhandelingen met de negers.

Sommigen zeggen dat de politiek van praten onze angst en
ons gebrek aan voorbereiding verraadt. Die kwaadsprekers
kennen niet het oorlogspotentieel van de Gazastaat. Het zijn
tienduizenden onverschrokken krijgers, perfect opgeleid en
toegerust voor een oorlog in de wildernis. Ik kan dan ook een
open confrontatie met de troepen van Mudungazi niet anders
zien dan als een roekeloos en tot mislukken gedoemd avontuur.

Wat wij beschouwen als arrogantie van de zwarten is slechts
de zelfbewustheid die voortkomt uit hun numerieke en militaire superioriteit. Die brutaliteit is in feite niet begonnen met
Gungunhana. Vijftig jaar geleden behandelde de vorst van de
Zoeloes, koning Dingane, ons al als zijn ondergeschikten. Hij
meende de macht te hebben om Europese leiders te benoemen
en ontslaan voor het bestuur over de gebieden die ons rechtens
toevielen maar die hij als zijn exclusieve eigendom beschouwde. Heel Zuid-Mozambique was in zijn verknipte opvatting
een Zoeloekolonie die tijdelijk was toegewezen aan het beheer
van de blanken.

Daarom besloot Dingane in 1833 om de in Lourenço Marques residerende gouverneur Dionísio António Ribeiro te vervangen. In zijn plaats benoemde hij Anselmo Nascimento, een
bekende handelaar die werkte voor naburige terroristen. De
Zoeloevorst verruilde de ene blanke voor de andere. Dingane
voerde als argument aan dat 'de Portugezen elkaar beter in de

gaten houden'. De uitvoering van die maatregel werd evenwel telkens uitgesteld. Totdat de Zoeloekoning eind 1833 besloot gouverneur Ribeiro aan de macht te houden, hoewel die hem geen belasting betaalde.

Echter, op een van hun razzia's om slaven te vergaren grepen en doodden de Portugezen per abuis Zoeloemensen. Dat leidde tot de breuk. Omdat Dionísio Ribeiro weigerde ontslagen te worden door iemand die hem niet had benoemd, viel koning Dingane de stad binnen en dwong de gouverneur zijn heil te zoeken op het eiland Xefina.

Toen hij verborgen in een bootje daarvan probeerde te ontsnappen, werd Ribeiro gegrepen en ter dood gebracht. Ze stelden hem in het openbaar terecht door zijn nek te breken. Wat deden de Portugese autoriteiten als antwoord op die smaad? Ze negeerden het. Ribeiro's opvolger bood de Zoeloekoning al bij voorbaat zijn excuses aan door te zeggen dat de kolonie arm was en de lege schatkist van Lissabon niet toestond belasting te betalen aan de Zoeloeheerser.

Zo'n laffe houding legitimeert slechts het imperialistische streven van de Engelsen om te bewijzen dat Portugal niet in staat is zijn Afrikaanse koloniën te besturen. Ik weet niet wat ik het meest haat, de Engelse eerzucht of de schandelijke onderdanigheid van onze gezagsdragers.

Hoofdstuk 7

Op de vleugels van vleermuizen

Onze wegen hebben ooit de schuchterheid van de rivieren en de zachtheid van de vrouwen gekend. En ze hebben zich verontschuldigd voor hun ontstaan. Nu nemen ze bezit van ons landschap en strekken hun lange benen uit in de tijd, zoals de heersers dat doen in de wereld.

De VaChopi's hebben hun naam te danken aan de vaardigheid waarmee ze pijl-en-boog hanteren. Mijn vader, Katini Nsambe, vormt daarop een uitzondering. Hij groeide op in de marge van die traditie, ver van jacht en oorlog. Zijn liefde ging behalve naar alcohol uit naar muziek en met name de marimba. Misschien was het wel zijn roeping voor het creëren van harmonieën die hem zo afkerig maakte van geweld. Mijn vader was een stemmer van de oneindige marimba die de wereld is.

Iedereen was het erover eens dat hij de beste maker van *timbilas* in de streek was. Hij vervaardigde die xylofoons alsof hij zichzelf maakte. Het was geen werk maar een sturing. Elke stap van dat lange wordingsproces ging gepaard met een ritueel van gebeden en stiltes. Om andere handen, zo oud dat je ze niet kon zien, zijn gebaren te laten leiden.

Als klein meisje al mocht ik met mijn vader mee op zoek naar *mimuenges*, de enige bomen die goed materiaal leveren. Ik hielp hem het hout kappen, de leren riemen rond de planken aantrekken en kalebassen zoeken, die onder de toetsen worden aangebracht om het geluid te versterken. Iedere kalebas werd duizendmaal getest tot hij de juiste noot vond. Ik moest de was van de wespen bewaren, waarmee de kalebassen daarna werden verzegeld.

Vanwege het maken van een marimba stond ik die dag in alle vroegte op om met mijn vader mee te gaan naar het bos met de grote vijgenbomen die wij *mphana* noemen. Van kleins af moest ik iets doen wat eigenlijk jongenswerk was: in de vijgenbomen klimmen om vleermuizen te vangen en hun vleugels af te scheuren zonder gebeten te worden door hun ziekmakende tanden. De membranen van die vlerken werden gedroogd en aangebracht op de geluidsdozen. Dat was het kostbaarste geheim van het vaderlijke recept voor de vervaardiging van marimba's.

In de loop van de tijd ben ik steeds handiger geworden in het vangen van de grote vleermuizen, die gulzige fruitvreters. Ze hingen met hun kop omlaag in de boomkruinen en bewogen heen en weer als levende slingers, gealarmeerd maar ogenschijnlijk zonder angst. Hoog in de boom bekeek ik ze lange tijd voordat ik mijn net uitwierp. De levende waren niet altijd te onderscheiden van de dode. Ze klemden hun klauwen zo stevig om de takken dat ze zelfs als ze dood waren bleven hangen en uitdroogden tot ze nog maar een gerimpelde schaduw waren. Sommigen van ons, mensen, wacht hetzelfde lot: dood vanbinnen en slechts gehandhaafd door onze gelijkenis met de levenden die we ooit waren.

Op de bovenste takken hingen de wijfjes bijeen die hun jongen zoogden. Ze leken zo sterk op kleine mensjes dat ik het vermeed ze in de ogen te kijken om mijn jachtbedoelingen niet te verzwakken. Dat gevoel van medelijden werd sterker naarmate ik meer ging dromen van het moederschap. Tot ik op een keer voor een boom waar ik in moest klimmen moed vatte en zei: 'Het spijt me, pa, maar ik doe dit niet meer.'

Mijn vader was stomverbaasd over mijn houding. Geen enkele vader in Nkokolani neemt genoegen met nee. Maar hij glimlachte onverwachts lief. 'Wil je niet in de boom klimmen?' vroeg hij met een onnozel gezicht. Ik zei niets, schudde alleen heftig mijn hoofd. En tot mijn verrassing accepteerde hij mijn weigering.

'Heb je medelijden met de vleermuizen? Dat kan ik begrijpen, meisje. En ik zal je vertellen waarom ik begrijp dat je niet wilt.'

Daarop vertelde hij me een oud verhaal dat hij van zijn grootouders had. In die tijd doorkruisten de vleermuizen de lucht met een ijdelheid alsof ze unieke schepsels waren op aarde. Op zekere dag viel een gewonde vleermuis neer op een kruispunt van wegen. Er kwamen allerlei vogels voorbij en die zeiden: 'Hé, dat is er een van ons, die moeten we helpen!' En ze namen hem mee naar het rijk der vogels. De koning van dat rijk merkte echter op toen hij de stervende vleermuis zag: 'Hij heeft haren en tanden, dat is er geen van ons, breng hem weg.' En de arme vleermuis werd teruggelegd op de plek waar hij was gevallen. Er kwamen muizen voorbij en die zeiden: 'Kijk daar, dat is er een van ons, die moeten we redden!' En ze droegen hem naar de koning der muizen, die verkondigde: 'Hij heeft vleugels, dat is er geen van ons. Breng hem terug!' En ze droegen de wegkwijnende vleermuis naar het noodlottige kruispunt. En daar ging hij dood, moederziel alleen, hij die tot meer dan één wereld wilde behoren.

De moraal van de fabel was duidelijk. Daarom vond ik het vreemd dat hij aan het eind vroeg: 'Begrijp je het, meisje?'

'Ik denk het wel.'

'Dat betwijfel ik. Want dit verhaal gaat niet over vleermuizen. Het gaat over jou, Imani. Over jou en de werelden die in jou vermengd zijn.'

*

De vaardigheden van Katini bleven niet beperkt tot het bouwen van marimba's. Hij was ook componist en dirigent van een orkest met een stuk of tien leden. Het trad op in ons dorp en trok langs andere dorpen. Als ik een concert bijwoonde, raakte ik helemaal in vervoering van de dansers, die gekleed als krijgers gevechten met schilden en knuppels nabootsten. Ze gingen bijvoorbeeld op hun rug liggen en kwamen dan met één sprong overeind, alsof ze bezeten waren door geesten die oprezen uit de diepten.

'Waarom spelen we oorlogje?' vroeg ik vaak verschrikt.

Mijn vader gaf nooit antwoord. Misschien konden we gewoon niet leven zonder angst. Als we met spoken dansten, temden we die op den duur. Het probleem met spoken is dat ze altijd honger hebben. Ooit eten ze ons op en worden wij zelf onze eigen spoken.

Hoe het ook zij, dat mannelijke ritme rukte me weg uit de wereld en hoewel de dans uitsluitend werd uitgevoerd door mannen, bewoog ik op mijn stille plekje met mijn hele lijf. Het was alsof er iemand anders in mij danste. Misschien was die ander 'de Levende', misschien was het 'As', misschien was het iedereen die ooit in mij heeft geleefd. Op dat moment hoefde ik geen lichaam meer te hebben, geen lichaam en geen geheugen. Dan was ik gelukkig.

*

Na het dansen vielen de mannen hulpeloos neer, alsof ze doorboord waren door hun eigen dood. Dan pas mochten de vrouwen ook meedoen. Een stel moeders maakte zich los uit het publiek en ze deden alsof ze hun kinderen zochten tussen de omgevallen krijgers. In tegenstelling tot de heftige blijdschap van de dans stortte dat moment me in een hulpeloze vertwijfeling. En ik barstte onveranderlijk uit in tranen.

'Vond je het niet leuk, meisje?' vroeg mijn moeder dan na afloop.

Ik knikte van ja, dat ik het leuk had gevonden. En dan sloeg zij haar arm om mijn schouders en troostte me: 'Het is maar een spelletje, kind.' Maar in haar stem en het gewicht van haar arm school een verdriet dat nog veel groter was dan dat van mij. En ze legde de reden van die somberheid uit: of je nu op een dansvloer bent of op een slagveld, je vindt nooit een kind dat alleen van jou is. Al degenen die sneuvelen zijn onze kinderen. De moeders uit mijn dorp dragen de rouw van alle oorlogen.

*

Het was bijna twaalf uur en mijn vader had een opengeslagen boek op schoot. Op de kaft stond te lezen: *Boek om te le-*

ren lezen. Ik had dat boek ooit lang geleden gevonden in de kerk, tussen oude spullen, en had het toen per se cadeau willen doen aan hem. Nog nooit had een geschenk hem zo diep ontroerd. Er ging geen dag voorbij zonder dat hij met zijn vingers over de bladzijden streek alsof hij die net zelf gemaakt had. 'In plaats van woorden hoor ik muziek,' zei hij. En dan trommelde hij met zijn vingers op de pagina's alsof het de toetsen van een marimba waren.

'Bent u niet bang voor de VaNguni's, pa?'

'We moeten degenen die ons bang willen maken zelf bang maken. Daarom leer ik uit dit boek.'

Heel voorzichtig deed hij het boek dicht en even zorgvuldig stopte hij het in een leren tas. Daarna zuchtte hij diep.

'Ze zeggen dat ik me heb overgegeven aan de Portugezen, dat ik mijn ziel heb verkocht aan de blanken. Dan vraag ik: ken je dat vogeltje dat op de rug van het nijlpaard leeft?'

Dat kende ik, en, beter nog, ik kende het aforisme. Mijn vader herhaalde voor de zoveelste keer de oude fabel: iedereen zegt dat die vogel leeft op kosten van de dikhuid, maar als de vogel verdwijnt gaat het nijlpaard binnen een paar dagen dood. En hij besloot met het enthousiasme van een nieuwe ontdekking: 'Ik ben dat vogeltje op de rug van het nijlpaard. Ik houd de VaLungu's overeind, de blanken van het land van de kroon. Voor je moeder doe ik niets anders dan drinken en marimba's maken...'

'Pa, ik ga niet door met dit werk.'

'Jouw werk is nog niet eens begonnen. Geef de sergeant even tijd om zich te installeren en ga dan fris gewassen en in een mooi jurkje naar hem toe in de kazerne. Klaar voor het werk...'

'Dat werk bedoelde ik niet. Ik bedoel dat ik niet meer in bomen klim, dat ik geen vleermuizen meer doodmaak...'

'O, maar dat werk is afgelopen. Nu zijn er andere klussen. En ik zeg alvast: als de sergeant je een beloning geeft, is dat geen gulheid van hem. Dat is een betaling voor de diensten die ik hun heb bewezen. Ik heb hun een dochter gegeven en, meer nog, een zoon. Is er een prijs voor wat ik hun al heb gegeven?'

'Ik had beloofd dat ik niet meer terug zou gaan naar de winkel van die Sardinha...'

'Zeg niet winkel. Dat is een kazerne. En je kunt daar je broer steunen. Het is een brave jongen, die Mwanatu van mij, bezorgt altijd alles op tijd. Je kunt je niet voorstellen wat hij lijdt met het brengen van die papieren.'

'U weet heel goed hoe gevaarlijk dat werk is. Stel je voor dat hij een brief verliest, of dat hij uitglijdt en in de rivier valt...'

'Daar heb jij niks mee te maken, dat zijn mannenzaken. Ik wil alleen dit weten: jij hebt de brieven gelezen, of niet, kind?'

'Sommige wel.'

'Bevredig dan mijn nieuwsgierigheid: wanneer komt die grote Portugese leider?'

Voor mijn vader waren alle Portugezen grote leiders. Hij begreep waarom ik aarzelde en werd wat nauwkeuriger: 'Ik bedoel die ene die uit Lissabon is vertrokken om Ngungunyane te komen doden...'

'Mouzinho de Albuquerque? Dat weet ik niet, pa. Het schip waarop hij zat kwam in een storm terecht.'

'Een storm?'

'Ja, vlak buiten Lissabon verging het bijna in een storm.'

Mwanatu had al over het vroege ongeluk gesproken dat de reis van Mouzinho de Albuquerque had verstoord. Laat je niets wijsmaken, fluisterde mijn vader: dat was geen storm. Dat was een bestelling.

'Voorzichtig, pa. Niemand mag weten dat ik de telegrammen van de Portugezen lees.'

'Waar zie je me voor aan? Denk je dat ik niet weet wat de Portugezen met spionnen doen? Ik heb er zelf een hoop aangegeven.'

'Wat ik u vertel zijn geheime boodschappen uit Lissabon en Lourenço Marques. Dat mag verder niemand weten...'

'Ik vermoed dat iemand dingen doorgeeft. En die iemand heeft iets verteld aan een medicijnman die stormen kan maken.'

'Noemt u alstublieft nooit de naam van die iemand, pa! Zelfs hier, in deze uithoek, ben ik bang dat we worden afgeluisterd.'

'Het kan jouw broer zijn, mijn zoon, maar een dezer dagen vergeet ik dat ik vader ben en geef ik hem aan.'

'In godsnaam, zegt u dat niet. Dat is niet eerlijk. U hebt Dubula altijd behandeld alsof hij uw zoon niet was.'

'Vertel me eens: wie is zijn grote held?'

'Dat heb ik hem nooit gevraagd.'

'De grote held van die broer van jou is keizer Ngungunyane. En vertel mij dan maar eens of zo iemand mijn zoon kan zijn.'

'Wat wilt u dan doen? Hem uitleveren aan de Portugezen?'

'Dat is precies wat ik ga doen. Als ik je broer tegenkom zal ik ervoor zorgen dat hij er spijt van krijgt dat hij zich tegen mij heeft gekeerd.'

'Maar denkt u nou toch eens na: stormen zijn er altijd geweest. Waarom zou deze anders zijn?'

'Laat ik je dan dit verklappen: ik ben naar een waarzegster gestapt, naar tante Rosi, om te kijken of hij besteld was.'

Hij was tegenover de profetes gaan zitten zonder zijn knieën te buigen, zoals het ontzag voorschrijft. Zo treurig en verslagen was hij, dat hij daar op zijn matje alle gevoel in zijn benen verloor. Hij vroeg Rosi om naar hem te luisteren als nooit tevoren. Want hij zou hardop voorlezen wat zijn dochter had meegebracht uit het huis van de sergeant.

'Wat? Hebt u het verslag meegenomen naar tante Rosi?'

'Ja.'

'Maar dat is gekkenwerk, pa! Wat als de sergeant merkt dat de papieren weg zijn?'

'Die papieren, zoals jij zegt, dat is maar één vel, en dat heb ik hier bij me.'

Hij haalde een gekreukt vel papier uit zijn zak, dat hij begon voor te lezen met de traagheid van iemand die letter voor letter ontcijfert. Hij draaide het papier om en om, om te doen alsof het zo moeilijk was vanwege de schaduw van overtrekkende wolken. En hij ontsluierde zin voor zin, dusdanig struikelend over de woorden dat het speeksel van zijn kin op zijn trillende handen droop: '...zodra het schip Peninsular met aan boord onze bevelhebber Mouzinho de Albuquerque de haven van Lissabon had verlaten, werd het getroffen door een storm zoals men nog nooit had meegemaakt voor die kust. De zee groef zulke diepe afgronden en wierp dermate hoge bergen op dat het schip zo klein werd dat zelfs God het niet meer kon zien. De golven waren zo hoog dat de schroef van de boot losliet en

67

in de diepte van de zee verdween. De Peninsular onttrok zich op die manier aan de menselijke wil. Franse en Engelse schepen schoten te hulp. Ze wierpen trossen, de trossen braken. Ze lieten reddingsboten te water, de reddingsboten konden onmogelijk varen op die woeste zee. Maar ineens, hoe dat kon begreep niemand, ging de storm liggen en voer het schip van Mouzinho terug naar Lissabon om gerepareerd te worden en zijn reis voort te zetten met de zegen van Onze-Lieve-Heer...'

'Sta je ervan te kijken dat ik al die woorden heb gelezen?' vroeg Katini met een spottend lachje. 'Dat heb jij me geleerd,' sloot hij af terwijl hij het vel opvouwde en weer in zijn zak stak.

'Hebt u alleen dat vel, pa? Waar zijn de andere bladzijden?'

'Die had de waarzegster nodig.'

Tante Rosi, zijn wettige schoonzuster, hoefde tijdens het spreekuur haar stem niet te verheffen om prompt gehoorzaamd te worden: 'Leg een van die papieren in het water!'

Het blad dreef in de teil die de vrouw op haar brede dijen had gezet. Het schommelde als een boot in een storm. Daarna loste de inkt op en kleurde het water donker door een wolk van kwelling. Die vlek zou de ziel van Katini voor eeuwig bezoedelen.

'Die inkt komt niet van het papier,' oordeelde de waarzegster. 'Die inkt komt uit jouw aders.'

Duizelig keek Katini Nsemba naar het reeds vaal geworden vel, dat langzaam wegzonk in de teil met water. Rosi vroeg hem om haar de rest van het verslag te overhandigen.

'Ik heb die schrijfsels nodig,' zei ze. 'Geschreven woorden zijn grote tovertrucs, in staat tot machtige magie. Ik wil die papieren gebruiken voor mijn werk.'

'Je mag ze allemaal hebben, maar ik wil eerst de uitkomst van mijn bezoek weten.'

'Van één ding kun je zeker zijn: die storm kwam niet van de zee. Die storm was van iemand. En degene die hem besteld had, zal dat opnieuw doen. Het slachtoffer zal steeds die Portugees zijn, die Mauzinho...'

'Mouzinho,' corrigeerde mijn vader.

'Andere tovenarijen zullen volgen, zowel hier in Afrika als in Portugal.'

'Wie heeft die storm besteld, tante Rosi?'

'Dat weet je best, Katini. De deur wordt opengedaan door degene die binnen zit.'

*

Katini overhandigde me de enige bladzijde die over was van het verslag van de reis van Mouzinho. Hij dacht dat hij op die manier mijn verdriet een beetje weg zou nemen. En om me op te vrolijken begon hij opnieuw te praten: 'Luister, kind: als het Portugese leger ons komt redden moet jij heel goed oppassen.'

'Waarom dat, pa?'

'Die blanken komen op paarden. Heb je ooit een paard gezien? Ik wel, in Inhambane. Met zo'n beest moet je echt goed oppassen, kind. Je moet ze nooit recht aankijken.'

De ogen van paarden gloeien en fonkelen. Ze bestaan uit donker water, zoals diepe meren. Maar dat water is aangestoken. Als je ze recht aankijkt, brand je je ziel.

'Daar huizen tovenarijen graag, in de ogen. De dag waarop ik je moeder heb leren kennen, kruisten onze blikken elkaar met zoveel hartstocht dat jij, Imani, dat jij op datzelfde moment geboren werd.'

Hij joeg de vliegen weg die rond zijn hoofd zoemden. Zijn gebaar was rond, alsof hij werkelijk iets had gevangen in de lucht.

'Heb je sergeant Germano trouwens al voorgesteld om hem taalles te geven?'

'Ja, maar daar heeft hij helemaal geen zin in.'

Al meteen in de eerste les had de Portugees zijn ogen niet opgeslagen van de correspondentie die verspreid over de tafel lag. Zonder me aan te kijken maakte hij duidelijk dat hij slechts het 'wezenlijke' wilde leren. Dat wat volstond om bevelen te geven. In feite zou hij nooit ook maar één woord leren. Want wie moest hij bevelen geven in de totale eenzaamheid waarin hij zou komen te leven?

'Hij heeft gelijk, die sergeant. Ik heb nooit begrepen waarom ze een negertaal willen leren,' verzuchtte mijn vader.

'Dat willen ze ook niet, maar ze moeten.'

'Ga in elk geval altijd naar hem toe, met of zonder les. Die man wordt onze garantie. Zolang de sergeant bij ons is hebben we bescherming.'

'Doe ik.'

'En ik zeg je één ding: als die blanke op een dag iets meer van je wil, dan, je weet wel.'

'Wat bedoelt u, pa?'

'Wat ik bedoel is doodsimpel: jij moet voor hem zijn wat alle vrouwen op aarde zijn. Snap je?'

Ik zweeg en zette me schrap in het zand, alsof ik een rivier wilde tegenhouden. Maar het waren mijn tranen die ik tegenhield. Ik had beter wel kunnen huilen. Onze moeder zei altijd dat als we huilen, onze ziel het voorbeeld van aarde in de regen volgt: die wordt klei. En de klei geeft ons een huis, de klei vormt onze hand.

Hoofdstuk 8

Vierde brief van de sergeant

Edelachtbare heer
Staatsraad José d'Almeida,

Ik betreur het ten zeerste dat de brief die ik had meegegeven aan Fragata zoek is geraakt. Erger dan het verlies ervan vind ik het vermoeden dat hij in andere handen is beland. De boodschappenjongen die deze missive zal overhandigen verdient in elk geval alle vertrouwen. Ik heb hem al eerder genoemd. Mwanatu is de naam van dat hulpje dat mij helaas ten deel viel. Aan zijn trouw twijfel ik niet, maar hij is wel wat achterlijk. Zijn zus Imani is anders, die is intelligent en levendig, je zou bijna vergeten dat je een jong zwartje voor je hebt.

Dank dat U mij hebt gewaarschuwd om geen informatie rechtstreeks naar Lourenço Marques te sturen, maar alles eerst aan Uw oordeel voor te leggen. Ik had nooit gedacht dat zulke onenigheden binnen ons bestuur mogelijk waren. Maar U hoeft zich geen zorgen te maken, ik zal het vertrouwen dat U in mij stelt waardig zijn.

Ik moet eraan toevoegen, geachte Staatsraad, dat Uw vermoeden dat er vreemde dingen gebeuren met onze correspondentie nergens op gebaseerd is: er wordt niets omgeleid en er kan niemand bij. De enige die de geheimhouding die op onze briefwisseling rust zou kunnen schenden zou genoemde Mwanatu zijn, degene die mijn huis schoonhoudt en erover waakt. Hij is de enige die de post in handen krijgt. De knaap heeft leren lezen, hoewel op een zeer rudimentaire manier.

Maar hij durft de brieven niet te openen en laat ze ook niet door iemand anders lezen, daarvan ben ik overtuigd.

Derhalve schroom ik niet om U in dit verslag zonder enige terughoudendheid de bijzonderheden te verstrekken aangaande de tragische gebeurtenis die heeft plaatsgevonden na de aanhouding van de kruidenier Francelino Sardinha.

Geheel volgens de in Lourenço Marques ontvangen instructies stelden wij de kruidenier op de hoogte van zijn arrestatie. Wij vonden het niet noodzakelijk hem in de boeien te slaan en, om eerlijk te zijn, hij scheen in het geheel niet aangeslagen door die mededeling. Integendeel, hij leek zo blij dat wij er waren dat hij niet eens vroeg naar de redenen van de verdenking die op hem was gevallen. Die totale afwezigheid van bevreemding was voor mij een overduidelijk bewijs van zijn schuld.

Het enige verzoek dat hij deed was hem een publieke tentoonstelling in de straten te besparen, geboeid en onder het geleide van zwarte politieagenten. In de rest van het gesprek dat wij voerden toonde hij zich hartelijk, hoewel hij het erg oneens was met ons koloniale beleid. Op een gegeven ogenblik sloeg zijn humeur echter om als een blad aan een boom. Hij werd agressief en sprak zelfs kwaad van ons roemrijke leger. Ik weet nog woordelijk wat hij zei: 'Dat verdomde heroïsme van jullie: een paar drommen negers verslaan die met blote borst oprukken tegen geweren en mitrailleurs!' Ik hoefde niet zelf te reageren op die gewaagde en provocerende uitlatingen, want Fragata riposteerde terstond op krachtige wijze door hem te herinneren aan het feit dat veel Kaffers reeds beschikken over mitrailleurs en geweren.

Maar de withete Francelino Sardinha bond niet in. Als rechtstreeks kenner van een realiteit die wij slechts kunnen beoordelen op grond van rapporten en verslagen, betoogde de winkelier dat de overgrote meerderheid van de Vátua's weigert Europees wapentuig te gebruiken. Dit waren zijn woorden: 'De geweren die ze uitgereikt krijgen gebruiken ze niet. Ze zeggen dat het een daad van lafheid is om op afstand te strijden. Die lui vertrouwen volledig op hun drankjes en amuletten, waarvan ze geloven dat ze hen immuun maken voor kogels. Zelfs ik, God vergeve me, moet bekennen dat ik intussen geloof hecht aan dat soort zaken.'

Ik rapporteer zo gedetailleerd wat er die noodlottige avond is gebeurd omdat het mij nog zeer levendig voor de geest staat, en ik ga daar even minutieus mee door omdat de dingen die gezegd werden nuttig kunnen zijn voor het meten van de spanningen die ons Portugezen van elkaar scheiden. Zo nam de winkelier voortdurend frontaal stelling tegen de onbewogen Fragata, bijvoorbeeld door hem te vragen of hij ook een negertaal sprak. Hij wilde weten of onze onderhandelaars zich ooit hadden ingespannen om een van die talen te leren. Hijzelf, Sardinha, sprak het dialect van de Kaffers omdat het leven hem daartoe genoopt had. Hij was niet als 'alle anderen' die al jaren in Afrika zitten en geen woord kunnen zeggen in hun taal. Dat zei de winkelier.

Ditmaal was het mijn adjunct die zijn kalmte verloor. En toen hij zich nijdig en ongeduldig tot Sardinha richtte, liet hij zich onze ware bedoelingen ontvallen: 'En jij, Sardinha, praat jij Engels als je de Portugese militaire geheimen gaat verkopen in Zuid-Afrika?'

De winkelier bleef enige tijd stil. Toen dronk hij in één teug zijn glas leeg om moed te vatten en vroeg: 'Weet u wat voor taal de Engelsen en ik met elkaar spreken? Zoeloe.' Volgens hem leerden de Engelsen in tegenstelling tot de Portugezen de talen van de Kaffers te spreken. Daarom hadden ze zo'n goede verstandhouding met het hof van Gungunhana en namen ze naast hem plaats als adviseurs. Ik geef toe dat mijn bloed begon te koken van die lofzang op de Engelsen, in schril contrast met onze zogenaamde aangeboren Lusitaanse tekortkomingen.

Wellicht was dat de reden waarom ik voor onze eer in de bres sprong en de beleidsmatige inzet van tolken op Afrikaans grondgebied verdedigde. Portugees spreken en laten spreken maakte, zo zei ik, deel uit van onze beschavingsopdracht. Nog altijd stokend waarschuwde de winkelier voor onze naïviteit om de tolken te vertrouwen. Dezelfde fatale lichtgelovigheid had ons ertoe gebracht wapens uit te delen onder de Kaffers die wij als onze bondgenoten beschouwden. Het oordeel van de geëxalteerde kruidenier kon niet tragischer zijn: 'We zullen

73

gedood worden door dezelfde geweren als we in hun handen hebben gelegd. En het bevel voor de afslachting zal worden gegeven in het Portugees, de taal die we in hun mond hebben gelegd.'

Ik moet erbij zeggen dat Sardinha op dat moment reeds in zijn eentje praatte, want Fragata en ik hadden inmiddels onze koffers geopend om er de spullen uit te halen die we het dringendst nodig hadden. Ik verbaasde me over het enthousiasme van de winkelier toen hij zag dat ik mijn geweer aan een spijker in de muur hing. Met luide stem sprak hij de volgende woorden: 'Kijk, dat daar aan die muur, dat is de enige taal die die meute verstaat.'

Ik vroeg hem zijn toon wat te matigen, want de volgende morgen zou hij tussen twee gewapende cipaio's in het hele Kafferdorp door moeten. De kruidenier behield zijn arrogantie en dreef de spot met de Lusitaanse incongruenties: terwijl hij de gevangenis in moest, bevorderden de Portugese autoriteiten Gungunhana tot mijn meerdere in rang. Voorts liet hij zich honend uit over het feit dat het ministerie het stamhoofd van de Vátua's had benoemd tot kolonel van ons leger, met alle voorrechten en privileges die daarbij hoorden. En wat hij vervolgens onthulde, maakte me hels, geef ik toe: 'Weet u hoe die neger over ons Portugezen spreekt? Als "mijn blanke Machanganes". Wij zijn slaven van hem, van die Gungunhana. We zijn doodgewoon zijn slaven, meer niet...'

Zo bleven we doorpraten tot het helemaal donker was. Toen ging Imani, die dit hele gesprek had gevolgd, weg en de winkelier vroeg toestemming om een paar minuten met haar mee te lopen. Na een korte afwezigheid keerde de man terug en beroofde zich geheel onverwacht voor onze ogen van het leven.

U kunt zich niet voorstellen hoezeer die krankzinnige daad ons in verlegenheid bracht. Ik moest de ongelukkige winkelier onmiddellijk begraven en met mijn eigen handen heb ik het bloed opgedweild dat overal op de grond lag in de winkel die wij kazerne noemen. Nu ik dit schrijf zie ik nog steeds bloed op mijn vingers.

Ik herinner me dat mijn vriend Fragata me te hulp schoot toen hij me dat allemaal zag doen: 'Trek het je niet aan, beste

Germano. Die ongelukkige winkelier heeft niet alleen zelf-moord gepleegd omdat hij de gevangenis in moest. De mis-daad waarvan hij beschuldigd werd bestond uit veel meer dan de verkoop van wapens en slagtanden aan de Engelsen.'

'Waaruit dan?'

'Spionage ten faveure van de Engelsen. Hij zou als hij aan-kwam in Inhambane onmiddellijk terechtgesteld worden. En dat wist Sardinha.'

'Laten wij Portugezen fusilleren? Laten we iemand van ons doodschieten?'

'Daar zit 'm nou net de kneep: die kroegbaas was er allang geen meer van ons. In feite was hij al... hoe zal ik het zeggen... was hij al een neger, hooguit ietsjes bleker. Daarom ook sprak hij de taal van de Kaffers.'

'Bovendien,' vervolgde Fragata, 'had het besluit tot detentie van Sardinha niets te maken met de Kaffers. De negers zijn een spook dat ons achtervolgt, maar die bestaan niet op zichzelf. Het zijn de Engelsen die hierachter zitten. Dát zijn onze echte vijanden.'

Mijn collega dacht dat hij de last van de schuld een beetje van me af nam door mijn animositeit jegens de Engelsen op te poetsen. Maar het berouw zit nog altijd diep in mij. Alsof het een laatste poging was nam Fragata me daarop mee naar de achterkant van het huis en wees naar een stenen muur: 'Zie je die gaten daar, allemaal op dezelfde hoogte. Weet je wat dat zijn?'

'Ik heb geen idee.'

'Dat zijn stuk voor stuk kogelgaten. Tegen die muur werden de terdoodveroordeelden gezet. In Inhambane zeiden ze tegen mij dat het geen zin had de winkelier mee te nemen naar de stad. Dat we hem hier maar terecht moesten stellen.'

'We moesten hem hier fusilleren?'

'Wij niet, jij moest dat doen, want jij bent militair. Snap je het? Het is veel beter dat hij zichzelf heeft gefusilleerd.'

Hoofdstuk 9

Boodschappen van de doden, stilte van de levenden

Het verschil tussen oorlog en vrede is dit: in een oorlog worden de armen het eerst gedood; in vredestijd sterven de armen het eerst.
Voor ons, vrouwen, is er nog een tweede verschil: in oorlogstijd worden we verkracht door mannen die we niet kennen.

Wij woonden in Nkokolani omdat we gevlucht waren op grond van leugens en lafheid. We waren gelukkig geweest in Makomani aan de zee. Daar ben ik geboren, daar ben ik opgegroeid als intern op de missieschool, daar heb ik geleerd de vrouw te zijn die ik nu ben. Mijn moeder, vooral zij, was gelukkig geweest in dat plaatsje aan de Indische Oceaan. Het was onze grootvader Tsangatelo, de oudste in onze familie, die op zekere dag zonder duidelijke reden het bevel gaf om daar weg te gaan en er nooit meer terug te keren. Het was een onverwachte beslissing, het leek wel of hij geduwd werd door spoken.

Op die manier zijn we terechtgekomen in Nkokolani, een dorp in het binnenland waar alleen de rivier de Inharrime ons heimwee naar de immense oceaan een beetje verzachtte. Zonder dat uit te spreken hoopten we dat opa het ons ooit zou uitleggen. Of nog beter, dat we terugkeerden uit die ballingschap. En dat dachten we toen hij op zekere dag de hele familie bijeenriep.

We zaten allemaal samen achter zijn huis, toen Tsangatelo uit de slaapkamer kwam met de typische bagage van een reiziger: een slaapmatje, een deken, een rol tabak, een geitenleren zak met maniokmeel en een kalebas vol water.

'Gaat u weg, opa?'

'Ik ga emigreren, ik ga naar de mijnen.'

De eerste reactie van de familie was lachen. De mijnen vereisen een bepaalde leeftijd, het binnenste van de aarde voedt zich met jeugd. Tsangatelo was al boven de zestig. Hij zou niet eens de reis ernaartoe volhouden. Die ging te voet, want in die tijd bestonden de ronselbedrijven nog niet, die zich belasten met het inlijven en vervoeren van de mijnwerkers.

Toch had Tsangatelo nooit iets met meer ernst gezegd. Hij was vastbesloten om te gaan werken in het gebied van de Engelsen. Hij ging naar de *Diamond*, zoals wij de diamantmijnen in Zuid-Afrika noemden. De familie schrok van de ernst van zijn aankondiging en probeerde het hem uit het hoofd te praten. Eerst werd zijn leeftijd aangevoerd, later kwamen er andere argumenten bij. Opa moest maar eens kijken naar de ellendige toestand waarin de *magaíças*, zoals de mijnwerkers uit Mozambique werden genoemd, terugkwamen. Het meest van alle familieleden roerde zich mijn oom Musisi: 'Ons vertrek naar dat gebied is erger dan alle oorlogen die ons zijn aangedaan.'

Onze jongeren, betoogde hij, waren niet meer hetzelfde als ze terugkwamen, ze werden nooit meer VaChopi's. Opa Tsangatelo bleef er onbewogen onder, schonk aan niemand gehoor. Oom Musisi drong aan: de mijnen in Transvaal waren ons volk aan het uitmoorden. Vroeger betaalden we de bruidsschat met ons vee. Nu wilde niemand nog iets anders dan het fameuze Engelse pond.

Een ander familielid gaf nog als tegenargument dat de Portugezen ons betaalden in hun munt, maar dat wij hun moesten betalen met Engels geld. Waarom zou je dan niet emigreren, onder die omstandigheden?

De zware stilte van de berusting was al neergedaald toen oma het met trillende stem opnam tegen haar man: 'Wil je zo het goede voorbeeld geven aan je familie?'

'Welke familie?' vroeg opa.

En zijn vrouw zei niets meer.

*

77

Voordat hij vertrok, riep opa me bij zich. Daarmee schond hij het gebod van het dorp dat je over ernstige aangelegenheden niet praat met een kind, en al helemaal niet als dat kind een meisje is. Ik zal toen een jaar of tien zijn geweest. Nu begrijp ik dat onze oudste alleen maar naar zichzelf wilde luisteren. Hij bracht tegenover mij het moment in herinnering dat hij gedwongen was geweest zijn vader op te zoeken, die op sterven lag. Hij had de moed niet. Hij wist niet hoe hij moest kijken naar een ontknoping die uiteindelijk ook zijn eigen einde was. Zoveel jaren later richtte hij zijn ogen op mij en stortte hij zijn hart uit: 'Nu, met die nieuwe invallen van de VaNguni's, is het precies hetzelfde. Ik wil niet nog een keer geroepen worden om een nog ergere dood bij te wonen: de dood van mijn land.'

Ik keek naar zijn eeltige voeten. Op dat moment schaamde ik me voor mijn sandalen. En mijn benen werden zwaar van schuld. Alleen wij bij ons thuis droegen schoenen, verder niemand. Dat was genoeg om ons VaLungu's te noemen: de blanken.

Tsangatelo vroeg me daarop een van mijn schriften te halen. Hij wilde mij een droom dicteren die hem achtervolgde. Ik moest letterlijk opschrijven wat hij zei. Daarna zou hij het blad papier stukscheuren en dan was hij vrij van die nachtmerrie. Ik deed wat hij vroeg.

*

'Schrijf, kleindochter, schrijf over de gedroomden. Nu zul je me vragen: "De gedroomden?" En dan antwoord ik: "Ja, de gedroomden."

Want ik droom hen. Ik zeg dat ik hen droom en niet dat ik over hen droom. De dode soldaten verschijnen elke nacht aan mij, wakkerder dan ikzelf ben. Ze komen tot mij uit alle veldslagen, uit alle tijden en uit alle oorden. En daarna schudden ze aan me met hun lange armen om te zeggen dat ze zijn gekomen vanwege de nieuwe oorlog.

"Welke oorlog?" vraag ik bang.

"De oorlog die op uitbreken staat," antwoorden de gedroomden.

Ik kijk naar buiten. Maar dat doe ik alleen om hen af te leiden, want ze weten dat ik alleen mezelf zie. Ik ben een opengereten slagveld, een kerkhof dat groter is dan de aarde zelf.

Al die gedroomden drukken zo zwaar op me dat mijn droom bijna wegzinkt. Ze hebben namelijk de wapens bij zich waarmee ze verslagen werden.

"Geef me vrede," smeek ik.

"Wij hebben de deur niet geopend," antwoorden ze. "Dat heb jij gedaan. Jij bent de dromer."

Ik wijs naar de muren van mijn kleine slaapkamer en laat hun zien hoe klein de ruimte is: "Binnenkort kan ik niemand van jullie hier meer onderbrengen." En zij antwoorden: "Als dat gebeurt moet jij je droom verlaten."

Dan probeer ik hen tot rede te brengen. Ik zwaai naar degene die het dichtstbij staat en ik wil hem iets in het oor fluisteren, maar hij roept heel beslist uit: "Fluisteren heeft geen zin. Wij horen je hier allemaal nog voor je iets zegt."

"De oorlog waarover jullie het hebben kan nog uitblijven," betoog ik.

"In dat geval schieten wij op jou."

"Maar ik ben de dromer."

"Niet meer. Nu dromen wij jou.'"

*

Toen hij klaar was met het dicteren van zijn nachtelijke intimiteiten, rechtte Tsangatelo zijn rug alsof hij zich opgelucht voelde. Daarna vroeg hij me hem het vel papier te geven, zodat hij dat persoonlijk kon verscheuren en verstrooien. En dat deed hij. Hij draaide langzaam in het rond en wierp de stukjes papier in de vier windrichtingen. Vervolgens spreidde hij met open ogen zijn armen en keek recht in de zon. En hij verkondigde: 'Vaarwel, gedroomden. Ik ga ergens heen waar ik de baas ben over mijn dromen.'

En hij nam afscheid. Ik bleef roerloos toekijken hoe Tsangatelo wegliep, met die wijze behendigheid van hem om niet meer te zijn dan een schaduw. De voeten die voren trokken in het zand waren ouder dan de aarde zelf. In zijn voetsporen volgden alle voorouders.

*

Mijn opa was zo oud als ik toen onze streek voor het eerst werd overvallen. We begrepen niet waarom die mensen ons aanzagen voor beesten en meer op hun runderen gesteld waren dan op de volkeren die ze onderwierpen. We begrepen niet waarom ze ons vee stalen, onze mensen vermoordden en onze vrouwen verkrachtten. Ze noemden ons *tinxolo*, de 'hoofden'. Zo keken ze naar ons: geteld als slaven, geveld als beesten. Te vuur en te zwaard stichtten ze een rijk dat overging van vader op zoon, van zoon op kleinzoon. En die kleinzoon, Ngungunyane, kwam ons opnieuw straffen.

De voortdurende agressie had veranderingen teweeggebracht bij ons. Wij hadden altijd verspreid gewoond en waren altijd verwikkeld geweest in buurtconflicten, maar die dreiging smeedde ons tot een eenheid. Wij werden de VaChopi's, degenen 'met pijl-en-boog'. We weerstonden de invasie van de VaNguni's, behielden onze taal, onze cultuur en onze goden. Dat kwam ons duur te staan. Voor Tsangatelo was de prijs het verlies van zijn eigen leven.

*

Er was een jaar verstreken sinds opa's vertrek. Op zekere ochtend kwam er een boodschapper bij ons met het bericht dat onze verwant verdwaald was in de mijn waar hij werkte.

'Is hij dood?' vroeg oma emotieloos.

Nee, dood was hij niet. Hij was gewoon verdwaald. Dat antwoordde de boodschapper. Of misschien was verdwaald niet het goede woord, voegde hij er twijfelend aan toe.

'Dan is hij dus toch dood,' concludeerde oma. 'Kom je ons daar ook niet over vertellen, over zijn dood?'

Ik bood de bezoeker een kokosschaal vol nsope aan. De man staarde roerloos naar de drank. Waarom weet ik niet, maar ik moest denken aan een oud kinderliedje: 'Wat zijn de voeten

80

van de boodschappers mooi...' En de voeten van de boodschapper stapten het liedje binnen alsof ze me ver weg voerden van het dorp.

Ten slotte zette de gezant de kokosschaal aan zijn lippen. Nooit had iemand zo langzaam gedronken. Wat hij verder nog moest zeggen viel hem zwaar. Ten slotte deed hij het toch: het stond niet vast dat opa Tsangatelo tegen zijn zin verdwaald was. Alles wees erop dat onze oudste zich uit vrije keuze had verlopen.

'Uit vrije keuze?' verbaasde oma zich, en ze besloot onmiddellijk: 'Dan is dat niet mijn man.'

Voor zijn collega-mijnwerkers was er maar één verklaring: Tsangatelo had ervoor gekozen om voorgoed in de onderaardse doolhofgangen te wonen. Ons familielid was vrijwillig in ballingschap gegaan en zwierf eeuwig rond in het donker van de mijn. Soms hoorden de koempels 's nachts iemand graven in de diepte. Dat was Tsangatelo, die nieuwe gangen openbrak. Hij had dusdanig rondgekropen in de schoot van de aarde dat er geen hoekje meer was waar hij niet was geweest. We liepen het gevaar dat de hele natie instortte, omdat er geen bodem meer was om haar te dragen.

Onze oma lachte, zonder verdriet of boosheid. En ze merkte op: 'Die vlerk had mijn bruidsschat allang terug moeten geven...'

'Misschien vindt u het niet leuk wat ik nu ga zeggen,' verontschuldigde de bezoeker zich. En hij stak me de nap toe om hem weer te laten vullen.

'Ga door, vriend,' moedigde oma hem aan. 'Is Tsangatelo verdwaald in de diepte? Je kon me geen beter nieuws brengen.'

Er was echter nog iets ernstigers. Daarover werd gesproken op de compounds waar de mijnwerkers sliepen. Op fluistertoon werd gezegd dat er van tijd tot tijd een vrouw afdaalde in de gangen om hem water en voedsel te brengen. Zo overleefde de oude Tsangatelo.

'Een vrouw?' vroeg oma. 'Zei je een vrouw?'

Ik keek naar haar gezicht, beoordeelde haar zwarte pupillen. Geen jaloezie, geen verbazing. Niets. Geen zweem. De boodschapper streek een paar keer met de rug van zijn handen over zijn trillende lippen. Hij droogde ze niet af. Hij probeerde moed te vatten om door te gaan.

'De rest vindt u nog minder leuk.'

'De rest? Welke rest?'

'In feite gelooft niemand dat degene die naar hem toe gaat een vrouw is.'

'Wat dan wel? Een geest?'

'Nee, een man.'

'Een man?'

'Een *tshipa*. Een van die mannen die bij de mijnwerkers dienstdoen als vrouw. Het zit zo: uw man is nu getrouwd met een tshipa.'

Toen pas werd oma geraakt. Haar spottende blik maakte plaats voor een masker van gekrenkte verbazing. We hadden allemaal gehoord van mijnwerkers die 'trouwen' met andere mannen en hun vrouw in het thuisland vergeten. Maar we hadden nooit gedacht dat Tsangatelo een van hen zou worden.

Met onverwachte kracht rukte oma de nap met de nsope uit de hand van de indringer, smeet hem op de grond en stuurde de boodschapper weg. Ze wachtte tot de man verdwenen was en schreeuwde toen: 'Tsangatelo is geen mens meer! Hij is een dode. Tsangatelo is dood.'

Met veel kabaal liep ze het huis in en gooide meteen daarna alle spullen van haar man door de deur naar buiten. Net zoals weduwen doen, sloeg ze vervolgens met een stok op al die dingen van hem. Ze haalde er de vuiligheid van de dood af. Terwijl ze de zweep liet fluiten, sprak ze het vonnis uit: 'Die mol zal wegrotten in het gat dat hij uitgegraven heeft.'

De woorden klonken als een vreselijke vloek. Voor mij was het precies andersom: opa liet ons weten dat er een uitweg was. Nkokolani was uiteindelijk toch niet net als alle plaatsjes waar de enige uitweg de weg terug is. Hij was weggegaan en niet teruggekomen.

Nog steeds hoor ik voor ik in slaap val zijn lange vingers in de schoot van de aarde wroeten. Op die manier zal hij de sterren bij onze termietenheuvel opgraven. En op die manier begraven mijn moeder en ik onze droom om ooit terug te keren naar de zee.

＊

Om twaalf uur 's middags was het zo heet dat zelfs de vliegen
van slaperigheid niet wegvlogen. We zaten in de schaduw achter het huis. Die morgen was tante Rosi op bezoek gekomen
en ze was blijven hangen, alsof ze vergeten was dat ze op een
ander adres woonde. Ze had ook wel een reden om te blijven:
de paden waren vast en zeker gloeiend heet. Op dat uur van de
dag vielen er brokjes vuur van de zon en kon niemand op de
grond stappen.

Moeder vlocht het haar van tante en ze moest lachen om
de grijze haren die haar schoonzuster wilde verbergen. Toen
stond mijn vader op en liet een kleurrijke bladzijde zien die
hij uit een boek van de oude kerk had gescheurd. Hij had lang
naar dat blad papier zitten kijken, alsof daar de oplossing voor
al onze benauwenis stond.

'Zien jullie die engelen hier?'

'Er zit niet één zwarte bij,' antwoordde Rosi ironisch. En zij
en moeder lachten.

'Mond dicht, dit is heel ernstig. Ik wil jullie een vraag stellen: stel dat een van die engelen nu in Nkokolani zou verschijnen, wat zouden jullie hem dan vragen?'

'Als degenen die bestaan al niet naar je luisteren, wat heeft
het dan voor zin iets te vragen aan iemand die niet bestaat?'

'Ik zou een bruidegom voor Imani vragen,' spotte Rosi.

'Als ze nou roeispanen hadden in plaats van vleugels...'
zuchtte moeder.

Ik verwachtte dat mijn vader ook van mij wilde horen wat ik
wilde, maar in plaats daarvan sprak hij zelf in mijn naam. Dat
het geen enkele zin had om het aan mij te vragen, want hij wist
precies wat mijn heimelijke hunkering was.

'Of niet, kind?'

En hij nam een strakke houding aan, sloeg op het papier dat
hij tegen zijn borst aan hield en liet weten dat hijzelf niets zou
vragen. 'Ik heb erover nagedacht,' verklaarde hij, 'en ik heb besloten dat ik in mijn hoedanigheid van oudste van de Nsambes
vandaag met de geesten ga praten.'

'De zon is nog niet onder en hij is al dronken,' smaalde mijn
moeder.

Die avond zou er op het familiekerkhof een plechtigheid plaatsvinden om Tsangatelo te herdenken en hem te vragen ons vrede te brengen. Meer dan de sympathie van de Portugezen moesten wij de welwillendheid van onze voorouders winnen. Die dienst gaf uitdrukking aan de verdeeldheid die in onze familie heerste: voor sommigen, zoals oma en mijn vader, was onze oudste overleden; voor anderen – en ik was er daar een van – liep Tsangatelo slechts levend door een lange donkere tunnel. Op een dag zou hij uit die tunnel geworpen worden, alsof het een tweede bevalling was.

*

De voorbereidingen van de plechtigheid vereisten van ons allemaal een inspanning. Ik moest voor mijn klus het verst van huis: de hele middag sprokkelde ik brandhout. En ik verzamelde stokken en twijgjes alsof het stukjes van mezelf waren. Naar het voorbeeld van de andere getrouwde vrouwen van Nkokolani had mijn moeder de hele nacht dikke houtblokken laten branden. Zo deden ze dat altijd. 's Morgens, als de huizen ontwaakten, brandde het vuur al. En daarmee bespaarden ze de mannen het werk om een nieuw vuur aan te leggen. Bij ons in het dorp is het maken van vuur voorbehouden aan de man.

Het begon te schemeren en nog altijd lag niet al het brandhout opgestapeld op het erf. Toen begon de kerkklok ineens vanzelf te luiden. De vogels vlogen geschrokken op en de dorpelingen vluchtten de huizen in. De blinde van het dorp, die nooit buiten kwam, liep het plein op. Jaren geleden was hij zonder zichtbare verwonding teruggekeerd uit de oorlog, maar de oorlog was in zijn hoofd gedrongen, had zijn ogen aan de binnenkant gedoofd.

De blinde hoorde het fladderen van de vogels om hem heen en zei: 'Beste mensen, dit zijn de laatste vogels! Kijk goed naar ze, want je ziet ze nooit meer terug.'

Hij draaide op zijn blote voeten in het rond alsof hij aan het dansen was, zijn armen gespreid als vleugels.

'Laat ons deze vogels groeten, die de hemel hoog maken. Laten we ze groeten, want morgen zullen er in Nkokolani alleen nog maar kogels vliegen.'

En met zijn handen door het donker roeiend liep hij weer naar binnen. Het mysterieuze luiden van de klok was voor mij een roepen, een teken dat andere goden onze aandacht vroegen. Ik liet het brandhout liggen waar het lag en vergat ook mijn andere verplichtingen. In het zwakke licht dat nog over was liep ik naar de vervallen kerk, een schamel gebouwtje dat zo vervallen was dat er allang niemand meer naar binnen ging. Zelfs God gaf geen teken van Zijn aanwezigheid. Ze zeggen dat daar veel missen zijn gelezen en dat er veel nieuwe christenen onderricht zijn in de leer. Maar sinds de laatste pater was vertrokken naar Inhambane was het gebouw eenzaam en verlept weggekwijnd, als een eiland te midden van de eindeloze Afrikaanse geesten. In een kerkje dat leek op wat deze kerk vroeger was, had ik ooit leren lezen en rekenen.

*

Er gaat niets boven een leegstaand kerkje om God in jezelf te vinden. Ik dacht terug aan de tijd dat de kerk van Makomani nog leefde en pater Rudolfo steeds weer tegen zichzelf zei: 'Negers hebben geen ziel, zeggen ze in het moederland. Het is net andersom: die lui hier hebben veel te veel ziel...'

Misschien had de priester gelijk, maar op dat moment had ik zelf geen ziel waar ik iets mee kon. Ik knielde en drukte mijn oor tegen de grond. En ik hoorde opa Tsangatelo wroeten om boven te komen. Maar de steenlaag was te dik en de vingers van opa waren zwak en moe.

De klokken luidden opnieuw en de uil die opgesloten zat in de ruïne fladderde boven mijn hoofd. Ik liep over de vloer vol veren alsof ik op een restje maanlicht stapte. Het spreekwoord zegt dat de veren van uilen zo licht zijn dat ze nooit vallen. Die avond zouden ze wild rondstuiven en opstijgen tot ze tegen de dakpannen plakten. Daar zouden ze veranderen in een lichaam met vleugels: er zouden engelen worden geboren. Die avond zou ik dol worden als een hond. Mijn gehuil zou de dapperste lieden kippenvel bezorgen. Zoals mijn moeder zegt:

85

voor mijn gekte is een klein beetje maan voldoende.

Toen ik wegliep, klonk de klok nog altijd, geluid door onzichtbare handen. Ik keerde terug naar huis in de zekerheid dat we opa niet in de kerk hoefden te zoeken. Terwijl de anderen weggingen om een dode op te roepen die niet gestorven was, koos ik een andere manier om onze opa te herdenken. Ik sloeg mijn armen om de termietenheuvel alsof ik de hele aarde omhelsde. Dat was het familiealtaar, ons *digandelo*, waar de heilige mafurreiraboom groeide. Daar bond ik de witte doeken vast. Daar luisterde ik naar Tsangatelo, zoals je luistert naar de vleugelslag van een engel.

*

Tsangatelo leunde tegen de termietenheuvel om een oude, afgezaagde fabel te vertellen. Het was avond en hij mocht van de goden verhalen vertellen. Ditmaal improviseerde hij echter een nieuwe enscenering. Hij richtte zich op tot hij zo groot was als de nacht. En toen hij sprak, leek het alsof hij zich uitdrukte in een nieuwe taal, die met zijn woorden ontstond. Alsof alleen de goden naar hem luisterden. Dit is het verhaal dat Tsangatelo vertelde:

> Er was eens ergens een oude oorlog, in een tijd dat nog geen enkele plaats een naam had. De veldslag verkeerde in de voorbereidingsfase, het moment waarop krijgers zoveel zelfvertrouwen hebben dat ze zichzelf niet meer zien in hun zwakte en angst. De twee legers stelden zich op voor de botsing, toen een enorme bliksemschicht de hemelen verscheurde. Een sterrengloed veegde het firmament schoon. De soldaten vielen verblind om. Toen ze weer bijkwamen, hadden ze hun geheugen verloren en wisten ze niet meer waarvoor de wapens dienden die ze in hun handen hadden. Daarop gooiden ze hun speren, assegaaien en schilden weg en keken elkaar aan zonder te weten wat ze moesten doen. Totdat de rivaliserende leiders elkaar perplex groetten. Vervolgens omarmden de soldaten elkaar. En toen ze weer naar het landschap keken, zagen ze geen grondgebied meer om te

veroveren, maar akkers om te bebouwen.

Ten slotte gingen de mannen uiteen. Op de terugweg naar huis hoorden ze het alleroudste wiegelied, gezongen door de oneindige stemmen van één enkele vrouw.

Hoofdstuk 10

Vijfde brief van de sergeant

Nkokolani, 5 april 1895

Edelachtbare heer
Staatsraad José d'Almeida,

Gisteren ben ik over de rivier naar Chicomo gegaan. Daar heb ik deelgenomen aan het officiersberaad van de Noordelijke Colonne, waarin wij de vorderingen en problemen van onze campagne tegen Gungunhana's hoofdkwartier in Manjacaze de revue hebben laten passeren. Ik zal U later gedetailleerd verslag uitbrengen van die ontmoeting.

De dag daarna ben ik teruggekeerd naar Nkokolani, in het gezelschap van Uw adjunct, onze gemeenschappelijke vriend Mariano Fragata. We hebben de hele morgen in een prauw op de rivier gezeten, de Inharrime. Ergens onderweg stond op de linkeroever een man, die ons aanhield. Hij was rijzig, zag er goed uit en had al wat jaren achter de rug. Hij zwaaide wild met zijn armen om onze aandacht te trekken. Ik gaf opdracht de reis te onderbreken, ondanks de tegengestelde adviezen van alle andere opvarenden. De betreffende neger begroette me in een mengeling van onderdanigheid en trots en deed mij, meer met gebaren dan door woorden, een wel heel vreemd verzoek: of ik de geboortedatum in zijn papieren wilde veranderen. Hij moest zijn werkvergunning in de mijnen van Zuid-Afrika verlengen en kon zijn werkelijke leeftijd niet opgeven. Hij stelde zich meteen maar voor en verzocht me niemand in Nkokolani te laten weten dat hij daar was opgedoken.

'Ik ben Tsangatelo, de oudste van de familie Nsambe. In

Nkokolani hebt u hoogstwaarschijnlijk mijn kleinkinderen Mwanatu en Imani al ontmoet, zoon en dochter van Katani en Chikaze.'

Hij had een andere mijnwerker bij zich, die al die tijd discreet bleef als een schaduw, maar die ons als tolk bijstond tijdens de rest van het gesprek. Die andere man was een Landim uit Lourenço Marques, en hij toonde zich veel vertrouwder met onze zeden en gewoonten.

'Ik kan je papieren niet vervalsen,' begon ik.

'Wie heeft het hier over vervalsen?'

'Jij. Je hebt me zelf gevraagd om ze te veranderen.'

'Maar dat kan best zonder te liegen. Niemand weet immers precies op welke dag hij geboren is. Of wel?'

'Ik wel, ja.'

'Bovendien zijn de Portugezen nu onze ouders. U bent mijn vader. Hoe kunt u het verzoek van een zoon weigeren? Een zoon die ouder is dan zijn eigen vader?'

Fragata, die zich tot dan toe afzijdig had gehouden, kwam naar de boeg van de prauw om het einde van dat geklets te bespoedigen. De oude Kaffer kneep zijn ogen tot spleetjes, stak zijn arm op en riep uit: 'Ik kan me u herinneren.'

'Het staat mij niet bij dat ik je ooit gezien heb.'

'U bent degene met de gouden tand. Ik ben Tsangatelo, de leider van de karavanen, weet u dat niet meer? Ik heb wapens vervoerd voor uw troepen...'

Mariano Fragata stak zijn hoofd naar voren en tuurde tegen het zonlicht in naar de gestalte. Vervolgens stapte hij uit het vaartuig en omarmde de neger. En met de hulp van de tolk vierden ze daar een weerzien alsof ze wapenbroeders waren. Toen hij op een gegeven ogenblik mijn nieuwsgierigheid opmerkte, legde Fragata uit: 'Deze vent hier had vóór mij nog nooit een blanke gezien. Hij dacht dat ik en mijn paard één waren.'

En de twee lachten. De Portugees met een beheerst, streng lachen, een tevredenheid volgens voorschrift. De Afrikaan met een uitbundige schaterlach, als een machtige rivier bij hoogwater. Ik moet bekennen dat die lachbui een onbeheerste woede bij mij opwekte, alsof ik oog in oog stond met een uiting van de duivel. Dat ineens ruwe en grove gedrag hernieuwde in mij dit treurige vermoeden: hoezeer wij hun ook onze taal bijbrengen, hoezeer ze ook knielen voor een kruisbeeld, de Kaffers zullen altijd kinderen in een wilde staat blijven.

Fragata gaf toen opdracht een pauze in te lassen en voedsel en water te delen met die twee mijnwerkers. Pas toen we daar onder een lommerrijke boom zaten, verstrekte de adjunct de nodige uitleg over die oude zwarte man. Hij was een voormalige eigenaar van karavanen die een aantal jaren geleden de verkennersgroep waarvan Fragata deel uitmaakte had aangeklampt en zijn diensten had aangeboden voor het vervoer van wapens en levensmiddelen. Die diensten waren uiteindelijk erg nuttig geweest voor de vestiging van onze eerste kwartieren. Tsangatelo was in die tijd een autoriteit die aanzien genoot in de hele regio. Zijn karavanen hadden vrije doorgang op het hele traject, zowel in de Gazastaat als in het Portugese kroondomein. De lokale stamhoofden boden in ruil voor geld bescherming tegen gewapende struikrovers. Die voormalige bondgenoot van ons stond daar nu uitgemergeld en in lompen gehuld voor ons.

'Tsjongejonge, die oude Tsangatelo! En nu ben je mijnwerker?'

'En u, patrão? Hebt u uw gouden tand nog?'

Onze Fragata leek zeer vergenoegd, want hij trok zijn lip op om de tand te laten zien, die schitterde in het felle daglicht. 'Die heb ik nog en blijf ik ook houden, beste ouwe Tsangatelo,' verkondigde hij. Bij het zien van Fragata's gebit gaf de neger blijk van plotselinge onrust en klakte met zijn tong.

'Wat is er?' vroeg ik, toen ik hem zo zag veranderen.

'Die tand is nog maar het begin,' zei de neger.

'Het begin? Waarvan?'

De zwarte antwoordde dat Fragata's hele geraamte in goud zou veranderen. En dat hij gebukt zou gaan onder het gewicht van botten en botjes waarvan hij niet eens wist dat hij ze had. Om kort te gaan, onze vriend was aan het veranderen in een mijn. Op grond van zijn lange ervaring als mijnwerker waarschuwde Tsangatelo: 'Ze zullen u vermoorden, patrão. En villen, zoals dat gebeurt met een mijnbedding. Als ik u was, zou ik die tand weghalen. Of denkt u dat u kunt ontsnappen omdat u blank bent?'

We grinnikten om die kolder en boden hem de wijn en veldbeschuit aan die we bij ons hadden. De twee mijnwerkers bedienden zich met verfijnde manieren. De oude baas wilde weten wie ik was en ik vertelde hem dat ik nog een groentje was in Afrika. Hij legde meteen een nogal vreemde nieuwsgierigheid aan de dag: 'Mag ik u iets vragen? Wat is de omvang van Portugal?'

'Ik begrijp de vraag niet.'

'Weet u wat de omvang is van dit Afrika hier? Dat weten wijzelf niet eens, patrão. Het is zo uitgestrekt dat wij onze reizen afmeten aan de rivieren die we oversteken. U reist over deze rivier. Wel, ik weet al niet meer hoeveel rivieren ik overgestoken ben.'

En hij zweeg. Ik zou er niets van hebben begrepen als Fragata niet de logica die daarachter schuilging had uitgelegd: de neger waarschuwde me voor de problemen die ik zou tegenkomen bij het doorwaden van de rivieren die we nog voor ons hadden. Ik kon me de zware overtochten niet voorstellen, de worsteling met hun verraderlijke beddingen, met manschappen, ossen, paarden, kanonnen en vracht. Die zwarte heeft gelijk, zei Fragata. Dat oversteken, voegde mijn kameraad eraan toe, was een oorlog binnen de oorlog. En hoe meer wapentuig we hadden, hoe minder voorbereid we waren.

Het was al laat toen Fragata de Kaffer probeerde over te halen met ons mee te gaan naar Nkokolani. De mijnwerker Tsangatelo weigerde heel beslist. Hij was jaren geleden weggegaan uit het dorp en zou er nu niet goed onthaald worden, legde hij uit. En die teleurstelling wilde hij zich besparen. Waarom zouden ze hem niet goed onthalen? Hij antwoordde op onverschillige toon: iedereen kent de woede van degenen die blijven jegens degenen die de moed hadden om te vertrekken.

Daarmee was het gesprek afgelopen. De oude mijnwerker stond op en toen zag ik pas goed hoe vreselijk mager hij was. De man leek eerder een mast dan een mens. Maar hij verborg wel zijn zwakte, zoals alles hier zich illusoir en vals voordoet. Langzaam, alsof traagheid een blijk van goede manieren was, nam de man afscheid. Hij pakte beide handen van Fragata vast en herhaalde daarbij zijn heftige verzoek om zich te ontdoen van zijn gouden tand.

'Kijk uit, patrão. Wij mijnwerkers dalen af in de schachten omdat we vertrouwen op jullie goden.'

Dat zei de oude neger. Ik weet niet waarom hij die uitlating deed, die in mijn ogen een ontoelaatbare ketterij was. Waarom had hij het over 'onze' goden? Toen ondervroeg hij mij – mij en niet Fragata – in de volgende bewoordingen: 'Dat goud en die diamanten, van wie zijn die, denkt u?'

'Van degene die ze eruit haalt natuurlijk.'

'Integendeel, meneer. Ze zijn van degene die ze daar heeft neergelegd. En degenen die ze gezaaid hebben zijn de geesten van onze voorouders. Ik vraag dus aan u, blanken, hebt u toestemming gevraagd?'

'Dat hebben we, aan jullie leiders.'

'Welke?'

'Die daar heersen.'

'Die leiders heersen niet over de aarde en niet over wat daarin zit. Daarom zeg ik,' vervolgde de inboorling, 'dat het goed is dat uw goden ons beschermen. Want de bescherming van onze eigen goden hebben we allang verloren.'

Die goede Fragata, die over een paar dagen terugkeert naar Inhambane, was aanwezig bij dat pittoreske gesprek en bleef de hele verdere tocht somber gestemd. Ik kon niet anders dan denken dat onze landgenoot vatbaar was geworden voor het kinderlijke geloof van die neger. Maar ik liet mezelf ook uit het lood slaan door die knieval. Wat is dat toch voor ziekte die ons in deze tropische oorden besmet, heer Staatsraad?

Ik vermeld dit voorval omdat ik weet hoe gevoelig U bent. Of misschien voel ik wel de behoefte om de farce te vergeten die wij al eeuwenlang opvoeren bij het vertoon van onze zwakke macht. De tocht naar Chicomo en in het bijzonder de oversteek van de rivier riepen bij mij de hevigste twijfels op. Wat is dit voor kroondomein dat de koning nooit heeft gezien? Is het al ooit bij koning Dom Carlos opgekomen om de overzeese rijksdelen te bezoeken? En als hij ooit hierheen zou komen, zou dit dan het Afrika zijn dat hij te zien zou krijgen? Al die vragen vielen aan me en ik vertel ze U omdat ik inzie dat ik ze wat lichter maak door ze op papier te zetten.

Ik herinner me de haast poëtische wijze waarop de zwarte Tsangatelo zinspeelde op de weidsheid van dit land in vergelijking met Portugal. De woorden van die inboorling roepen in mij een andere vraag op: kunnen zulke uitgestrekte territoria van ons zijn? Kunnen gebieden die niet passen op één enkele wereldkaart Lusitaans bezit zijn?

De Engelsen uit Zuid-Afrika wrijven ons reeds aan dat wij het aanzien van het blanke ras in opspraak brengen. En ze hebben zelfs al voorgesteld blanke huurlingen, Boeren, aan te werven om een eind te maken aan de opstand van de Landins en de ongehoorzaamheid van Gungunhana. Misschien zouden wij er goed aan doen huurlingen op te nemen in onze rijen. We hebben tot onze schande het ultimatum van de Britten geslikt, dat is waar, maar het is beter om een stukje van ons territorium te verliezen en zodoende onze waardigheid te behouden op die plekken waar we daadwerkelijk aanwezig zijn.

ps U hebt mij aangemoedigd om in onze correspondentie een minder formele toon te bezigen. U zei dat U het moe was officiële documenten onder ogen te krijgen, even moe als buitenshuis te slapen. U verzocht mij brieven te schrijven in plaats van rapporten, en te doen alsof ik me tot een vriend richt. Die grootmoedige woorden zijn een ware zegen voor mij. En dus, beste Staatsraad José d'Almeida, zal ik voortaan een meer familiaire toon aanslaan.

Om die reden, en als ontboezeming onder vrienden, bericht ik U wat er vannacht is gebeurd. Ik viel namelijk in slaap alsof ik ver weg was van mezelf, of alsof mijn lichaam uitgestrekter was dan de Afrikaanse brousse. En ik heb onrustig geslapen, met het gevoel dat er een rivier door mijn slaap stroomde. Toen ik wakker werd, zat de oude mijnwerker Tsangatelo achter op mijn bed. Hij leek net een zwarte zwaan en gleed stil in het rond terwijl het geluid van kabbelend water zich door de kamer verspreidde. Toen merkte ik dat mijn bed een boot was. De mijnwerker roeide en ik stak mijn arm naar hem uit en smeekte hem: 'Leer mij te lachen, Tsangatelo! Leer mij te lachen!'

93

Het zijn vreemde dromen die opgeroepen worden door de hitte van de Afrikaanse nachten. In feite houdt dit ijlen mij onafgebroken bezig. Ik moet steeds denken aan mijn kinderjaren in een koud dorp in het noorden van Portugal. In dat eerste huis werd de lach buitengehouden, alsof de blijdschap haar voeten moest vegen op een gerafelde deurmat. Mijn vader, ernstig en zwijgzaam, kleedde zich in het zwart, alsof we rouwden om alle doden op de wereld. In het donker van de nacht, als iedereen in huis sliep, kwam mijn moeder voetje voor voetje, om haar man niet te wekken, naar me toe om me een zoen te geven. 'Dat mag ik niet van je vader,' zei ze dan zachtjes. En ze voegde er fluisterend aan toe: 'Je vader is bang dat ik minder van hem word als ik te veel moeder ben.' Stiekem vertelde ze mij verhaaltjes. Heel eenvoudige sprookjes, sommige om te lachen, andere om te huilen. Ik had toen echter al geleerd om mijn tranen tegen te houden en mijn lach in te slikken.

Ik ben geboren tussen schimmen en ik heb gewoond tussen schimmen. Thuis hing de geur en de stilte van een weeshuis. Ik had alles om een goede soldaat te worden.

Hoofdstuk 11

De zonde van de nachtvlinders

Wie op wraak zint, denkt dat hij vooruitloopt op de toekomst. Dat is een vergissing: de wreker leeft uitsluitend in een tijd die al voorbij is. De wreker handelt niet alleen in naam van degene die dood is. Hij is zelf dood. Vermoord door het verleden.

We wisten precies wanneer onze vader wakker werd, omdat hij dan met zijn tong klakte. Dat geluid was in het hele dorp te horen en de bewoners riepen in koor: Katini heeft zichzelf al opgegraven. Het was een grap maar tegelijk ook een waarschuwing. Degene die wakker was geworden keerde terug uit zijn dromen, oppassen dus: hij had het stof van de goden nog onder zijn voeten.

Die ochtend maakte mijn vader geen geluid toen hij wakker werd. Gewapend met een levensgrote tas liep hij opgewonden naar buiten. Hij ging eerst langs bij de kazerne, waar zijn jongste zoon woonde, en beet hem toe dat hij hem moest volgen. Daarna liep hij in de richting van de rivier en onderweg mobiliseerde hij alle jongeren die hij tegenkwam en vroeg ze een hak mee te nemen. Hij stak de rijstvelden over en bleef staan om de uitgestrekte vallei te bekijken. De akkers waren een teken van ongehoorzaamheid waarop oom Musisi vreselijk trots was. De VaNguni-bezetters hadden ons verboden rijst te verbouwen. Ze zeiden dat dat 'eten van de blanken' was. Maar dat waren loze woorden. De ware reden was een andere: van die kleine korreltjes kon je geen drank maken. Ze konden ons meer en beter beroven als we maïs plantten.

Bij de oever van de rivier zag het landschap er heel anders

uit: daar was overal maïs aangeplant. De rijstvelden die we achter ons hadden gelaten waren slechts een kleine, tijdelijke overtreding. Voor de rest verbouwden we ons eigen traditionele voedsel niet meer – parelgierst en kafferkoren. Voor Musisi stond het vast dat we de bezetters al nabootsten. En dat deden we op de meest lijfelijke manier: we aten wat zij aten.

Mijn vader klom op een termietenheuvel, overschouwde zijn kleine leger en draaide toen zijn gezicht omhoog tot zijn ogen helemaal gevuld waren met licht. Toen hij eraf kwam, was hij duizelig, en waggelend zamelde hij de hakken in en stapelde ze kriskras door elkaar op. Daarna deelde hij blikjes paraffine rond en gaf opdracht het opgestapelde gereedschap in brand te steken.

'We hebben ze niet meer nodig,' zei hij. 'Als we een gat moeten graven, gebruiken we voortaan dit bot.' Hij had een olifantenrib uit zijn tas gehaald en stak die omhoog alsof het een speer was. En schreeuwend sprak hij verder dat we na de eerste brandstapel de tuinen in brand zouden steken, zodat er geen sprietje groen meer zou overblijven.

De jongeren deinsden ontzet terug. Katini reageerde woedend op de algehele verbijstering: 'Doe wat ik zeg. Ik ben niet gek, luister naar me!'

De adolescenten renden doodsbang weg. Alleen vader en zoon bleven over, met zijn tweeën in een zee van rook en vlammen. Het duurde niet lang of het hele dorp was ter plekke met groene takken om het vuur te bestrijden. Een groep mannen snelde scheldend op mijn vader af. Mwanatu sprong nog voor hem in zijn belachelijke uniform en zei: '...in naam van de Portugese kroon, laat deze Kaffer met rust!'

Ze sleurden Katini weg, al brullend: *bind hem vast, bind hem vast!* Ze zochten een van die boomstronken met gaten waarin de voeten en handen van struikrovers worden vastgezet. Gelukkig voor Katini waren alle stronken verteerd door het vuur. Met een gezwollen en bebloed gezicht raapte mijn vader al zijn krachten bijeen en klaagde: 'Jullie stomme, botte negers, snappen jullie dan niet dat ik jullie levens aan het redden ben?'

Voor hem was het zonneklaar: de soldaten die afzakten uit het noorden waren uitgehongerd. Ze werden niet gedreven

door haat maar door honger. Als ze weet kregen van onze be-
bouwde velden, zouden ze ons heel zeker aanvallen. Dat wilde
hij voorkomen. Onze noodlijdendheid was het beste schild tegen de agressor. Wie niets heeft wordt door niemand aangevallen.

De dorpelingen gingen naar huis en keken me aan met een
blik die bestemd is voor wezen. Achter mij schraapte mijn vader met zijn olifantenrib over de grond. Heel even dacht ik dat
hij zijn eigen graf aan het delven was.

*

Thuis deed mijn moeder alsof ze niets wist van wat er die ochtend was gebeurd. Zittend op zijn olifantenrib wachtte mijn
vader tevergeefs tot zij aandacht aan hem schonk. Mijn moeder zat op haar knieën voor de grote waterkruik en was druk
bezig: ze hield haar handen in het water en wreef heel nauwgezet haar vingers over elkaar. Ze had nog altijd last van wat
haar met de soldaten overkomen was. Een laatste restje bloed
liet maar niet los van haar vel, een visgeur wilde maar niet weg
uit haar geheugen.

Ten slotte ging ze op de grond zitten en plantte haar ellebogen op haar knieën, alsof ze steun nodig had om niet uiteen te
vallen.

'Waarom gaat u niet naar binnen, ma?'

Ze schudde haar hoofd. 'Binnen' was nog minder beschut.
De afgunst had ons onderkomen als huis gekozen. Hoewel gebouwd van hout en leem was ons huis uniek in het dorp. De
muren waren gewit en de deuren beschilderd met felle afbeeldingen. De grote ruimte binnen, de vele vertrekken, de recht-
hoekige vorm, de brede veranda aan de voorkant: dat alles
maakte ons anders.

In de andere huizen waren de traditionele lampen, de *xipe-
fos*, die branden op mafurraolie, allang uitgeblazen. Twee pe-
troleumlampen onder de luifel van ons huis duidden de privileges aan van onze familie, de Nsambe-clan. Nachtvlinders
dansten verblind rond die lichtbronnen. Ze leken uit de muren
te komen, stukjes kalk die dol en daas rondfladderden. Mijn

97

vader zei dat die vlinders in een vorig leven dagvlinders waren geweest die verliefd waren geworden op hun eigen schoonheid. Als straf voor hun ijdelheid werden ze verstoten uit het daglicht. Uit heimwee naar de zon vlogen ze zich dood tegen de lampen. Het glas van de lantaarns was hun laatste spiegel. Voor mij waren de nachtvlinders familie van oma Layeluane: getroffen door de gloed van een vonk vielen ze neer met de gewichtloosheid van het licht. Ze leden nergens onder. Bij elke gevallen vlinder werd oma geboren en vond ze opnieuw haar dood.

De nacht leek zich uit te putten in die opoffering van vleugels, toen mijn vader ineens waarschuwend zijn arm opstak: 'Ik hoor ijzer rammelen, weten jullie wie dat is?'

'Man, alsjeblieft...'

'Dat slepen van schroeven kan alleen jouw broer Musisi zijn.'

'Alsjeblieft, man, maak geen ruzie met hem. We zijn familie, we leiden samen één leven.'

*

De woede die Katini Nsambe koesterde jegens zijn schoonbroer Musisi was oud en ongeneeslijk. Het was begonnen met onbeduidende afgunst. Mijn vader had nooit gediend als soldaat. Hij miste die proef om een volledige man te zijn.

In een van de veldslagen waar hij schitterde door afwezigheid hadden de VaChopi's en de Portugezen het gezamenlijk opgenomen tegen de soldaten van Ngungunyane. Bij die botsing werd de schoonbroer getroffen door iemand uit zijn eigen gelederen. Voor Katini was dat incident slechts de bevestiging van een zekerheid: het schot dat je doodt komt niet van buiten maar van binnen. Zo had hij het gezegd.

'En nu loopt die Musisi hier glimmend van trots te koop met zijn roem... Het was helemaal geen moed, het was gewoon een ongeluk.'

Wat was er gebeurd? Een Portugese soldaat had Musisi aangezien voor een vijand. De schutter werd het al op voorhand vergeven. Afrikanen, vrienden en vijanden, waren voor de Portugezen namelijk één grote massa: overdag zwart en 's nachts donker. De kogel was in de ruggengraat van Musisi gedrongen en daar blijven zitten, klaarblijkelijk zonder gevaar of gevolgen. Maar in zijn organisme begon de kogel te leven en zijn wervels veranderden een voor een in metaal. Het werden projectielen, even dodelijk als de oorspronkelijke kogel. Als de zwager bewoog, hoorde je het piepen van roestige scharnieren. Musisi zou nooit meer vrijkomen uit dat incident. Waar hij ook heen ging, hij droeg de oorlog met zich mee.

Mijn moeder moest lachen om die onoplosbare jaloezie. Mannen trekken ten strijde en er wordt op hen gewacht. Of een soldaat nu gewonnen of verloren heeft, hij moet groter te- rugkomen dan hij vertrokken is. Een krijger keert terug van de veldslagen om zijn wonden te laten zien en te wachten op die hoogste leniging: de schoot van de vrouw die hij liefheeft. Toch is het niet de troost van de liefde die de strijder het hardst zoekt. Hij wil vergeten, hij wil zichzelf uitwissen. Katini hoef- de geen troost en ook geen vergetelheid. Hij zat in zijn muziek en in zijn muziek streed hij tegen zichzelf. De muziek was zijn koninkrijk. De drank was zijn troon.

Tante Rosi had echter een heel andere uitleg voor de kibbe- lende verhouding tussen de schoonbroers. Wat hen verdeelde was een machtsstrijd. Sinds opa Tsangatelo weg was, oefende Katini het gezag uit over de hele familie Nsambe. En dat was onaanvaardbaar voor Musisi.

Zelf gaf ik nog weer een andere uitleg aan hun rivaliteit: dat noodlottige geweerschot had twee kogels bevat. Tweeling- kogels. De eerste had oom Musisi geraakt. De andere had de ziel van mijn vader getroffen. Daarom schrikt hij elke nacht verwilderd wakker, omdat hij een kogel hoort fluiten. Hijgend gaat hij dan rechtop zitten en ziet een ijzeren vogel zo snel door de lucht vliegen dat hij niet eens tijd heeft om te ontwaken uit zijn slaap. Hij trekt het laken over zijn hoofd om zich te beschutten tegen die noodlottige boodschapper. Het ergste van het verleden is dat wat nog komen moet.

*

In het donker van die nacht werd duidelijk dat mijn vader gelijk had met zijn aankondiging van een bezoeker. Het kon best dat wat hij gehoord had niet echt slepend ijzer was, maar een dof handenklappen kondigde de komst van oom Musisi aan. Hij was onrustig en vertelde dat hij vijandelijke soldaten in de omgeving had gezien.

'Dat weten we,' zei ik. 'We weten dat ze hier ergens rondzwerven.'

'Wij weten helemaal niets!' corrigeerde zijn zuster prompt. En ze sprak de woorden lettergreep voor lettergreep uit: 'Wij-we-ten-he-le-maal-niets.' Haar ogen ontkenden mijn overmoedige woorden. Ze wilde niet dat iemand weet had van onze ontmoetingen met de VaNguni-militairen.

Oom Musisi herhaalde wat hij had gehoord van de wachtposten die de vlakte in het oog hielden: Ngungunyanes troepen spreidden zich zo ver als het oog reikte uit over de vlakte van de Inharrime. Ze rukten op als rode mieren. De keizer van Gaza was bezig de hoofdstad van zijn rijk over te brengen van Mossurize naar Manjankhazi.

'Ik kan jullie één ding verzekeren: er heeft nog nooit zoveel volk tegelijk gemarcheerd.'

Ik snapte niets van de stilte die daarop volgde. Het was een soort rouw om onze geanticipeerde dood. De eerste keer dat we bezet waren was ik nog een klein meisje. Daarom was de spanning die ontstond voor mij onleesbaar.

Mijn oom verbrak de stilte en vroeg: 'Waar zijn Dubula en Mwanatu?'

'Je weet donders goed dat je neefjes niet meer thuis wonen.'

'Let jij op de deur, Imani,' luidde het bevel van Musisi. En hij voegde eraan toe: 'Ik wil hen niet hier hebben terwijl wij over dit soort dingen praten. Je kunt geen van je broers vertrouwen.'

Mijn oom schoof dichter naar het vuur en de littekens in zijn gezicht glommen in het schijnsel. Elke aangebrachte snee betekende de dood van een vijand. Voor mijn vader waren die tatoeages allemaal vals. Musisi had nooit iemand durven doden. Hijzelf, Katini, had tenminste nog kinderen gekregen, sommige dood, sommige nog levend. De kinderen van Musisi waren nooit geboren. Hij was wat ik dacht dat ikzelf was: een dorre boom.

*

'Het eten is klaar!'

Met een ernstig gezicht beval moeder ons te gaan zitten. Ik moest met een teiltje rondgaan zodat de mannen hun handen konden wassen. De ushua werd opgediend in een aardewerk kom, en daarnaast stond een bord met de curry van gedroogde vis. De vingers kwamen en gingen in een ingestudeerde dans, en enige tijd was er alleen maar traag gekauw te horen. Daarna pas hief oom Musisi zijn vingers vol meel op en stamelde: 'Nu begint de oorlog weer.'

Zijn ineens wit geworden vingers dansten in het donker alsof ze leven kregen buiten het lichaam om. Mijn vader besloot tussenbeide te komen met zijn eeuwige bereidheid om de scherpe kantjes van de wereld af te halen: 'We zijn aan het eten, beste zwager.'

'Nou en?'

'Over sommige dingen praat je niet onder het eten. Bovendien beginnen oorlogen nooit. Als je ze opmerkt, zijn ze allang bezig.'

Hij probeerde tijd te winnen door zo te praten. Volgens hem behoren alle conflicten op aarde tot een en dezelfde oude oorlog.

'Moeten we de Portugees niet waarschuwen?' vroeg mijn moeder, voorbijgaand aan het drukke gepraat van haar man.

'Nooit!' protesteerde mijn oom gedecideerd. 'Dit is iets van ons. De Portugezen bemoeien zich al veel te veel met ons leven. Ik ben niet zoals die man van je, die niet meer weet wie hij is en waar hij vandaan komt.'

'Ik ben een geboren en getogen Muchope! Net zoals jij, beste zwager.'

'Noem me geen Muchope! Die naam is een verzinsel van de bezetters. Ik ben een VaLengue, onze oudste naam. Ik kom van pijl-en-boog, hou van vis en gebruik geen runderen bij plechtigheden.'

'Jij, beste zwager, bent niet trouwer aan onze voorouders dan ik.'

Mijn moeder stond op, met haar armen omhoog, alsof ze wilde verhinderen dat de hemelen neerstortten. En ze verkondigde: 'Zo is het genoeg! Onze vijand staat voor de deur en jullie maken ruzie? We hebben geen keus: morgen stappen we naar de Portugezen, zoals we altijd hebben gedaan.'

'Jij snapt het niet, zusje. De Portugezen hebben ons in de steek gelaten. We zijn aan ons lot overgelaten.'

'Als jullie niet willen, doe ik het zelf wel,' bracht mijn moeder daartegen in.

'Waar wou je naartoe?' vroeg onze vader.

'Praten met de sergeant.'

'Jij blijft hier, vrouw,' weerlegde mijn vader, aangedreven door een plotselinge waardigheid. 'Ik ben de man hier in huis, ík ga.'

En hij herhaalde nog wel tien keer: 'Ik ga naar de sergeant.' Daardoor wisten we dat het een loze belofte was. Toen hij wegging, keek Musisi in alle hoeken van het huis en vroeg: 'Zeg eens, beste zwager: waar is eigenlijk het geweer dat ik bij je heb achtergelaten?'

Mijn vader haalde zijn schouders op. 'Welk geweer?' vroeg hij wrevelig. Je kon je makkelijk voorstellen wat er gebeurd was: van de loop van het geweer had mijn vader een buis voor zijn distilleerketel gemaakt. Dat was de enige waarde die wapens voor hem hadden: dat je er andere, productievere dingen van kon maken. En is er iets waardevollers dan een distilleerketel?

'Ik ga met de Portugees praten!'

'Als je je kinderen hier maar buiten houdt,' waarschuwde Musisi.

'Net wat ik zei,' verklaarde mijn moeder, 'hier praat niemand over de kinderen van anderen.'

Toen mijn oom weg was, riep mijn moeder me, en ze wees naar de struiken rond ons huis. 'Kijk hoe ze vol zitten met sprinkhanen. Het duurt niet lang meer of het is oorlog.'

Hoofdstuk 12

Zesde brief van de sergeant

Nkokolani, 10 mei 1895

Edelachtbare heer
Staatsraad José d'Almeida,

Vandaag heb ik de voorradige wapens geïnspecteerd. Net zoals dit gebouw geen kazerne kan worden genoemd, kan men het woord 'bewapening' niet gebruiken voor de roestige rommel die hier rondslingert. Omdat ze geen waarde hebben, zijn ze ontsnapt aan de hebzucht van wijlen Sardinha. De toestand is als volgt: met uitzondering van de geweren die ik zelf heb meegebracht, is hier niet één wapen te bespeuren waar we iets aan hebben. De inboorlingen zijn er evenwel van overtuigd dat hier een machtig wapenarsenaal ligt. Laat ze het maar denken. Die leugen is de enige functie van deze legerpost.

Ik heb gehoord dat hier vlakbij, in de plaats Nhagondel, een militaire post ligt waar het precies hetzelfde is. Even kapot en even verwaarloosd. Het enige verschil is dat ze daar een zwarte sergeant hebben neergezet, een arme sloeber. Daaruit kan ik afleiden hoe hoog ik in hun aanzien sta. Als ik deze brieven aan U niet had, zou mijn eenzaamheid ondraaglijk zijn. God moge het me vergeven, maar ik zou duizendmaal liever opgesloten zijn gebleven in de gevangenis van Porto dan deze pijnlijke verbanning te trotseren. Ook al zou U mijn brieven niet lezen, en ook al zou U ze niet beantwoorden, dan nog zou ik doorgaan met schrijven, zoals een drenkeling steeds weer koppig bovenkomt. Alleen als ik schrijf voel ik me levend en in staat om te dromen.

Weet U wat een van mijn zeldzame vermaken is? De wapens bekijken. Ik doe dat steeds opnieuw. Die wapens mogen dan ouderwets en versleten zijn, als ik ze aanraak voel ik weer dat hartstochtelijke dat ik ook had op de militaire school. En in de papierkraam die hier is achtergelaten heb ik materiaal gevonden over de oorlogen van de Engelsen tegen de Zoeloes. Uit die stukken werd duidelijk dat een van de grote nadelen van de Europeanen de tijd was die ze nodig hadden om hun geweren te herladen. Die tijd was dodelijk.

Ik moet zeggen dat ik verbaasd was over onze beslissing om het Oostenrijkse repeteergeweer aan te schaffen dat luistert naar de naam Kropatschek. Niet vanwege het wapen maar vanwege de beslissing, want wij zijn de eersten die Kropatscheks gebruiken in Afrika. Ik zal het uitleggen, anders wordt U nog ongeduldig en leest U eroverheen. Onmiddellijk na het maken van die keuze behaalden we namelijk een verrassende overwinning. En weet U wie we als eerste overwonnen? Onszelf, ons Portugezen. Ik zeg dat dit wapen ons overwonnen heeft omdat het korte metten heeft gemaakt met onze benepen instelling om bij alles achter de Engelsen aan te hobbelen. Vergeeft U mij de aanmatiging van deze conclusie, maar dat is de manier waarop je een oorlog wint: door eerst jezelf te overwinnen.

Zoals U weet gaan er in Portugal steeds meer stemmen op die protesteren tegen de uitgaven voor de oorlog in Afrika. De ironie daarbij is dat er helemaal geen sprake is van een oorlog. En als die er wel komt, zullen wij zonder de reddende Kropatscheks meedogenloos worden afgeslacht.

Mijn zwartgalligheid komt wellicht voort, ik geef het toe, uit de dramatische gebeurtenissen die ik heb meegemaakt. De zelfmoord van de kruidenier Sardinha heeft me sterker aangegrepen dan ik had kunnen denken. Ik kan de gedachte maar niet van me afzetten dat er een landgenoot in mijn achtertuin ligt, zonder doodkist of zerk. Hij mag dan beticht worden van ernstige vergrijpen, toch blijft hij een Portugees en hij heeft niet de kans gekregen zich te verdedigen. Zijn eigen vinger heeft de trekker overgehaald, maar ik heb het vonnis over hem uitgesproken. Het gebeente van Sardinha drukt niet zwaar op de aarde. Het drukt wel zwaar op mijn slapeloze nachten.

Ik weet waarovor ik praat, want net zoals Sardinha werd ook ik zonder meer veroordeeld, en ik zal nooit ofte nimmer, hoe ver ik ook wegga, de onterechte verbanning vergeten waaraan ik werd onderworpen. Zelfs al zou ik volledig hier in Afrika zijn! Dat ben ik namelijk niet, want een deel van mij is voorgoed op een plein in Porto gebleven, waar de kogels van mijn eigen leger mijn huid en mijn leven schampten. Maar meer dan aan de opstand van 31 januari denk ik terug aan de dag waarop ik samen met de andere muiters van de kerker werd overgebracht naar een schip. Onder een sterk militair escorte liepen we door de straten en de haven van Leixões. Niet dat ze bang waren voor ons, nee, ze vreesden de reactie van het volk in de stad. Voor de eerste keer was ik trots op het uniform dat ik droeg, maar dat gevoel verdween onmiddellijk toen we aan boord gingen van het schip waar de krijgsraad over ons zou oordelen. Wat een lafheid van onze bestuurders! Alsof het nog niet genoeg was dat ze ons aan de blikken van de anderen onttrokken, vonden ze het nodig de klucht van het proces op te voeren in de mist op zee. De pakketboot waar ik aan boord ging heette opmerkelijk genoeg de Moçambique. Ik kon niet bevroeden dat die militaire rechtbank zou besluiten tot mijn deportatie naar de kolonie met dezelfde naam.

Wat ik in afwachting van mijn proces heb doorgemaakt op dat schip is onbeschrijflijk. Onderworpen aan lange dagen van wachten waarin we een aantal stormen over ons heen kregen, waren we, misselijk en duizelig van de honger, herleid tot slappe vodden toen we voor de rechters verschenen, zodat we niet eens meer bij machte waren de eenvoudigste vragen te beantwoorden. Het had ook niet veel gebaat als we dat wel hadden gekund: we waren al op voorhand veroordeeld. Of we nu burgers waren of militairen, schuldig of onschuldig, er werd niet eens geprobeerd de schijn van rechtspraak op te houden.

Een van de gedetineerden, een oude schoolmeester, vertelde over een curieus historisch voorval in Frankrijk. Omdat de katholieke koning wist dat de protestantse leiders naar de stad waren gekomen, gaf hij het leger bevel om ze allemaal bijeen te drijven en te vermoorden. De militair die het bevel ontving, vroeg hoe hij in de betreffende wijk de protestantse leiders kon onderscheiden van de rest van de bevolking, waarop de koning antwoordde: 'Schiet iedereen neer. God zal de zijnen er wel uit halen.'

Ik zou niets liever dan de beproevingen die aan mijn verbanning voorafgingen vergeten, maar dat hele verleden kwam weer boven toen ik deel uitmaakte van het vuurpeloton na de schermutselingen in Lourenço Marques. In het vizier van onze geweren stond een groep opstandige negers die daags tevoren opgepakt waren. Zoals gebruikelijk bestond het peloton slechts uit Portugezen.

De terdoodveroordeelden stonden voor me op een rij: allemaal jonge jongens, haast kinderen nog. Geen van hen had een proces gehad, niemand had hen gehoord in het Portugees of in hun moedertaal. Ze zouden sterven zonder stem. Ik weet niet wat me bezielde, misschien kwam het door angst of een slecht geweten, maar op dat moment schoot het door me heen dat degenen die daar op het punt stonden te sterven al vanaf hun geboorte schuldig waren: door het ras dat ze hadden en de goden die ze niet hadden. Maar toen gebeurde er iets vreemds: de trekker van mijn geweer bleef haken. Op hetzelfde moment had ik het gevoel dat dat niet zomaar een technisch mankement was, maar een sombere voorspelling. Ik haalde de trekker opnieuw over en ineens een knal, een lichtflits en een brandwond. Het projectiel was in het geweer ontploft.

Het was niet de kwetsuur die me tekende, want die was licht en kortstondig. Voor mij had het ongeluk echter onpeilbare oorzaken. Het was een boodschap uit die andere hel, waar zelfs de duivels niet wonen. De kogel was niet in het geweer ontploft, maar diep in mijn wezen. Het kruit zou mijn hele leven uit mijn handen stromen als gloeiende lava.

Onafgebroken bedenk ik dat die jonge zwarten, die zo ver van me af staan qua kleur en karakter, uiteindelijk toch op mij lijken. Net als zij was ook ik in opstand gekomen. Net als zij had ook ik het gedurfd de wapens tegen de machthebbers te richten. Misschien had het geweer daarom wel gehaperd en was het projectiel in het magazijn ontploft. Dat schot blijft eeuwig in mij afgaan. Als ik een vogel was geweest, was ik allang neergestort, zo vleugellam voelde ik mij.

Hoofdstuk 13

Tussen eden en beloften

De oorlog lijkt net een vroedvrouw: uit de schoot van de wereld laat hij een andere wereld oprijzen. Niet uit woede of wat voor gevoel dan ook, maar vanwege het beroep: hij steekt zijn handen in de tijd met de hoogmoed van een vis die denkt dat hij de zee laat verschijnen.

Ik liep de straat met de sinaasappelbomen in, die in bloei stonden. Een zoete geur verspreidde zich door Nkokolani. De sinaasappelbomen verdreven de monsters misschien niet, maar ze riepen wel geesten uit verre streken bijeen. De wortels van deze bomen zitten in een ander continent, zei Tsangatelo.

Bedwelmd door het intense aroma vergat ik bijna mijn bestemming, de onvermijdelijke kazerne van de Portugezen. Ik nam nu de goede weg en versnelde mijn pas. Ik moest mijn familieleden voor zijn. Het zou niet lang duren of ze zouden bij Germano de Melo langsgaan. Ze zouden bescherming vragen tegen de troepen van Ngungunyane, die massaal afzakten naar het zuiden.

Sergeant Germano de Melo stond in de deuropening en al van verre vertoonde hij tekenen van wanhoop: 'Kom snel, Imani!'

'Wat is er, sergeant?'

'Weer die ellende met mijn handen! Ze zijn alweer weg, verdomme! Kijk nou, kijk: ik heb weer geen handen.'

Hij dwaalde met uitpuilende ogen door het huis. Voortgedreven door de zekerheid dat zijn handen verdwenen waren. Hij liep als een blinde: met zijn armen ver voor zich uit gestoken, en ze trilden heviger dan zijn stem. 'Ze zijn weg,' herhaalde hij almaar in paniek.

Het overkwam hem steeds vaker dat hij zijn handen niet meer voelde. Dan werd hij klungelig en afhankelijk als een klein kind. Kort voor ik bij hem aankwam, was het opnieuw gebeurd: zijn handen waren eerst wazig en vervolgens doorzichtig geworden. Tot ze verdwenen, zonder gewicht en zonder heugenis dat hij ze ooit had gehad.

'Ga zitten, sergeant Germano. Ik zet water op en was uw handen.'

'Hoezo wassen, ik heb toch geen handen meer?'

'Ik was uw armen en wrijf over uw polsen. U zult zien dat uw handen dan onmiddellijk terugkomen.'

De angstaanvallen had hij overgehouden van een ongeluk met een geweer. Hij heeft me nooit verteld wat er precies gebeurd is. Ik heb het hem ook nooit gevraagd. Duistere herinneringen zijn als een afgrond: je moet je er nooit overheen buigen.

'Ik ben doodziek, Imani. Ze zeggen dat Afrika ziekten overdraagt. Ik heb een ziekte opgelopen van heel Afrika.'

*

De oude Katini zou beslist boos worden als hij hoorde dat ik eerder dan hij naar de sergeant was gegaan. Hij had zelf het verzoek om bescherming tegen de VaNguni's willen indienen. Toch kon niemand beter dan ik de vrees van onze mensen overbrengen in vloeiend Portugees.

Aan dat alles dacht ik toen ik over de drempel van de kazerne stapte. Zodra mijn ogen aan het schemerdonker gewend waren, merkte ik dat er niets veranderd was in het oude gebouw. Het was nog altijd een vreemde mengeling van kruidenierszaak en legerbasis. In zekere zin was het er zelfs op achteruitgegaan: wapens en grutterswaar, uniformen en lappen katoen, militaire rapporten en boekhoudschriften, het lag allemaal kriskras door elkaar. De toegezegde verbouwing van de legerpost was al lang geleden opgeschort. Er werd gewacht op versterking, gewacht op soldaten. Het beloofde contingent

Angolezen, van de andere kant van het continent, zou nooit arriveren.

Een schijnkazerne en een onbestaand leger: dat was de leegte waaraan Germano leiding gaf. Het zou niet verwonderlijk zijn als hij op dat moment naar zijn armen had gekeken alsof hij die nooit eerder had gezien.

'Waar is uw wachtpost, mijn broer Mwanatu? Ik zag hem niet voor de deur staan.'

'Ik heb hem vandaag vrij gegeven.'

Toen zag ik dat de sergeant bloedde aan zijn knie. Hij had zich gestoten aan de hoek van een kist. De vliegen cirkelden al rond de snee.

'Die wond moet schoongemaakt,' zei ik, en ik zwaaide met een natte doek.

'Dat mag je best doen, maar die vliegen raak ik nooit kwijt.'

'Waarom niet?'

'Omdat die in mij zaten. Ze komen uit mezelf. Ik ben rot, Imani.'

Ik liep naar de muur, pakte het geweer dat daar hing en legde het bij Germano op schoot.

'Hier, houd vast.'

'Dat kan ik niet. Ik heb nog niet genoeg handen.'

*

Klaagde de Portugees dat hij zijn handen niet herkende? Nou, ik voelde mijn ziel niet. Ik was het gevoel daarin kwijtgeraakt toen ik hoorde dat mijn oma gestorven was zonder stoffelijk overschot dat door de aarde omarmd kon worden. Mijn moeder zou op dezelfde manier doodgaan en ik zou mijn oorspronkelijke naam As terugkrijgen: zonder handen, zonder lichaam, zonder ziel.

Daaraan dacht ik toen ik op mijn knieën naast de Portugees zat. De hoop en de wanhoop hadden Germano de Melo zo van streek gemaakt dat hij onherkenbaar was geworden. Die blanke man die zich maanden geleden trots had aangediend in zijn smetteloze uniform, zat daar nu verslagen en onderdanig, overgeleverd aan de zorgen van een zwart meisje.

Op dat moment bad en smeekte ik dat er niemand van mijn familie zou binnenkomen en me zou betrappen bij het wassen van zijn armen in warm water. Aanvoeren dat die blanke heel bijzonder was zou me niet baten. In de ogen van hen allen zou ik niet meer zijn dan een tovenares. En ik zou ten dode opgeschreven zijn. In Nkokolani is *valoii* geen ander lot beschoren.

*

'Kom, houd het geweer vast,' drong ik aan. 'Houd het vast met uw handen. Uw handen...'

De vingers van de blanke draaiden het geweer langzaam rond, met de onbeholpenheid van een blinde. Tot mijn verbazing tilde hij het wapen op en hield het tegen zijn oor. Zo bleef hij een tijdje zitten, met zijn gezicht tegen de kolf, alsof hij ernaar luisterde.

'Bij ons weet je op die manier hoeveel mensen het geweer al gedood heeft. Weet je hoe je dat doet? In de kolf hoor je de kreten van degenen die gedood zijn. Waarom lach je? Bij mij thuis geloven we ook allerlei dingen, hoor, net zoals jullie hier.'

'En, heeft dat wapen al gedood?'

'Nee. Dit geweer moet nog ingewijd worden. Het is een Martini-Henry. Splinternieuw.'

Hij legde het geweer op mijn schoot en stond op om een ander uit de kast te pakken. Ik vroeg hem het wapen weg te halen. Hij reageerde met gekrenkte verbazing: 'Ben je bang? Til je arm op. Zo ja, en houd het zo. Die arm van je is namelijk een wapen, het trefzekerste van alle wapens. Dit geweer is slechts een verlengstuk van je arm, je hand, je wil.'

En de hand van de Portugees streek over mijn arm, mijn schouders en mijn hals. 'Je rilt, ben je bang?' vroeg hij. Ik rilde niet van angst. De sergeant haalde gelukkig zijn hand weg en boog terug. Hij worstelde ergens mee. En daarna zei hij: 'Die duivel van een Gungunhana heeft net zo'n geweer, en weet je van wie hij dat heeft gekregen? Van de koningin van Engeland! Ze behandelen elkaar goed... Maar dit andere geweer,' en hij bukte om het tweede wapen terug te pakken, 'dat is mijn passie, ja... Kijk er maar eens goed naar, Imani, want dit wapen zal Gungunhana verslaan.'

'Neemt u me niet kwalijk, sergeant, maar het is Ngungunyane. Als u dat niet kunt uitspreken, mag u ook Mudungazi zeggen. Maar het is belangrijk om je vijand bij zijn echte naam te noemen...'

'O ja? Luister dan: dit hier is een Kropatschek. Zeg dat maar eens, benieuwd of je dat lukt...'

Het verschil tussen de sergeant en mij is dat ik nooit een geweer bij zijn naam hoefde te noemen, terwijl Germano elke dag de naam van de Afrikaanse keizer moest uitspreken. Dat had ik eigenlijk moeten zeggen, maar ik hield me onderdanig in.

Toen hoorden we de verre akkoorden van de marimba's. Het was mijn vader, die een nieuwe compositie instudeerde. Mijn lichaam was sterker dan mijn wil en begon te wiegen, wat onmiddellijk werd opgemerkt door de sergeant. Hij deed een stap achteruit en riep: 'Kijk nou, je bent dus toch een Afrikaanse! Heel even dacht ik dat je een Europese was.'

Het verbaasde me dat Germano de Melo zo passief bleef, niet reageerde op de oproep van de marimba's. Het lichaam van de Portugees was doof. Er was iets in hem gestorven nog voor hij geboren was.

*

Ten slotte bezweek de sergeant onder zijn vermoeidheid. Zijn ijldromen putten hem uit en als hij weer tot zichzelf kwam leek hij net een uitgeklopt en omgekeerd neergelegd tapijt. Hij was nog maar een schim van degene die maanden geleden op de oever van de Rio Inharrime was gestapt. Onderuitgezakt in een oude leunstoel viel hij in slaap nadat hij eerst nog had gemompeld: 'Ik ben zo terug, Imani. Ik ben zo terug.'

En daar zat ik dan op een manier die ik nooit voor mogelijk had gehouden: als een getrouwde vrouw op een stoel naast een door de slaap gevelde blanke man. Met een geweer dat zwaar op mijn schoot lag.

Vol angst hief ik het wapen op, met trage en berouwvolle

111

gebaren, alsof ik een slang vasthield aan zijn staart. Heel geleidelijk raakte ik echter beter vertrouwd met het geweer, en ik
drukte het zelfs tegen mijn borst, voorzichtig, alsof het een kind
was. Ik bekeek de loop en vreesde dat er kreten uit zouden komen van iemand die gedood had en van iemand die vermoord
was. Ik liet toe dat mijn vingers lichtjes de trekker overhaalden.
En ik dacht: een millimeter, niet meer dan een millimeter
scheidt het leven van de dood. Op dat moment hoorde ik een
stem. Eerst dacht ik dat het de Portugees was die praatte in zijn
slaap. Daarna merkte ik dat de stem uit het wapen kwam en geleidelijk aan vertrouwder klonk. Het was een verzoek om hulp.
De intensiteit van dat geluid nam toe, tot het onverdraaglijk
werd. Tot ik wanhopig uitriep: 'Dubula! Broertje Dubula!'
    De Portugees werd wakker en kwam naar me toe met de be-
doeling me te sussen. Ik deinsde terug als een dier in een kooi.
    'Raak me niet aan! Alstublieft, raak me niet aan!'
    'Ik raak je helemaal niet aan.'
    'Jawel! En kijk niet naar me, want ik ben hartstikke vies.'
    Hoe moest ik hem uitleggen dat ik vies was door een dood
die voor de helft mijn eigen dood was? Germano de Melo verwachtte echter geen uitleg. Nu was het zijn beurt om mij te
kalmeren. 'Gelukkig heb ik mijn handen weer,' zei hij terwijl
hij een capulana om mijn schouders legde.
    'Dat trillen gaat wel over, zijn gewoon zenuwen...'
    Het waren geen zenuwen. Bij hem niet en ook niet bij mij.
Het was dat huis en zijn onzichtbare bewoners, die vochten om
de kieren in het dak: uilen, nachtvlinders en vleermuizen.
    'U moet weg uit dit huis, sergeant. Ga ergens anders wonen,
waar doet er niet toe, als het maar niet hier is.'
    'Hoe bestaat het, Imani, dat jij aan tovenarij denkt, een
meisje als jij...'
    'Ik moet gaan, maar dat kan ik niet zonder eerst te vertellen
waarom ik eigenlijk hier ben. We zijn allemaal doodsbang in
Nkokolani. Wist u dat er grote troepen van Ngungunyane zijn
gesignaleerd?'
    'Ja, dat hebben ze me verteld. Mudungazi verlegt zijn hoofd-
stad van het noorden naar het zuiden. Hij trekt voorbij met
duizenden en nog eens duizenden Ndaus.'

'Morgen komt mijn vader bij u langs. Hij wil u vragen om ons te beschermen...'

'Jullie zullen ook onze volledige steun krijgen, wees maar niet bang. Morgen stuur ik een boodschap naar Inhambane. Maak je maar geen zorgen: ons leger zal jullie helpen. Zeg dat maar tegen je volk.'

'Volk? Ik heb geen volk...'

'Je familie bedoel ik.'

'Neem me niet kwalijk, sergeant, maar er zijn mensen in mijn familie die vinden dat vragen niet het goede woord is. Wij betalen belasting, zeggen ze. We hebben gewoon recht op bescherming.'

'Dat recht zal ook worden gerespecteerd.'

'Maar, neemt u me nogmaals niet kwalijk, de mensen vragen ook: met welke troepen gaan ze ons beschermen?'

'Er worden troepen gestuurd uit Inhambane, wapens heb ik hier genoeg.'

Ik was al bij de deur toen hij naar me toe kwam met een blad papier in zijn hand. Hij wapperde ermee voor mijn neus: 'Zeg maar tegen je vader dat ik van het hoogste niveau de garantie heb gekregen dat de VaNguni's jullie niet lastig zullen vallen. Kijk maar hier, deze brief van António Enes zelf. Ga aan tafel zitten en schrijf hem over.'

Ik ging in de woonkamer aan de tafel zitten, met een rechte rug en mijn elleboog op het blad, zoals ik het had geleerd op de missieschool. Met rustige stem las de sergeant langzaam de alinea's voor:

Beste Gungunhana,

Ik, rijksgrote van de provincie Mozambique, door koning Dom Carlos I hierheen gezonden om de stand van zaken te beoordelen en indien noodzakelijk troepen te laten overkomen uit Lissabon (wat uiteindelijk ook nodig was), stuur je mijn adjunct met deze brief om je een paar dingen duidelijk te maken en, laten we het ronduit zeggen, om te weten of je wel of niet een zoon naar het hart van de koning van Portugal bent.

Ik hoef je niet in herinnering te brengen wat de koning allemaal voor je gedaan heeft, want je weet maar al te goed dat als de koning geen wapens had verstrekt aan je vader Muzila, om Mahueva te verslaan, jij vandaag geen hoofd van Gaza zou zijn. Je bent nog altijd groot vanwege de vriendschap van de koning, die je constant beloont om je te laten zien dat je een echte zoon van hem bent.

Mijn grande vertelde me dat je toestemming hebt gevraagd de Guamba's en Zavala's te verslaan, dat heeft hij je geweigerd en ik bevestig dat. Ik geef je daar geen toestemming voor, en als je het toch doet, zul je het berouwen. Ik wil gerechtigheid doen geschieden, als ze je kwaad hebben gedaan zal ik hen straffen, indien nodig stuur ik hen naar Guinee.

Was getekend: De Commissaris des Konings

Germano stond achter mijn stoel en keek toe met zijn hand op mijn schouder. Ik smeekte de goden om niet te rillen, waardoor ik zou aangeven hoezeer zijn hand mij van mijn stuk bracht.

'Heb je alles? Ga dan nu naar huis en lees je familie hardop voor wat je zojuist geschreven hebt...'

Bij de deur voelde ik nog altijd zijn hand op mijn schouder. En ik vroeg hem of hij de geur van de sinaasappelbomen rook. Hij antwoordde dat hij al heel lang alle geuren van de wereld vergeten was. Zijn woorden deden me pijn.

*

'Commissaris des Konings?' vroeg Musisi.

En hier en daar werd gelachen in de kring buren en familieleden die naar ons huis waren gekomen om te horen hoe het gegaan was. In het midden van die kring stond oom Musisi, vast van plan geen geloof te hechten aan de boodschap en de boodschapster. Verder naar achteren was mijn moeder bij het vuur zout aan het maken. Ze was daar al de hele dag mee bezig. 's Morgens had ze op de moddervlakten rond de lagunes met een slakkenhuis het zeezout van het zand geschraapt. Op dat moment was ze de modder aan het oplossen in een pan met kokend water. Het zou niet lang meer duren of het water was verdampt en het zout lag als een witte doek op de bodem van de pan. Onder het werken zong ze: '...het zand is het verlangen, het zout is het vergeten...' Mijn moeder maakte zout om te vergeten.

'Pas op dat je je vingers niet brandt, vrouw,' waarschuwde mijn vader.

Ze verborg een sluw lachje. Oom Musisi drong intussen aan: hij wilde weten wie die Commissaris des Konings was en wat voor ander krediet hij verdiende dan het wantrouwen dat we jegens alle blanken koesterden.

'Hij heet António Enes,' legde ik uit. 'Hij is de vertegenwoordiger van de koning van Portugal, hij is de baas in het kroondomein.'

'En dat papier heeft hij geschreven?'

'Ja, ik heb het zelf overgeschreven. De Commissaris heeft deze brief naar Ngungunyane gestuurd. Hier staat dat we ons geen zorgen hoeven te maken over de dreigementen van de soldaten van Ngungunyane. Ik zal het jullie voorlezen en daarna vertalen.'

*

Toen ik klaar was met voorlezen, hield ik de brief tussen mijn vingertoppen. Omdat iedereen zweeg, werd het vel papier ineens zwaar. Ten slotte verbrak een van de buren de stilte: 'Waar ligt Guinee? Voor of achter Inhambane?'

'Mond dicht, jullie,' beval Musisi. 'Voor mij bewijst die brief alleen maar dat wij behandeld worden als kinderen.'

'Soms hebben we graag een grote vader...' riposteerde mijn moeder.

'Spreek alleen voor jezelf, zus. Weten jullie wat ik vind van die beloften? Ik lach erom. Dat is het wat ik doe: erom lachen. En weten jullie wat ik ga doen? Ik ga hulp vragen aan iemand van ons. Morgen ga ik met Binguane praten.'

'Is Binguane een Muchope?' vroeg mijn vader.

'Zo blijven we tenminste onder ons, zwarte mensen.'

Binguane woonde in de buurt van Nkokolani. Hij was een geduchte legerleider die zich verwoed verzette tegen de Va-Nguni-gelederen. Ik had hem al eens gezien. Een lange en ondanks zijn leeftijd robuuste man. Net als ik had hij zowel Makwakwa- als VaChopi-bloed. Mijn vader waarschuwde: 'Dat is het slechtste wat je kunt doen. Ngungunyane wordt alleen maar nog kwader op ons. Er is niemand op de wereld die de keizer meer haat dan Binguane en zijn zoon Xiperenyane.'

Katini had wel gelijk: Xiperenyane was als kind ontvoerd door Muzila, de vader van Ngungunyane. Dat was gebruikelijk in het Gazarijk: de kinderen van vooraanstaande families werden geschaakt. Zo bereikte je op de snelste manier trouw: door chantage.

Xiperenyane was opgegroeid in de schoot van de koninklijke familie en het verhaal wil dat hij Ngungunyane versloeg bij alle spelletjes en wedstrijden. Na zijn vlucht van het hof was hij aan het hoofd gekomen van een geduchte verzetsgroep. Het klopte echt wat Katini zei: er was niemand die Ngungunyane erger haatte.

'Je graaft een kuil voor jezelf,' waarschuwde mijn vader opnieuw.

Musisi, die zich even afzijdig had gehouden, mengde zich weer in de discussie op een andere toon: 'Terwijl Imani de brief aan het voorlezen was, kreeg ik een idee. En dat idee moeten we nu bespreken, want morgen ga ik naar de oorlog en ik weet niet of ik terugkom.'

'Praat niet zo, daar komen ongelukken van,' waarschuwde onze moeder.

'Voor mij is dat verhaal van die niet-afgebouwde kazerne een grote leugen. Het is gewoon een winkel vermomd als legerpost. De echte kazerne heeft altijd in Chicomo gestaan, ze hebben nooit een andere gewild.'

'Wat doet die *mulungo* dan hier?'

'Denk nou eens even na, zwager. Die man is hier om ons te bespioneren. En daarom, beste zwager, gaan wij die spion bespioneren.'

'Je bent gek, Musisi.'

'En weet je hoe wij dat gaan doen? Via jouw kinderen.'

'Zo is het wel genoeg, Musisi,' zei mijn moeder. 'Ik wil niet dat mijn kinderen betrokken worden bij die dingen.'

'Wil je dat niet? Maar dat zijn ze toch allang, zusje. We gaan de Portugezen bespioneren via de brieven die de sergeant krijgt en verstuurt, zoals de brief die je dochter net heeft voorgelezen. Die papieren kunnen onze ogen en oren worden.'

'Alsjeblieft, broer, betrek mijn dochter niet bij zoiets,' verklaarde mijn moeder. 'Mijn eerste dochters zijn dood en mijn jongens slapen God weet waar. Deze dochter is het enige wat ik nog heb.'

Daarna pakte ze mijn hand vast zoals ze nog nooit had gedaan. En ik voelde in die vingers de voortzetting van mijn eigen lichaam.

Hoofdstuk 14

Zevende brief van de sergeant

Nkokolani, 25 mei 1895

Edelachtbare heer
Staatsraad José d'Almeida,

Een paar dagen geleden hoorde ik het marimbaorkest waarvan Imani's vader de meesterlijke dirigent is, zelfs in stomdronken toestand. Ditmaal werd ík gegrepen door een gevoel van dronkenschap, terwijl ik me tegoed deed aan de welluidendheid van de *timbalas* van de negers.

Ik heb het begrepen. Muziek is een boot, verzorgt de reis die ik nog moest maken. Mag ik? vroeg ik. En ik probeerde de melodieën te spelen waarmee mijn moeder me in slaap zong. Het lukte me niet goed. Maar ik begreep dat mijn melodieën en die van de Afrikanen iets gemeen hadden: beide scheppen orde in een chaotische en angstwekkende wereld.

Ik moest denken aan de mooie brief die Ayres de Ornelas zijn moeder schreef over zijn eerste bezoek aan het hof van Gungunhana. Ik heb een afschrift van die missive hier, die zoals zoveel brieven van ons onderschept en overgeschreven werd. Een vriend van me uit Lourenço Marques heeft dat laatste gedaan en de brief naar mij gestuurd. En ik stuur die nu door naar U, omdat ik vind dat hij enig licht werpt op de gevoelens die men in Lourenço Marques koestert voor onze luitenant Ornelas. Je verwacht domweg niet dat een militair van dat kaliber zo'n bewondering heeft voor de kunst van de zwarten. Hoe kan een luitenant in oorlogstijd zo'n blijk van achting geven voor lui die volgens ons geen ziel hebben?

Vanwege de buitengewone fijnbesnaardheid die erin tot uitdrukking komt, schrijf ik een deel van de missive van Ornelas over, die het volgende aan zijn moeder schreef:

...Toen de koning van Gaza opdoemde, hieven de regimenten van Gungunhana hun strijdlied aan. Niets ter wereld kan een idee geven van de grootsheid van die hymne. De melodie met haar diepe bastonen, die enthousiast opstegen uit zesduizend kelen, deed ons huiveren tot in ons hart. Wat een pracht, wat een energie in die muziek, nu eens slepend en traag, bijna wegstervend, dan weer triomfantelijk en gloedvol herrijzend en uitmondend in een verzengende uitbarsting van geestdrift! En terwijl de regimenten, die we hier *mangas* noemen, verder weg trokken, bleven de bastonen nog een heel eind opklinken, weerkaatst door de hellingen en de bossen van Manjacaze! Wie zou de anonieme componist van dat wonder zijn? Wat voor ziel moest hij niet hebben om in drie of vier maten de Afrikaanse oorlog te vatten in de bittere ruwheid van zijn dichtkunst? Nog steeds galmt in mijn oren de echo na van dat verschrikkelijke Vátua-oorlogslied, dat zo vaak doodsbang werd aangehoord door de Chope-wachtpost, ergens verloren tussen de struiken van deze wildernis waar ik nu al een maand verblijf.

Ik stel me voor dat U, Staatsraad José d'Almeida, even gevoelig bent voor de schoonheid die de negers in staat zijn voort te brengen. Die schoonheid, laten we het met alle respect toegeven, is ten slotte binnengedrongen in Uw leven. U hebt mij nooit verteld — en waarom zou U dat ook doen? — over Uw huwelijk met een Kaffervrouw. Dat leidt tot veel kwaadsprekerij op de plaatsen waar ik geweest ben. Maar ik begrijp het steeds beter, waarde Staatsraad. Ik beken dat ik me aangetrokken begin te voelen tot Imani, het meisje dat vaak hier op de post komt. En het is niet slechts een lichamelijk iets. Het is iets intensers, vollediger, iets wat ik nog nooit heb gevoeld voor een blanke vrouw. Misschien, dat geef ik toe, is die impuls een gevolg van de eenzaamheid die me werd opgelegd. Of is het ijlkoorts van een gevangene. Hoe het ook zij, dat meisje is op een eerbiedige en subtiele wijze binnengeslopen in mijn ziel en heeft daar geleidelijk zozeer bezit van genomen dat ik alleen nog maar over haar droom.

Gisteren bijvoorbeeld gaf ze mij een les over de *chicuembos*, dat zijn de geesten tot wie de inboorlingen bidden en waaraan ze offers brengen. En ze legde uit dat er voor de Chopes diverse soorten geesten bestaan. Het verleidelijkst vond ik er een die zij Majuta noemen. Ik was dermate onder de indruk dat ik vannacht droomde dat ik een van die spoken was. Van top tot teen uitgedost volgens het voorschrift van die zielen: ik droeg een lang en wijd wit gewaad, zoals moslims ook dragen, en had een geweer over mijn schouder. Het deed denken aan een Arabische slavendrijver op grote legerlaarzen. Maar de veters van die laarzen waren los en ik liep wijdbeens om er niet over te struikelen. Zo stapte ik naar Imani toe, die half ontkleed op een stoel bij de ingang van de kazerne zat. Ik wilde mijn laarzen uittrekken, maar dat lukte me niet. Zachtjes smeekte ik: 'Help me, Imani. Mijn veters, zie je dat niet? Het zijn slangen. Ik heb slangen aan mijn benen.'

Ze knielde neer en masseerde voor de zoveelste keer mijn rug met haar warme handen. Dat belette me echter niet om te klagen: 'Ze zeggen dat Afrika een slachthuis is. Was het dat maar, Imani, was het dat maar. Ik was liever gestorven dan zo te moeten leven.'

Haar capulana viel half open en ik zag haar stevige borsten. En niet langer heer en meester over mezelf streelde ik haar boezem terwijl ik fluisterde: 'Ik ben mijn verstand aan het verliezen, Imani. Laat me denken dat ik tenminste nog een man ben.'

De witte tuniek viel, bleef eindeloos vallen: zo eindigde mijn droom. En meer zeg ik niet, uit angst om mezelf belachelijk te maken.

Vergeeft U mij alstublieft de vermetelheid van deze persoonlijke ontboezemingen. In werkelijkheid duurde het lang voordat Imani mij aan durfde te raken. Zelfs op het hoogtepunt van mijn hallucinaties bewaarde ze afstand, terwijl ze een vreemde litanie prevelde die letterlijk luidde: 'Er zit een schim in de Portugees, er zit een schim in zijn ogen, er komt een schim uit zijn gericht die over zijn lichaam loopt en hem van zijn handen berooft. We zullen die schim terugdringen en weg laten sterven in het licht van zijn ogen.' Het zal wel inbeelding zijn, maar dat gezang kalmeerde me en heel langzaam werd ik weer helder.

ps Als opmerking in de marge moet ik U laten weten dat ik een brief heb gekregen van de Italiaanse Dona Bianca (weet U nog, de pensionhoudster uit Lourenço Marques?). Ze schreef me dat ze naar Inhambane wil reizen om Fornasini te bezoeken. Dat ze bij iemand van thuis, iemand die haar taal spreekt, wil zijn. Ziet u hoe sterk de roep van de herkomst is?

Hoofdstuk 15

Een koning van stof

'Je hebt mensen die de zon veranderen in een simpele gele vlek, maar je hebt er ook die van een simpele gele vlek de zon maken.'
— Pablo Picasso

Iedereen in deze wereld leeft op één plaats en in een onherhaalbare tijd. Iedereen behalve wij, de inwoners van Nkokolani. Net als de vleermuizen uit de legende woonden wij op een kruispunt van werelden. Een onzichtbare en niet te overschrijden grens liep dwars door onze ziel.

Die dubbelheid zou bewezen worden op de ochtend dat oom Musisi vroeger dan gewoonlijk wakker werd, zijn deftigste doek om zijn lendenen draaide en de jas aantrok die zijn vader hem had gestuurd uit de mijnen.

Zo ontving zijn lichaam de klederdracht van twee werelden. Hij stopte een handvol mafurravruchten in zijn geitenleren tas en verliet het huis zonder afscheid te nemen van zijn vrouw. Hij ging naar Binguane om van hem te krijgen wat hij geweigerd had aan de Portugezen te vragen: bescherming tegen de krijgers van Ngungunyane.

*

Onderweg dacht Musisi terug aan de laatste keer dat hij bij Binguane was geweest. Toen was hij meegegaan met opa Tsangatelo, die de grote *nkossi* opzocht om hem te helpen zijn vrouw Layeluane terug te krijgen. De zaak lag gevoelig en vereiste een woordvoerder van gewicht bij de autoriteiten van de kroon. Tsangatelo had zich aangesloten bij de Portugese militairen die opstanden rond Lourenço Marques moesten neerslaan. Iedereen had gedacht dat hij een of twee maanden weg zou blijven. Het was bijna een jaar geworden. Intussen waren de *indunas* uit Inhambane gekomen om de belasting te innen. Layeluane kon die niet betalen en ze legde de ontvangers uit waarom haar man weg was. Ze geloofden haar niet en namen haar gevangen als waarborg. Zij was wat de Portugezen een belastingontduiker noemden. Als de man weg was en het gezin niet kon betalen, werden vrouw en kinderen gevangengenomen tot de echtgenoten zich meldden om de afkoopsom te betalen. Zodra Tsangatelo terug was van het slagveld had hij betaald wat hij verschuldigd was, maar bij de Portugese overheid wist niemand waar zijn vrouw zich bevond. Opa hoopte dat Binguane zijn invloed zou gebruiken.

Musisi herinnerde zich het ontzag waarmee Tsangatelo zich aandiende bij stamhoofd Binguane. Bij de ingang stonden grote rieten manden, zogenaamde *xirundzo*, die lieten zien hoe goed de boeren geoogst hadden en hoe gul ze waren geweest met hun geschenken. Zolang hij niet ging zitten bleef opa op zijn tenen staan. Er werd gezegd dat het stamhoofd een hekel had aan kleine mensen.

'Ik wil mannen die over de vlakte heen kunnen kijken,' placht hij te zeggen.

Het stamhoofd wees met beide armen naar de grote manden en merkte vol trots op: 'Dit jaar gaan we *ngalanga* dansen.'

Daarna deed hij zijn ogen dicht en bleef zo zitten, alsof hij ineens in slaap was gevallen. Opa begreep dat hij zijn zaak zonder te dralen uiteen moest zetten. Toen hij klaar was, verzekerde Binguane hem dat hij niet alleen persoonlijk zou praten met de Portugezen, maar ook een paar mannetjes naar de induna's die haar hadden weggevoerd zou sturen om hen te verhoren.

'Je vrouw is binnen een paar dagen terug, daar kun je op rekenen. Maar laten we het over iets anders hebben: ik heb gehoord dat je met de Portugese militairen onderhandelt om een karavaan met dragers op te zetten.'

'Dat wilde ik u ook vragen, of ik hen kan vertrouwen na wat

ze met Layeluane hebben gedaan. Vertelt u mij, nkossi: denkt u dat ik die Portugezen kan vertrouwen?'

'Vertrouw je mensen van je eigen ras?'

'Hoe zou ik dat kunnen? Kijkt u alleen maar naar Va-Nguni's...'

'En vertrouw je je eigen familie?'

'U weet best van niet. Zelfs mijn schoonzoon hier kan ik niet vertrouwen.'

'Weet je waarom ik jou vertrouw? Omdat je doet alsof je groter bent dan je in werkelijkheid bent. Jij wilt mij behagen. Dat is precies de reden waarom ik dat gerucht de wereld in heb gestuurd. Om niet de mate, maar de wil om mij te behagen te beoordelen. Je hoeft je niet langer te rekken, beste vriend.'

'Dank u wel, Binguane.'

'Ik vertrouw je genoeg om te zeggen dat ik wil dat je de Portugezen goed behandelt. We hebben geen nuttiger bondgenoten. Vraag hun om te betalen met wapens. En die wapens hier bij ons af te leveren. Daarna rekenen wij af.'

Bij de deur nam Tsangatelo afscheid, maar Musisi bleef hangen. Hij had op dit moment gewacht om een vraag te stellen die hem al lange tijd bezighield. Hij richtte zich tot het stamhoofd: 'Vertelt u mij eens, Binguane, u bent pas geleden bij Ngungunyane geweest. Ik heb altijd willen weten wat voor iemand hij is. Hoe is hij, die Mudungazi?'

'Wat doet dat ertoe?'

'Ze zeggen dat hij een slecht mens is, dat zijn boventanden eerder zijn uitgekomen dan zijn ondertanden. Daarom hebben ze hem die naam gegeven. Weet u wat Mudungazi in hun taal betekent?'

'Ik zei toch dat het er niet toe doet. Jullie hechten veel te veel belang aan die man. Daardoor wordt de vijand groter.'

Ze wisten allebei dat Mudungazi 'vernieler van de natie' betekende. Daarom hadden de oudsten aan het hof zijn naam veranderd. Voor Binguane had die verandering niet gehoeven: die eerste naam zou ons een goede reden geven om hem te mogen. Misschien zou hij ons wel helpen zijn eigen natie te vernielen.

Dat gesprek lag nog vers in het geheugen van Musisi. Maar hij vroeg zich af of Binguane zich hem nog zou herinneren. Op dat moment hoorde hij een enorme donderslag, die de grond deed dreunen. Het was onbewolkt en mijn oom vroeg zich af waar die knal die het firmament doorkliefde vandaan kon komen. Hij aarzelde zelfs even of hij wel door zou lopen, maar deed dat toch. Halverwege werd hij verrast door een enorme opschudding. Hij zag dat het VaNguni-regimenten waren die terugkeerden van een veldslag. Vanuit het struikgewas zag hij de soldaten heel duidelijk voorbijtrekken. Ze hadden een witte veer op hun voorhoofd, ten teken dat ze vijanden hadden gedood. En ze krijsten als bronstige beesten. Heel terecht wat opa Tsangatelo altijd zei: je moet soldaten aanmoedigen te schreeuwen. Als ze schreeuwen, horen ze hun eigen angst niet.

In het dichte gebladerte waar hij verstopt zat vreesde Musisi voor zijn leven, en zijn ademhaling leek hem een ondraaglijk lawaai. Als ze lucht van hem kregen zouden de tatoeages in zijn gezicht onmiddellijk zijn identiteit onthullen. En hij zou zonder omhaal geëxecuteerd worden. Hij was wat de bezetters aanduidden als 'degenen met sneden in hun gezicht'. Hij was niet eens een mens. Hij zou afgemaakt worden als een dier, meedogenloos, zonder begrafenis.

De soldaten verdwenen in de verte en Musisi liep voorzichtig verder in de richting van het dorp van Binguane. Toen hij daar aankwam, zakte hij hulpeloos in elkaar, alsof hij geen knieën meer had: het dorp stond in lichterlaaie en de grond was bezaaid met lijken. Een groep vrouwen haalde de gewonden op en dekte de lijken toe met matjes en doeken.

'Waar is Binguane?'

'Er is niets van hem over,' antwoordden ze.

'Waar ligt het lijk?'

'Er is niets van hem over, zeiden we toch.'

Er was het volgende gebeurd: vertwijfeld vanwege de zware last van de nederlaag had Binguane de Portugese vlag gestreken. Geruime tijd had hij naar de gouden kroon in het midden gekeken. Ze zeiden dat die kroon het goud symboliseerde, maar wat hij zag was een stralende zon en hij liet die schittering doordringen in zijn ogen. Daarna scheurde hij het dundoek doormidden en draaide het blauwe deel om zich heen. Zo bedekt ging hij op een kruitvat zitten en liet zichzelf in de lucht springen.

Domme pech bedierf de verhevenheid van zijn daad: voordat hij het vuur kon aansteken zakte het kruitvat onder het gewicht van de zelfmoordenaar in. Het grijze stof dat loskwam, beroofde degenen die wilden helpen van hun adem. Binguane gaf het niet op. Hij stak de lap die hij om zich heen had aan en sloeg zijn armen om het vat, alsof het zijn laatste vrouw was. Toen vond de ontploffing plaats die de wereld verdoofde. En het werd donker, in en om Binguane.

*

Ik schrok verwilderd wakker van een verre donderslag. Er was mij hetzelfde overkomen als mijn vader in diens nachtmerries: ik herinnerde me de ijzeren vogels die in duizelingwekkende vaart de lucht doorkruisten. Het werd licht. Ik schoof het gordijn open: ver weg glinsterde wat mij de rode gloed leek van een stuk grond dat platgebrand werd. Ik rende door het hele huis heen om te kijken of alle ramen goed dicht waren. Het had 's nachts gewaaid en de vloer zat vol vuile zwarte vlekken. Waarschijnlijk was het roet van de brand en ik haalde een bezem over de vloer. Ik keek naar de verwrongen zwarte vonken, alsof ik er dezelfde materie in ontdekte als waaruit ikzelf bestond. Kruit en as. En ik keerde terug tot mijn oorspronkelijke naam.

*

Een paar uur na zijn dood was Binguane al een legende geworden. 's Avonds, wanneer het tijd is om verhalen te vertellen, legden de oudsten de jongeren de ware reden uit van de dood van de grote krijgsman. En het verhaal ging zo: Er was eens een koning die niet geloofde in het bestaan van wolken. Hij betoogde dat wolken alleen in onze ogen bestaan.

'Ik geloof er pas in als ik ze aan kan raken.'

Dat zei hij. En hij gaf opdracht een trap te bouwen die zo hoog was dat hij kon klimmen tot de meest nevelachtige hoogten. Het duurde jaren voordat de trap klaar was. Toen ze hem riepen, keek de koning naar de top van het bouwwerk en kon niet alle treden zien.

'Ik klim omhoog,' verklaarde hij ferm.

Hij klom en klom en werd steeds moeër. De zwaluwen die langs hem heen schoten verbaasden zich over dat onhandige gezelschap. Toen de koning reeds last had van duizeligheid en ademnood, zag hij dat hij omringd werd door wolken. Hij stak zijn armen uit om ze aan te raken, maar zijn vingers drongen door dat schuim heen alsof ze licht waren dat door water heen schijnt. En hij glimlachte gelukkig. Hij had dus toch gelijk. Terwijl hij de trap af liep, mompelde hij: 'Ik heb ze niet aangeraakt. Ze bestaan niet.'

Onder het afdalen merkte hij dat hij licht werd, steeds lichter. Dicht bij de grond moest hij zich al stevig vasthouden. Bij het kleinste briesje wapperde hij als een vlag. Toen zijn voeten de grond raakten, was de koning veranderd in een wolk. Het enige wat overbleef was de trap die de ongelovigen ter hoogte van de hemelen brengt.

*

Ze zeggen dat Binguane diezelfde nacht nog terugkeerde uit de dood om zijn as op te halen. Maar een deel daarvan was al verstrooid door de wind. Daardoor kon hij zich maar voor de helft weer in elkaar zetten. En zo, incompleet en vol gaten, zal hij door de tijd dolen: half krijger en half Chope, half held en half verslagen. Ze zeggen ook dat onze achterkleinkinderen die helft van het verleden vergeten zullen zijn. En dat ze hun naam zullen verbergen uit angst de mest van de anderen te moeten dragen.

En zo zal het blijven tot er een nieuwe Binguane opstaat. En dat zal een nieuw type krijger zijn, want hij zal ons leren de grenzen te overschrijden die ons verdelen. En dan zullen we de twee helften van de tijd van onze voorouders bezoeken.

Hoofdstuk 16

Achtste brief van de sergeant

Nkokolani, 5 juni 1895

Edelachtbare heer
Staatsraad José d'Almeida,

Doordat ik hier moederziel alleen zit, heb ik het gevoel dat ik een tweede Sardinha aan het worden ben: meer verbonden met dit volk, dichter bij deze negers dan bij mijn eigen landgenoten. U bent mijn enige vriend, de enige brug die mij verbindt met Portugal.

Deze week voelde ik dat ik mijn zendingsdrang weer terugkreeg. De Kaffers brachten me een gevangengenomen Vátua. Dat ontzag, die onderworpenheid gaven me uiteindelijk toch mijn dof geworden militaire trots terug.

Hoewel de soldaat van Gungunhana mishandeld was, had hij een benijdenswaardige verhevenheid weten te behouden. Hij vroeg het woord en met hulp van Imani's moeder begreep ik dat zijn volk zich even superieur voelde aan de Chopes als wij aan alle zwarten. En hij zei verder dat dat gebied hun toebehoorde op grond van een goddelijk recht en dat die inboorlingen iemand nodig hadden die hun beschaving bijbracht. Ik legde de gevangene het zwijgen op. Ik verafschuwde hem niet om wat hij zei over de verslagenen, maar omdat hij met dat vertoon van dedain gelijk werd aan degenen die mij naar Afrika hadden gestuurd.

De haat van de Nguni-militair jegens de inwoners van Nkokolani werd bevestigd door de berichten die mij de daaropvolgende dagen bereikten. De Chopes dienden namelijk verscheidene klachten in over wreedheden die de troepen van Gungunhana hadden begaan. Het waren er zoveel dat ik niet zozeer ongevoelig als wel afstandelijk werd jegens de slachtoffers en ongeïnteresseerd in rede en rechtspraak. Ik dacht zelfs dat de gevangen Vátua gelijk had: vanuit zijn gezichtspunt en dat van zijn natie begaan ze helemaal geen misdrijf. Integendeel, ze zijn heldhaftig een rijk aan het opbouwen. Alles welbeschouwd verschilt wat zij doen niet erg van wat wij doen, met alle vereiste onderscheid en ontzag. Ook wij verdedigen een rijk krachtens God en onze natuurlijke superioriteit. Ook wij verfraaien de geschiedenis van dat rijk met pompeuze pracht en praal. Als de Vátua's deze oorlog winnen, zal de bestemming van hun natie vervuld worden zonder enige rol van betekenis van ons daarin. Niemand zal nog weet hebben van António Enes. En de koene Mouzinho de Albuquerque zal een vage verslagene worden. Wat voort zal leven is de Gazastaat met zijn roemrijke geschiedenis. Wat voort zal leven is Gungunhana, de unieke grote held. Die neger zal schitteren zoals een Caesar heeft geschitterd, of een Alexander de Grote, een Napoleon, een Afonso de Albuquerque. En het standbeeld van de Afrikaanse koning zal eens op een plein van Chaimite staan. Generaties Kaffers zullen de Afrikaanse keizer aanbidden als eeuwig bewijs van de heldhaftigheid en waarde van hun ras.

Ik erken de vermetelheid van deze gedachten, Excellentie, en ik kan ze alleen met U delen. En ik moet bekennen dat deze ideeën me de afgelopen dagen voortdurend hebben achtervolgd. Ze brachten een gebeurtenis bij me boven waarvan ik dacht dat ze uit mijn herinnering verdwenen was. Toen ik een keer vrij had van school, in Lissabon, wees midden op het Rossio een man omhoog en verklaarde met een vreemde vertrouwelijkheid: 'Ze zijn allemaal gelijk.'

Ik begreep het niet. De man herhaalde: 'Ze zijn allemaal gelijk, overal.' Hij had het over standbeelden. Hij stak zijn arm uit naar het monument voor Dom Pedro iv en vervolgens verklaarde het vreemde heerschap dat degene die daar stond afgebeeld niet onze koning was, maar Maximiliaan i, 'keizer' van Mexico. Een anonieme Portugees had het standbeeld voor een prikje gekocht in Parijs, omdat de kandidaat-keizer was gefusilleerd nog voor hij gekroond was. Kosten gespaard, glans bewaard. En de man herhaalde dat standbeelden net als verhalen over heersers niet van elkaar verschillen.

'Deze koning staat. Maar als het een ruiterstandbeeld was geweest, had je kunnen zien dat zelfs het paard altijd hetzelfde is!'

Voor het overige zijn deze weken voorbijgegaan alsof de tijd maar niet wilde verstrijken. Misschien kan ik U nog iets anders vertellen. Het is persoonlijk, maar ik wil U er graag deelgenoot van maken. Een paar dagen geleden kwam Imani's vader bij me langs. Heel even vreesde ik dat hij verhaal kwam halen vanwege de avances die ik geprobeerd heb te maken bij zijn enige dochter. Daarom begroette ik hem overdreven hartelijk bij de deur: 'Goedemorgen, Katini Nsambe!'

'U bent soldaat, u moet me niet bij mijn naam noemen. Soldaten willen niemands naam weten.'

'Wat voert je hierheen?'

'Ik kom u een draagstoel aanbieden, een die ik zelf heb gemaakt.'

'En waarom zou ik een draagstoel willen hebben?'

'Om door de brousse te worden gedragen natuurlijk, zoals alle Europeanen.'

'Maar ik ben niet zoals alle Europeanen. Ik heb twee gezonde benen en die maak ik graag moe.'

'U bent een goed mens. Maar past u op, patrão, want in Nkokolani spreken goedheid en zwakte dezelfde taal.'

Daarop onthulde hij me dat hij, toen hij door het bos dwaalde, op het idee was gekomen mij een boom te schenken. Een hele boom, met wortels, stam, takken, bladeren en al. Met dat geschenk zou hij mij de hemel, de aarde en de tijd geven. Omdat hij dat niet kon, en omdat ik ook nog de draagstoel had geweigerd, zou hij me dan maar een kip geven.

'Een kip?'

Er was geen tijd voor enig voorbehoud mijnerzijds, want hij schoof een kooimand naar me toe met daarin een weldoorvoed hoen met bruine veren.

'Waar u een kip ziet, zie ik eieren. En aan het eind van de eieren vlees. Vlees voor een hele week curry.'

Ik haalde de kip uit de kooi en het beest schrok niet eens en rende ook niet als een dolleman rond. Ze nestelde zich gedwee als een kat aan mijn voeten.

'Ik zal haar een naam geven,' zei ik, vertederd door de makheid van het dier.

'Doet u dat alstublieft niet,' smeekte de arme zwarte verschrikt. 'Als u dat doet, denkt die kip nooit meer dat ze een kip is. En dan stapt ze binnen in uw dromen en u, patrão, stapt binnen in haar dromen...'

Sedert die dag deelt een kip huis en haard met mij. In strijd met de ontvangen raadgevingen heb ik haar toch een naam gegeven, Castânia. Overdag scharrelt ze achter in de tuin, 's nachts haal ik haar in huis, om te voorkomen dat ze verslonden wordt door de genetkatten. In het halfdonker van mijn slaapkamer, onder het flakkerend licht van het olielampje, kijkt Castânia dankbaar naar me op en steekt dan haar kop onder haar vleugel. Dan denk ik aan de waarschuwing van haar vorige eigenaar en amuseert mij de gedachte dat de kip mijn dromen droomt, in het Portugees en al. Ik hoop dat ik in ruil haar dromen krijg, beslist minder zwaar en gespannen.

Gisteren riep Katini me weer. Ik keek door het raam en zag hem stokstijf staan met een enorme marimba onder zijn arm. Ditmaal bood hij mij het product van zijn vernuft niet aan. Omdat hij wist dat ik ziek was, wilde hij voor me spelen om mijn pijn te verlichten. Muziek, zo zei hij, kon ziekte en spoken van me verdrijven. Ik liet hem plaatsnemen op de patio, met zijn ogen dicht en zijn trommelstokken recht omhoog. Hij tokkelde een paar losse noten alsof hij moed vatte. Ten slotte zei hij in een lijzig en slordig Portugees: 'Ik zal het lied van de Portugezen spelen!'

'Het lied van de Portugezen?'

'Een lied dat ik van de pater heb geleerd. Hij zei dat het het Portugese volkslied was.'

Onmiddellijk begon hij met een slecht accent maar opmerkelijk zuiver te neuriën:

De waarheid wordt niet toegedekt
De koning vergist zich niet, laten
Wij Portugezen...

Ik onderbrak hem vriendelijk en glimlachte met geanticipeerd verdriet vanwege de teleurstelling die mijn woorden hem zouden bezorgen.

'Dat volkslied,' legde ik uit, 'is niet mijn volkslied.'

'Bent u dan geen Portugees?' vroeg hij.

Ik zweeg. In die omstandigheden was het wellicht beter de arme muzikant zijn gulle gebaar af te laten maken. En geëmotioneerd speelde de man een opvallende versie van het Portugese volkslied. Eerst vond ik het vreemd, maar geleidelijk aan, ik geef het toe, werd ik ook ontroerd. Die compositie kreeg het karakter van een balsem. En het donker viel in Nkokolani met een blanke die nsope dronk en een neger die het Portugese volkslied speelde.

Eindelijk, waarde Staatsraad, ontwaar ik in deze trieste brousse een menselijkheid die ik nooit in mij heb gekend. Deze lui hier, die schijnbaar zo ver van me af staan, hebben mij lessen gegeven die ik nooit ergens anders zou hebben geleerd. Zo verscheen er enkele weken geleden een inwoner van Nkokolani voor me die in Zavala bij het inlands bestuur was ontboden op beschuldiging van belastingontduiking. Het hoofd van het bestuur gaf een cipaio bevel hem te geselen. De straf was niet zozeer bestemd voor de ongehoorzaamheid. Wat niet door de vingers mocht worden gezien was de verwatenheid van een neger om zonder vrees de macht van de Portugezen te trotseren. Die indruk kreeg ik in elk geval uit het verhaal van de ongelukkige Kaffer, dat hij deed zonder te klagen of te jammeren.

Ik begreep de logica van onze gezagsdragers. Ze moesten hem vernederen, met hem doen wat je met olifanten in India doet als je die wilt temmen: hun knieën breken om hun voeten niet te laten dromen. En het hoofd van het bestuur gelastte hem eerst te slaan met een *cavalo-marinho*. Waarop de neger vriendelijk corrigeerde: hoezo een zeepaard, er waren daar helemaal geen paarden, geen landpaarden en geen zeepaarden. Die zweep was de gedroogde staart van een *mpfufu*. Als we daar geen passend woord voor hadden in het Portugees, stelde hij voor om die term uit zijn taal te lenen.

Het kwam niet bij het hoofd bestuur op dat ons edele taaleigen al over het woord 'nijlpaard' beschikte. En hij vatte de uitlatingen op als bewijs van toenemende brutaliteit. Als er geen geschikt woord bestond voor de cavalo-marinho, moesten ze hem dan maar slaan met een ouderwetse plak.

Ik moet er tussen haakjes bij vertellen dat de Kaffer bij het doen van zijn relaas zijn gezicht vertrok tot een grimas en dat zijn ogen volliepen met tranen. Het deed hem meer pijn nu hij zich het gebeurde herinnerde dan op het moment van de straf. Want toen het hout zijn vlees kapotsloeg, bleef hij onbewogen. Niet één klacht, dertig slagen lang. Wat dat betreft slaagde de beul niet en de gestrafte trok zich terug uit het vertrek met zijn handen naar boven gekeerd, alsof hij God vroeg getuige te zijn van die ondraaglijke pijn. Hij nam netjes en beleefd afscheid van de cipaio die hem had geslagen. Maar hij ging niet weg. Eerst klopte hij nog aan bij het hoofd van het bestuur en vroeg: 'Mag ik u om een gunst vragen, Excellentie?'

'Een gunst?'

'Ik wil dat u mij slaat.'

'Heb je nog niet genoeg gehad?'

'Ik wil dat ze zien dat ik niet zomaar iemand ben. Ik wil thuis in mijn dorp kunnen zeggen, en goed hard, dat ik geslagen ben door een blanke.'

Toen ik het hoofd van het bestuur onlangs sprak, bevestigde hij het verhaal. En hij maakte duidelijk dat hij geweigerd had de verwaande Kaffer die gunst te verlenen. 'Dat was precies wat hij wilde,' verdedigde hij zich. 'Die negers zijn net kinderen en zien in ons de vaderfiguur die mag straffen en vergeven.' Ik geloof niet dat dat de juiste uitleg is. Volgens mij bedoelde de zwarte het anders: de lafheid aantonen van iemand die opdraagt te straffen maar niet in staat is om de straf zelf uit te voeren.

Ik beschrijf dit soort ogenschijnlijk onbeduidende voorvallen om duidelijk te maken dat wij maar niet willen begrijpen dat deze menselijke realiteit veel complexer is dan men in Lissabon denkt. Toen ik in Lourenço Marques deel uitmaakte van het vuurpeloton, was ik niet in staat de leeftijd van die jongeren te schatten. Het konden kinderen zijn maar ook volwassenen. Zoals Sanches de Miranda terecht zegt: die lui zijn niet leesbaar. En daardoor neemt onze woede jegens hen alleen maar toe.

En het is doodzonde dat wij genoegen nemen met dat gebrek aan kennis. Door die onwetendheid raken we namelijk niet alleen onze bestuurlijke flexibiliteit kwijt, maar ook onze bekwaamheid om militair in te grijpen. Het begrip van fundamentele zaken ontgaat ons en de hulp die we ontvangen van enkele tussenfiguren beschouwen we als zeker en definitief. Die hulp is echter precair en berust op een fragiele en tijdelijke overeenstemming. Vandaag nog heb ik met de hulp van een tolk een curieus gesprek bijgewoond tussen twee lokale stamhoofden die naar me toe waren gekomen om een Kafferkwestie op te lossen. Ik zal zo getrouw mogelijk de uitwisseling van complimenten die ze bezigden weergeven. Ze ruzieden over de vraag of het verraad was als ze land afstonden aan de Vátua-bezetters. Dat twistgesprek verliep als volgt.

'We hebben hun de akkers gegeven,' zei de een, 'maar niet de goden, die de enige eigenaren van de aarde zijn.'

'Kletskoek. Dat is kletskoek,' weerkaatste de ander. 'We hebben ze alles gegeven.'

'Maar wij leiden toch nog steeds de heilige ceremonies, of niet soms?'

'Dan vraag ik je: welke taal spreken onze *ngangas* bij die ceremonies? Onze taal? Of is het niet zo dat we al in de taal van de bezetters met onze goden praten?'

Hoofdstuk 17

Een bliksemflits vanaf de grond

Iedere generaal weet dat hij zich, meer nog dan tegen de vijand, moet beschermen tegen zijn eigen leger.

's Morgens vroeg hoorde ik dat Katini en Musisi die dag op audiëntie zouden gaan in de kazerne. Ik wachtte geen seconde en begaf me op weg. Een paar dagen tevoren had ik de Portugees zelf ingelicht over de bedoelingen van mijn familieleden, maar toch kon ik hun beter voor zijn op de dag van het bezoek. Na de dood van Binguane was de sfeer gespannen, en het was van het grootste belang dat sergeant Germano niet twijfelde aan de urgentie van wat hem gevraagd zou worden. En zo liep ik door de straten, waar nog een dunne mist hing, die mij in eerste instantie gewoon ochtendnevel leek maar die in werkelijkheid rook was, zoals ik later vaststelde. Die rookslierten waren afkomstig van het verre oord waar Binguane de dood omarmd had.

Bij de ingang van de kazerne had mijn broer Mwanatu zijn waakzaamheid verdubbeld. Ook had hij iets nieuws bij zijn namaakgeweer gevoegd: hij droeg nu witte handschoenen. 'Kom vlug naar binnen, zusje, we hebben een alarmtoestand,' fluisterde hij wapperend met zijn vingers.

Germano stond over een kaart gebogen die het hele tafelblad in beslag nam. Zonder zijn hoofd op te richten vroeg hij: 'Weet je wat er gebeurd is?'

'Het hele dorp weet het.'

'En weet je wie er net hier is geweest? De zoon van Binguane, Xiperenyane.'

'Wat? Was die hier?'

'Hij kwam me vragen om de kleindochter van Binguane te redden. Het meisje was gisteren bij de overval geschaakt door de Vátua's. En het gerucht gaat dat ze gedood is en dat de medicijnmannen van Gungunhana haar opgegeten hebben.'

De Portugees was geschokt, dat merkte je aan zijn schorre stem. Hij liet een pauze vallen waarin hij het blauw van zijn ogen op me richtte. Daarna vroeg hij me bijna agressief: 'Kom je lesgeven? Vergeet het maar, dat is afgelopen.'

'Afgelopen?'

'Je mag gerust langskomen, maar me lesgeven, nee. Ik ben naar dit einde van de wereld gekomen om te vergeten dat er talen bestaan. Dat er mensen bestaan, dat ik een naam heb...'

En hij spreidde zijn armen uit op de tafel alsof hij de landkaart omhelsde. Zo, half liggend, herhaalde hij: 'Ik wil vergeten.'

Ik deed een paar stappen naar voren en fluisterde bang: 'Mag ik iets vragen?'

'Wat wil je?'

'Mag ik uw haar aanraken?'

Hij glimlachte en boog zijn hoofd. Mijn hand, die niet langer van mij was, leunde eerst op zijn schouder en verdween vervolgens in zijn dichte haardos. Hoogstwaarschijnlijk had de Portugees niet begrepen wat ik bedoelde. Het enige wat me dreef was een nieuwsgierige drang om dat haar aan te raken, dat zo anders was dan dat van ons, maar hij tilde zijn armen op en legde zijn handen rond mijn borsten. En toen gebeurde het volgende: de knopen sprongen van mijn blouse en rolden over de vloer. Daarna trokken ze krom en verschrompelden, alsof ze smolten in een onzichtbaar vuur.

En de Portugees volhardde in zijn lichamelijke bedoelingen. Ik wilde me verzetten, in zijn arm bijten, hem woedend wegduwen, maar ik bleef stokstijf staan met de beleefde onderdanigheid van een vrouw. Ik geef wel toe dat ik op dat moment duizelig werd van een vreemde verdoving: voor de eerste keer voelde ik mijn hart kloppen in een ander lichaam. De vingers van de sergeant streelden mijn tepels alsof het knoopjes van vlees waren. En ik deed niets, ik wilde weggaan maar stelde dat uit.

'Mijn vader kan elk ogenblik hier zijn, ik wilde u alleen maar waarschuwen dat hij komt.'

De Portugees trok bruusk zijn handen terug en liep zwijgend weg. Ik bleef alleen achter met mijn blouse halfopen. En ik keek naar mijn borst alsof ik die nog nooit had gezien. Bij ons worden meisjes vrouw door de omvang van hun borsten. Die dubbele ronding kondigt aan wanneer wij een ander leven kunnen voortbrengen. Mijn borsten maakten op dat moment alleen maar duidelijk hoeveel ik nog moest beleven.

*

Ik moest dringend weg daar, maar ik aarzelde nog met het oprapen van mijn knopen. Misschien kon ik ze beter op de vloer laten liggen, krom en gekrompen. Misschien werd ik wel gestraft: vóór mij had nog nooit een vrouw kleren met knopen gedragen in Nkokolani. En toen ik, nu wel bevangen door haast, met mijn hand over de vloer streek, merkte ik dat de knopen heet waren, alsof het brandende houtskool was. Desondanks klemde ik ze in mijn linkerhand, terwijl ik mijn kleren en mijn haar fatsoeneerde.

Daarna bleef ik bij de deur wachten op de komst van mijn familieleden. Toen mijn vader en mijn oom arriveerden, drukte ik me tegen de deurstijl om hen door te laten. Mijn broer Mwanatu versperde hun echter de weg, volijverig in zijn verplichtingen als wachtpost.

'Doe niet zo onnozel, Mwanatu,' zei mijn oom. 'Dat geweer is nog idioter dan jouw kop.'

Mijn vader schudde afkeurend zijn hoofd. Toen hij langs zijn zoon kwam, trok hij diens boordje recht. Dat was zijn discrete manier om hem geluk te wensen met zijn zo Europese voorkomen.

'Hoe gaat het met je, *kabweni?*' vroeg hij met onverhulde trots.

'Ik ben geen kabweni, pa,' corrigeerde mijn broer. 'Ik ben tweede korporaal van de infanterie.'

Hij glimlachte naar mij en nam zijn houding van standbeeld weer aan, alsof staren in het oneindige zijn enige bezigheid was. Mijn bedoeling was totaal anders: zo snel mogelijk wegkomen. De arm van mijn vader verhinderde dat echter.

'Jij gaat mee naar binnen, wie moet ons anders vertalen?'

'Dat is helemaal niet nodig, u spreekt zo goed Portugees!'

'Mijn Portugees is niet goed genoeg voor wat we willen bespreken,' betoogde hij.

'Ik ga helemaal niks bespreken,' ging mijn oom daartegenin. 'Ik wil alleen maar controleren wat je vader zegt.'

De sergeant was overdreven voorkomend in de manier waarop hij ons ontving. Hij had zijn uniform aangetrokken, om te laten zien dat hij in functie was. Dat hij zo aardig deed, was echter meer tegen mij gericht dan tegen mijn familieleden. Hij trok een fles wijn open om de bezoekers te begroeten. Ondanks zijn goede wil kende de gastheer onze zeden niet: bij ons moeten eerst de doden drinken. In naam van de overledenen gieten we de eerste druppels op de grond. Dan wachten we even, om duidelijk te maken hoezeer die onechte afwezigen nog steeds heersen over de tijd. Daarna krijgen de vrouwen te drinken, niet uit ontzag maar uit achterdocht: de drank kon weleens vergiftigd zijn. Dan pas zijn de mannen en de gasten aan de beurt. Zo doen wij dat.

De militair dronk echter als eerste. Hij deed dat rechtstreeks uit de fles, met zijn hoed op. De wijn stroomde rijkelijk over zijn kin en zijn hals. Hij leek zich eerder te wassen dan te drinken. Na de vrees van mijn vader te hebben aangehoord, sloeg hij een formele toon aan en stelde ons gerust: 'Ik heb al eerder gezegd dat wij niet zullen toestaan dat u lastiggevallen wordt. Die verzekering werd gegeven door degene die heerst over mij, heerst over jullie en heerst over Gungunhana. U had hier niet hoeven komen vragen...'

'Vragen?' reageerde mijn oom verontwaardigd in het Txitxope. En tegen mij: 'Nu moet je vertalen, nichtje, want ik wil die blanke een paar dingen vertellen.'

'Doet u dat, oom, maar let u wel op uw woorden. Je kunt niet iemand in zijn eigen huis beledigen.'

'Houd je mond, Imani. Binguane is net gestorven. En we zullen allemaal doodgaan als die bazen van jou dit niet serieus nemen.'

'Goed oom, maar laten we nu Portugees spreken, om te voorkomen dat hij achterdochtig wordt.'

'Vraag die baas van je het volgende: aan wie betalen wij belasting? Is dat niet aan de Portugezen? Wij zijn onderdanen van de Kroon. Wij zijn Portugezen, is dat niet wat ze zeggen? Als dat zo is, heeft Portugal de plicht ons te verdedigen. Of vergis ik mij?'

Bijna in paniek haastte mijn vader zich om de woorden van zijn zwager wat te verzachten. En daarbij bediende hij zich van zijn rommelige Portugees.

'Let maar niet op mijn zwager, patrão. Hij is alleen bezorgd...'

'U hoeft het niet te vertalen. Ik begrijp volkomen dat uw zwager boos is. Ik weet allang hoe hij denkt over de Portugezen. Laten we praten als... als beschaafde mensen. En jij, Imani, jij weet hier de weg, ga nog zo'n fles halen in de keuken.'

Met de stille stappen van een dienstbode begaf ik me naar de keuken, waar twee flessen *aguardente* op tafel stonden, met daaronder geschoven een telegram getekend door de Commissaris des Konings. Het dateerde van twee weken geleden en was gericht aan de militaire hoofden van Inhambane. Ik kon het niet laten te kijken. Naarmate ik vorderde in de tekst, kreeg ik een steeds bitterder smaak in mijn mond. Er stond dit:

Wij mogen nooit ofte nimmer de noodzaak om Lourenço Marques te verdedigen laten varen voor hulp aan de Chopes. We mogen geen versterkingen naar Inhambane sturen wanneer dat betekent dat onze gebieden in het zuiden onbeschermd blijven. Het is heel goed mogelijk dat Gungunhana zijn dorst naar wraak op de Chopes niet kan beheersen, dat volk dat zich zo tegen hem heeft verzet, maar dat is een verlies dat we voor lief moeten nemen. Daarbij moeten we trouwens overwegen dat áls de Chopes gestraft worden, ze dat in de eerste plaats aan zichzelf te wijten hebben. De Vátua's die afzakken met hun horden willen zich niet wreken op ons Portugezen – hun natuurlijke vijanden – maar op hen die even zwart zijn als zij. Die smaad willen ze nu afstraffen. Het zou niet in ons belang zijn ons daarmee te bemoeien. Het parool luidt dus: laten gebeuren wat gebeuren moet.

Ik liep terug naar de woonkamer en door een zoemtoon in mijn oren verstond ik niet wat de Portugees tegen me zei. Ik kon alleen uit zijn gebaren opmaken dat hij vroeg waar de fles was, die ik had vergeten mee te brengen.

'Ik heb het telegram gelezen,' zei ik terwijl ik naar de buitendeur liep.

'Welk telegram?' vroeg de Portugees verbluft.

Ik wapperde met het vel papier, dat ik mee had genomen, trok de deur open en verzocht mijn vader en oom met klem om mee te komen. Toen ik naar het trapje keek, zag ik dat er geen eind aan kwam. Dat ik afdaalde in de diepten van de hel. De Portugees had gelogen. En de pijn die ik voelde door die leugen vertelde mij hoeveel ik van hem hield.

*

De volgende morgen liep ik op blote voeten naar de Inharrime. Ik waadde door de rivier tot het water tot aan mijn borst kwam. Niet dat ik wilde verdrinken, de diepte in gesleurd door de stroming, nee, het was precies andersom: ik wilde zwanger worden van de rivier. Die vruchtbare vrijage was andere vrouwen eerder overkomen. De truc was stil blijven staan tot je ziel niet meer te onderscheiden was van de bladeren die verdord stroomafwaarts dreven.

Dat was het wat ik op dat ogenblik wilde. Eén ding wist ik namelijk zeker: geen man zou mij ooit bezitten. Ik had alleen de rivier, de rivier waarin ik geboren was. Het water vloeide al naar binnen toen ik strandde op de oever, verlamd als een oude boomstronk. En daar wilde ik blijven liggen tot ik genoeg hersteld was om naar huis te gaan. Op datzelfde ogenblik zakten mijn voeten weg in de modder. In plaats van weerstand te bieden, trok ik mijn kleren uit en gaf me poedelnaakt over aan de glibberige omarming van het slijk. Heel even liet ik me bezitten door het genot een andere huid op mijn huid te voelen. Toen begreep ik waarom dieren zich graag in de modder wentelen. Dat was het waar ik naar hunkerde: een dier worden, zonder geloof of hoop.

Van top tot teen besmeerd met slijk rende ik terug naar het

dorp. Onder de venijnige blikken van de vrouwen begaf ik me naar het huis van de sergeant. Toen Mwanatu me zag, vluchtte hij van zijn post. De Portugees zat op de veranda en herkende me pas toen ik hem aansprak: 'Wou u me naakt zien, Germano? Giet dan water over me uit. Nooit zal iemand me zozeer uitkleden.'

De Portugees vroeg me beschaamd om binnen te komen. Hij deed de deur dicht en liep rond als een jager die bang is voor zijn prooi. Hij verliet de kamer en kwam terug met een doek en een teil water.

'Nu is het mijn beurt om je slechte voorgevoel weg te wassen,' verklaarde hij.

Hij ging met zijn handen over mijn armen, schouders en rug. Daarna legde hij de doek weg en goot het water uit over mijn lichaam. Toen hij me zo naakt en weerloos zag, werd de Portugees gek. Haastig trok hij zijn kleren uit, met trillende vingers en kwijl op zijn kin. En toen hij me bij mijn middel pakte, liet ik hem mijn borsten likken tot ik het kloppen van zijn bloed op mijn huid voelde. Vervolgens ging de man op de vloer liggen. Hij klopte met zijn handen op de grond om me uit te nodigen naast hem te gaan liggen. Dat deed ik niet. Ik keek op hem neer met de langdurige blik van een koningin. Tijdens dat uitstel van het vonnis voelde ik het perverse genot dat leeuwinnen ervaren voor de laatste klap. Ik smeet het telegram van de vorige dag op de grond, zette mijn voet op zijn borst, spuwde hem in het gezicht en schold hem op allerliefste toon uit in mijn eigen taal: 'Blanke leugenaar! Je zult kruipen als een slang.'

De Portugees lag nog half op de grond toen hij me weg zag gaan, gehuld in een witte lap die ik van een schap had gegrist. Meer nog dan de belediging zelf beviel me het feit dat ik Txitxope had gesproken. Waarschijnlijk beheerste geen enkele zwarte het Portugees zo goed als ik, maar de haat die ik voelde kon ik alleen maar uiten in mijn moedertaal. Ik was veroordeeld: ik zou geboren worden en doodgaan in mijn eigen taal.

*

141

Thuis riep ik de familie bijeen om te vertellen hoe onoprecht Germano de Melo was geweest bij zijn beloften. 'Liegt de Portugees?' vroeg mijn vader ongelovig. 'Dat heb je niet goed gelezen, kind. Je moet je vergissen.' En hij herhaalde: 'Je moet je vergissen.' Musisi zweeg, met de beheerste voldoening over het bewijs van zijn oude vermoedens.

Omdat er geen antwoord kwam, pakte mijn vader een fles wijn en dronk met grote teugen. Toen de fles even leeg was als hijzelf, ging Katini achter zijn marimba zitten. De grond was toen al geen toereikende zitplaats meer: zijn dronkenschap verdubbelde zijn blik, en de toetsen ontweken hem schichtig. Hij hief zijn gezicht op alsof hij de geesten aanriep. In die houding schreeuwde hij naar zijn vrouw: 'Kom dansen, Chikazi. Ik wil je zien dansen.'

Als een marionet sleepte ze zich naar het midden van het terrein en bleef daar roerloos staan.

'We gaan feestvieren, vrouw. Heb je niet gehoord wat onze Portugese vrienden zwoeren? De oorlog komt nooit hier! Is er een betere reden denkbaar om te dansen?'

Mijn vader stortte zich op de toetsen met een verbetenheid alsof hij het instrument dat hij zelf had gebouwd strafte. En zijn vrouw bleef naar de grond staren.

'Je hoeft niet te bewegen als je dat liever niet doet, lieve Chikazi. Jij danst zelfs als je stilstaat.'

Heel even dacht ik erover mijn moeder te vervangen om haar die vernedering te besparen, maar ik had een andere taak, mij toegewezen door de woede die in mijn borst brandde. Haastig liep ik het pad naar het dorp op. De valse klanken van de marimba bleven doorgaan terwijl ik opgewonden door het bos rende. Ik stapte de oude kerk binnen, waar mijn broer Dubula op me wachtte.

'Ik heb je bericht ontvangen,' zei hij zonder me te begroeten. 'Wat wil je?'

De kerkvloer was bedekt met uilenveren. Ik trok mijn schoenen uit. De stenen voelden zacht aan, als een wolk. Water stroomde langs de muren als uit van die wonden die de tijd uitscheurt in een grot. Ik vatte moed om hem te vertellen wat ik van plan was. Ik drukte mijn nagels in een vochtige spleet in de steen en zei: 'Je weet dat mijn lichaam nooit geleerd heeft om een vrouw te zijn.'

'Ik weet niet waar je het over hebt, zusje.'

'O ja, dat weet je wel. Ik mocht van moeder nooit naar het inwijdingsritueel. En nu wil ik dat jij me leert hoe een vrouw gewekt kan worden door een man.'

'Zeg dat niet, Imani. Wij zijn broer en zus, we mogen daar niet eens over praten.'

'Jij mag dat wel, je hebt het altijd gedaan.'

'Wat heb ik gedaan?'

'Je hebt altijd naar me gegluurd als ik me achter in de tuin waste.'

Dubula ontkende heftig. Hij loog. Maar het was een halve leugen, want hij had wel altijd gekeken maar nooit iets kunnen zien. Nog voor ik naakt was, werd Dubula blind. Die tijdelijke blindheid kwam niet voort uit een probleem met zijn ogen, maar uit een te sterk verlangen.

'Vandaag heb ik me gewassen in de rivier. Met water en modder.'

'Waarom dat?' vroeg Dubula verbaasd.

Ik gaf geen antwoord. Mijn broer wist dat iedereen zich waste in de rivier, behalve wij. Ons gezin deed als de Europeanen: wij zetten teilen en emmers op het erf. Misschien had ik daar altijd wel zo lang over gedaan omdat ik wist dat Dubula stiekem in de buurt was. Mijn broer was de reden van die choreografie waarin ik me afwisselend verborg en liet zien. Dan stortte er een waterval op de stenen en het geluid van het water leek sprekend op het ruisen van regen. De druppels trilden verlicht op mijn borsten en het water stroomde over mijn billen. Het was net een dans: ik waste me alleen maar om gestreeld te worden.

'Er komt oorlog, broer. Daarom had ik het over het verleden. Omdat ik bang ben voor de toekomst.'

En ik vertelde Dubula wat er gebeurd was in de kazerne. Toen ik hem sprak over het vervloekte telegram, stond hij op, gespannen en vol haast om weg te gaan uit die kerk.

'Ik moet gaan,' fluisterde hij. Hij keek naar de deur om te zien of hij veilig weg kon. Voor hij verdween, vroeg ik: 'Vertel eens, Dubula: is er geen vrouw in jouw leven?'

'Ik ben een soldaat. Vrouwen maken het hart week. Kijk maar wat er gebeurt met die sergeant van jou.'

'Ik wil niet dat je over die man praat.'

'Och wat, ik ken je, Imani. De hele tijd dat we hier zijn heb je niet met mij gepraat maar met die Portugees.'

'Dat is niet waar, broer, dat is niet waar!'

'Weet je wat er zal gebeuren? Er zal gebeuren wat onze vader altijd heeft gedroomd: de Portugees keert terug naar zijn land en dan neemt hij jou mee.'

'Nooit!'

'Als ik jou was, zusje, ging ik nu meteen naar zijn huis. En dan vroeg ik hem om te vluchten. Doe dat als je van hem houdt, want als ik samen met de VaNguni's Nkokolani binnentrek, zullen we voorgoed afrekenen met die kazerne.'

'Neem je geen afscheid van mij?'

Dat deed hij niet, mompelde hij. Je neemt alleen afscheid als je elkaar hoopt weer te zien. En hij wilde me nooit meer zien.

*

Ik keerde naar huis terug alsof ik mijn schouders over de grond sleepte. Oudere mensen bij ons zeggen: wie alleen loopt beschut zich met zijn eigen schaduw. Maar ik had niet eens een schaduw.

Mijn moeder wachtte op me in de tuin. Ze vertelde dat haar vriendin net was opgestapt, de moeder van Ndzila, mijn grootste jeugdvriendin. We hadden samen op school gezeten in de missie.

'Is Ndzila hier?' vroeg ik enthousiast.

Het antwoord liet even op zich wachten. Mijn moeder zocht naar verzachtende woorden om me niet te kwetsen.

'Ze is gisteren gekomen, ja. Maar haar vader heeft haar teruggestuurd naar Chicomo. Hij wil haar hier niet hebben.'

'Vanwege mij?'

'Jij bent slecht gezelschap, zegt hij. Voor dit dorp ben jij heel verdacht, kind. Je bent gedoemd om alleen te blijven, alleen en

144

kinderloos. Dat heb je te wijten aan je vader.'

Dat was de prijs voor het feit dat ik me had uitgeleverd aan de wereld van de Portugezen. De kans om Ndzila terug te zien maakte iets duidelijk wat ik probeerde te verdringen. Ik had in Nkokolani geen vriend en geen vriendin. Nog erger: ik wilde niet eens vrienden hebben.

Mijn moeder begreep mijn verdriet en kwam naast me zitten. Ze raakte me niet aan, ze keek niet naar me. Alsof ze in zichzelf praatte, zei ze: ik was een vrouw en de vrouwen uit Nkokolani moeten bij iemand horen om niet langer niemand te zijn. Daarom worden ongetrouwde meisjes *lamu* genoemd, een woord dat 'zij die wacht' betekent. Dat is een manier om te zeggen dat we pas iemand zijn als we echtgenotes zijn geworden.

'Blijf hopen, kind. Je bent nog altijd een lamu.'

De zekerheid van die veroordeling was de beste troost die mijn moeder me had kunnen geven.

Hoofdstuk 18

Negende brief van de sergeant

Edelachtbare heer
Staatsraad José d'Almeida,

Deze week keerde Imani zich tegen mij, omdat ik tegen haar had gelogen, en ze vernederde me op een geraffineerde manier. Ik zal u de details van de scène die ze in de legerpost opvoerde besparen. Gelukkig is dat huis beschut tegen de blikken en nieuwsgierigheid van het volkje hier.

Maar er is iets wat ik moet bekennen: toen Imani me zo mishandelde, had ik het gevoel dat ik aan het kruis genageld werd op de vloer. Uit haar woede kon ik opmaken hoezeer zij het enige was wat mij aan het leven bond. Wat rest me nog in deze wereld nu ik de mogelijkheid om haar te veroveren kwijt ben?

Ik weet niet hoe ik mijn missie moet voortzetten, heer Staatsraad. In feite ben ik al vergeten wat ze precies inhield, als ze al ooit bestaan heeft. Ik kan me een brief herinneren die koning Affonso van Kongo in de zestiende eeuw schreef aan de koning van Portugal. Die zwarte monarch zei min of meer dit: 'In een conflict met andere naties kunnen we gevangenen maken en kunnen we doden, maar nooit zal iets zo doeltreffend zijn als verleiding door onze vrouwen.' Koning Affonso had gelijk. Per slot van rekening ben ik zelf ook gevallen voor die verleiding. Ik ben overwonnen. Verslagen in een veldslag die nooit heeft plaatsgevonden.

Ik weet niet hoe ik de dagen moet doorkomen en ik ben bang voor de nachten. U kunt zich niet voorstellen door wat voor hare dromen ik bestookt word. En er is een nachtmerrie die vaker terugkomt dan de nachtvlinders die rond de lampen fladderen. In die nachtmerrie zie ik duizenden Kaffers, gekleed in onze uniformen, in een grote kring zitten. En wij Portugezen dansen rond een kampvuur in de huiden en lendendoeken van de inboorlingen. Alles omgekeerd, de wereld op zijn kop.

Dan komt Gungunhana aanrijden op zijn paard en schouwt zijn troepen. Met de ijdelheid van een keizer stapt hij vervolgens af en neemt plaats op een troon. Van dichtbij zie je dat de Kaffer een smal snorretje heeft, geknipt op de wijze van onze officieren. Hij gelast ons te stoppen met dansen, want dat vindt hij te luidruchtig en te sensueel. En hij beveelt ons te gaan zitten en onze mond te openen en die open te houden tot hij uitgesproken is. In onberispelijk Portugees verklaart de neger: 'Jullie wilden ons land? Alsjeblieft.'

En met brute kracht duwt hij zand in onze opengesperde monden. Omdat we al vlug helemaal vol zitten, roept het opperhoofd er een van zijn koninginnen bij, die gewapend met een enorme slagtand naar voren komt.

'Jullie droomden van ivoor? Hier heb je het.'

Met het ivoor stampt de koningin het zand in het mortier van onze monden aan tot we stikken. En zo sterven wij, met ons gezicht naar het zuiden gekeerd, terwijl het zand over onze kin sijpelt. Telkens als ik wakker schrik uit die nachtmerrie, en dat gebeurt altijd, grijp ik naar de fles naast mijn bed. Ik drink gulzig en als ik de fles op het nachtkastje zet, zie ik op het oude etiket staan: 'Wijn voor de neger.'

Vergeeft u mij deze misplaatste ontboezeming, die ik wijt aan mijn verlatenheid, hier ver van alles en iedereen vandaan. Ik voel me zo terneergeslagen dat ik zelfs een paar keer naar de ingevallen kerk van het dorp ben geweest. Een pater, als die er al een was, zou nooit een voet in die ruïne zetten. Misschien omdat het allemaal zo verwaarloosd is, blijf ik daar lang zitten bidden zonder woorden. En weet u voor wie ik dan bid? Ik roep God aan voor deze arme inboorlingen. En ik smeek Hem om hen te sparen voor de razzia's van de Vátua's.

Ik vraag iedere keer meer met minder geloof. Een keer ben

ik in de rust van die vervallen kerk in slaap gevallen. En toen ik wakker werd, voelde ik het gebouw schommelen als op een rivier. De kerk was een boot en in die boot zat Maurício, een oom van me die priester was geworden. Zijn hoofd zat nog maar met een smal reepje vlees vast aan zijn romp. En hij smeekte me met een stem die even kapot was als zijn keel: 'Verander me in letters en zet me in een brief, neef. Stuur me in een envelop terug naar de aarde.'

Maurício was uitgetreden, omdat hij niet meer geloofde in het priesterschap. Hij trouwde en werd vader van een snoezig kind. Hij bleef echter een streng en somber man. Toen hij een einde aan zijn leven wilde maken, doodde hij eerst zijn vrouw en daarna zijn zoontje. Met het bloed van zijn slachtoffers probeerde hij de muren te verven, maar de muren namen de verf niet op. Het huis leefde. En het rende weg van zijn fundering. De man zat in de openlucht, met alleen de nacht als dak boven zijn hoofd. Toen hij de volgende morgen wakker werd, wist hij niet waar hij was. En hij zag zijn vrouw en zijn zoon over hem heen gebogen staan, allebei met een mes in de hand. Zijn lichaam is nooit gevonden en het bloed dat toen vloeide heeft nooit een vlek of een klonter achtergelaten. Maurício vertrok en vergat dat hij ooit een lichaam had gehad. Hij die God had verlaten kon geen richting geven aan zijn ziel.

Na die spookverschijning ben ik nooit meer in het kerkje geweest, bang dat de geest van oom Maurício daar rondwaarde. Maar ik heb wel de raad van dat spookachtige familielid opgevolgd. De eindeloze hoeveelheid brieven die ik heb geschreven (merendeels zonder bestemming) heb ik gebruikt om de krankzinnige beelden die me onophoudelijk bestoken weg te duwen en van me af te zetten.

Ik heb zoveel brieven geschreven dat ik vrees dat ik een voorspelling van mijn oude moeder aan het waarmaken ben. Ze zei dat ze een man had gekend die van kindsbeen af niets anders deed dan schrijven. Zijn rechterhand trok krom en zijn ogen vernauwden zich tot spleetjes. En hij hield maar niet op met schrijven. Al dat pennen diende uiteindelijk maar één doel: het was een brief aan de Messias. In dat epistel somde de man de gebreken van de wereld op. Geen enkele tekortkoming van de mensheid mocht hem ontgaan, anders zouden we de uiteindelijke verlossing mislopen.

Jarenlang schreef hij door, en er ging geen dag voorbij zonder vel na vel te vullen. De Messias stierf voor hij zijn lange missive af had. Desondanks bleef de arme stakker doorschrijven, in het geloof dat het document klaar zou zijn als de opvolger van de Redder van de wereld kwam. Hij werd oud tussen stapels papier die tot het plafond reikten. Op zekere dag wist de man niet meer waar de deur en de ramen zich bevonden. Zijn wereld zat alleen nog maar in hemzelf. Op dat moment besloot hij een punt te zetten achter zijn lange epistel. Hij ondertekende en ging in bed liggen met die laatste bladzijde op zijn borst. En toen begreep hij dat hijzelf de geadresseerde was van die eindeloze brief. Hij was de Messias. En hij was dood.

Hoofdstuk 19

Witte paarden, zwarte mieren

De gevaarlijkste vijanden zijn die welke je altijd al gehaat hebben. Je hebt het meest te duchten van degenen die een tijdlang nauw met jou verbonden waren en zich aangetrokken voelden tot jou.

De hele morgen balden regenwolken zich samen. Ze kleurden steeds donkerder en rimpelden en kreukten tot de hemel scheurde als een oude lap stof uit de winkel van Musaradina. Het dorp bleef angstig binnen. Alleen ik trotseerde de regen. In Nkokolani zijn de mensen als de dood voor de bliksem, en als het onweert schuilt iedereen onder het riet van de hutten. Ik bleef in mijn eentje onder het dichte wolkendek en klom het duin op om nog minder beschut te zijn. En daar, op die hoogte, kreeg ik de onverwachte aanblik van een mensenmassa die de hele horizon bedekte en in een eindeloze golf voortrolde. Het was een ware zee, zo immens dat zelfs God zich niet had kunnen voorstellen dat Hij zoveel mensen had geschapen. Aan weerskanten van de colonne marcheerden soldaten met allerlei soorten wapens.

Die aanblik was als regen: gemaakt om niet te kunnen worden overzien. Ik schrok me lam, maar geleidelijk aan maakte de paniek plaats voor een vreemd gevoel van berusting. En ik kreeg zin om me aan te sluiten bij die mensengolf. En ver weg te trekken van Nkokolani. Ver weg te trekken van mezelf.

*

De mars van die menigte zou dagenlang duren. Eindeloos trokken geweren en assegaaien voorbij. De grond dreunde onder de karrenwielen en het landschap helde over onder het gewicht van de ossenkaravanen.

In een oogwenk dromde heel ons dorp samen op die uitkijkplaats en tuurde angstig naar het apocalyptische beeld. Mijn moeder merkte naast mij op: 'In die stoet zit meer buskruit dan er zand is op de hele wereld.'

En tante Rosi voegde eraan toe: 'Als het weer begint te regenen, vallen er kogels in plaats van druppels.'

Degenen die daar marcheerden waren voor het merendeel boeren, die zich moeizaam voortsleepten, alsof ze al dood waren. Volgens de bronnen van Musisi waren het VaNdau's, die gedwongen waren hun geboortegrond in het noorden te verlaten, waar Ngungunyane de hoofdstad van zijn rijk had.

Onze oom verkondigde luidkeels wat we allemaal al wisten. De Portugezen, zo zei hij, hadden hun Angolezen, zwarten die waren weggerukt van hun land, zonder familie, zonder recht op terugkeer, en de VaNguni hadden nu hun eigen slaven, de VaNdau's, die onder dwang werden afgevoerd naar het zuiden omdat hun troepen in Gaza geen garanties van trouw boden. En die troepen, de oude en de nieuwe, vroegen zich af of het de moeite waard was zich op te offeren voor een koning die hen martelde. Daarom deserteerden ze, halfdood van honger en dorst. En Musisi zweeg. We luisterden opnieuw naar het voortschuifelen van die lange stoet mensen, die net een eindeloze rij mieren leek.

Af en toe doemden in de massa burgers groepjes geüniformeerde militairen op. Dat waren de soldaten van de keizer. Met een duivels ritme stampten ze gezamenlijk op de grond en het dreunen van een vulkaan steeg op van de aarde. Ik was bang dat opa Tsangatelo geschrokken zou oprijzen uit het binnenste van de aarde en verwarring zou zaaien in de funeste stoet.

Mijn vader had andere angsten. Met afgeknepen stem zuchtte hij: 'Dit wordt onze dood! Vervloekte VaNguni's!'

*

De immense stoet was nog lang niet ten einde toen sommi-ge buren en verwanten al kuilen begonnen te graven naast de huizen en waterputten in het dorp.

Eerst dacht ik dat ze de grond aan het bewerken waren, maar de gaten werden steeds dieper, totdat er hele huizen in pasten. De mannen in de kuilen staken af en toe hun armen omhoog om te kijken hoe ver ze waren. En dan groeven ze weer door.

De volgende morgen ging een delegatie de versterkingen rondom het dorp bekijken. Intussen riep mijn vader ons en beval dat we ons allemaal in de kuilen moesten laten zakken. Mijn moeder bracht etenswaar en de buurvrouwen en tantes kwamen aanzetten met waterkruiken, waar ze houten deksels op legden.

Toen verscheen Mwanatu op dat intrigerende toneel. De familie smiespelde verbijsterd. Hij was in geen maanden thuis geweest. Hij leek nog achterlijker dan normaal en ik was bang dat hij in een van de nieuwe loopgraven zou vallen.

'De sergeant wil weten wat jullie aan het doen zijn,' verklaarde Mwanatu.

'We zijn ons aan het zaaien,' antwoordde ik ongeduldig. En ik herkende mezelf niet in de barse toon waarop ik vervolgde: 'Vertel dat maar aan je baas. Zeg tegen hem dat mensen zo geboren worden: in het goede seizoen worden de zaden uitgestrooid. Allemachtig Mwanatu, hoe kun je zo dom zijn?'

'Ik dacht nog,' reageerde hij onnozel, 'dat jullie aan het graven waren om onze onderaardse opa te vinden.'

En omdat niemand acht op hem sloeg, maakte hij rechtsomkeert en liep terug naar de kazerne. Toen ik hem zag verdwijnen, dacht ik: we worden niet begraven als we dood zijn. Dat gebeurt al bij onze geboorte.

*

De dag daarna drongen de vijandelijke troepen ons dorp binnen. Zeggen dat het VaNguni-soldaten waren zou gelogen zijn. Het merendeel was afkomstig van andere stammen, andere volkeren. Sommigen waren VaNdau's, anderen Makwakwa's, weer anderen Bila's, en nog weer anderen waren gewoon anderen. En er zaten zelfs mensen van ons tussen, met namen van bij ons. Die lui, die van alle kanten kwamen, omsingelden ons dorp en liepen naar de loopgraven, waar wij ons in verstopt hadden. Woedend scholden ze ons uit, alsof dat mierenwerk hun status van krijgers tekortdeed.

Staande naast mijn kuil gaf een Nguni-stamhoofd ons het bevel uit onze schuilplaatsen te komen. Toen ik over de rand klom, bekeek hij me zoals je een beest bekijkt dat uit zijn hol kruipt. Zodra we allemaal op een rij stonden, pakten de binnendringers stokken en hakken en begonnen de loopgraven dicht te gooien. Ik voelde het zand op mijn eigen borst roffelen. Die kluiten dichtten niet alleen de kuilen, maar beroofden me van mijn adem. Bij elke schep werd ik minder. Stukje bij beetje verdween ik, ondergegraven.

Op dat moment zag ik bevestigd wat ik allang vermoedde: er is niets in de wereld wat niet onder mijn huid zit. Rotsen, bomen, alles leeft onder mijn opperhuid. Er bestaat geen buiten, er bestaat geen verte: alles is vlees, zenuwen en botten. Misschien hoefde ik niet eens zwanger te worden. De hele wereld school in mijn lichaam.

*

De vijandelijke soldaten trokken zich terug, maar niet zonder eerst huizen in de omtrek van het dorp in brand te hebben gestoken en jongeren en vrouwen te hebben geroofd die van de akkers af kwamen. Aanplantingen werden vernield en veel mensen hielden niets over om te oogsten. Mijn vader had gelijk in zijn apocalyptische waanzin: we hadden beter zelf onze velden kunnen vernielen.

Net als alle andere huizen in het dorp zelf bleef ook dat van ons gespaard, maar de ontzetting was er niet minder om. Mijn vader was namelijk verdwenen en we dachten al dat hij ontvoerd was. Dat was niet zo, want uren later vonden we hem in het heilige bos van onze familie. Hij zat op een oude vijzelstamper, met zijn vingers om de steel van een bijl geklemd. Zijn ontvlamde hand leek op goddelijke wijze het gezag over de wereld te herontdekken. Naast hem lag een kokospalm die net gekapt was. Hij wees naar de stam en zei: 'Dit is pas de eerste. Ik hak er nog veel meer om.'

We hadden toch al weinig kokospalmen, maar mijn moeder vermeed het commentaar te leveren op dat krankzinnige idee. Haar man mocht overal verstand van hebben, maar van leven, nee. Zonder die palmen zouden wij ten prooi vallen aan armoede. Maar Katini vertoonde de overtuiging van iemand die geleid wordt door de geesten. Dat moest gerespecteerd worden.

En op die manier begonnen de buren mee te helpen bij het omhakken van de palmbomen en het afvoeren van het hout. Mijn vader legde de stammen op een hoop en zaagde ze aan stukken. Het grootste deel van de tijd staarde hij echter stomverbaasd naar al dat materiaal. Zo deed hij wat hij altijd had gedaan: alsof je een werk kon voltooien door ervan te dromen.

Niemand vroeg naar het nut van die onderneming. We dachten dat hij een nieuwe khokholo rond ons dorp wilde bouwen. Gezien de dreiging van nieuwe agressie was dat alleszins gerechtvaardigd.

Op zekere dag merkten we echter dat mijn vader bij zijn timmerwerk de stammen in een rechte lijn achter elkaar had gelegd. Toen hij ze allemaal aan elkaar had gebonden, richtte hij een ongelooflijk hoge mast op, zo hoog dat hij aan de wolken krabde. Mijn moeder raapte al haar moed bijeen en onderbrak haar man bij zijn raadselachtige bezigheid: 'Waar dient dat voor?'

'Dat is een mast.'

'Snap ik niet, bedoel je dat je een boot aan het maken bent?'

Chikazi's ogen glinsterden. Maar haar man gaf geen antwoord. Hij deed alsof een boot maken de normaalste zaak van de wereld was. Toen vroeg mijn moeder aan mij: 'Praat jij eens met je vader. Rustig, zonder hem te laten schrikken, zonder haast. Soms is je vader bang voor woorden.'

Ik kreeg echter geen kans om iets te zeggen toen ik bij hem stond, want hij brandde zelf meteen los: 'Weet je waar ik je andere broer kan vinden?'

Ik haalde mijn schouders op. Het beviel me niet dat mijn broer net als de doden zijn naam had verloren. Dubula was de

'Andere', zoals ik ooit de 'Levende' was geweest. Mijn vader verordende dat we bij elkaar moesten komen, wij, 'de huidige familie', zoals hij zei. Toen iedereen er was, oom Musisi, tante Rosi, neven en nichten en naaste buren, gingen we op de boomstronken zitten die verspreid over het erf lagen en wachtten tot Katini iets zou zeggen. Hij profiteerde van die eerbiedige beleefdheid en wachtte lang voor hij het woord nam. Ten slotte wees hij naar de immense mast en verkondigde: 'Het lijkt een boot maar dat is het niet. Wat ik aan het maken ben is een eiland. Een eiland dat ons allemaal zal redden.'

Geen schaduw, geen twijfel rimpelde onze blik. We wachtten rustig af tot die mysteries vanzelf onthuld zouden worden. Sommigen dachten nog dat Katini de paalwoningen bedoelde die onze broeders hadden opgetrokken in Chidenguele, waar ze altijd hun toevlucht zochten als ze op het land werden aangevallen. Alleen Musisi gaf blijk van ongeduld. Driftig beduidde hij me dat ik de drank moest opdienen. Mijn vader verhief zijn stem om zijn gezag op te leggen: 'Deze oorlog kan alleen buiten de oorlog gewonnen worden.'

Wij, de VaChopi's, waren met weinigen. Om de slag te winnen, voorspelde hij, moesten we ons niet verbinden met mensen maar met spoken. Die zielen heersen over de angst en niemand heeft meer macht dan angst. De spoken heersten meer dan de beroemdste legerleiders, zoals Maguiguana, die Machangane in dienst van de keizer. De VaNguni's, vervolgde mijn vader, zijn alleen sterk op het land, waar je voetsporen achterlaat.

'In het water verliezen ze hun lichaam.'

Mijn moeder glimlachte, ze dacht aan de zee. En ze wiegde met haar schouders alsof het golven waren. Haar armen dansten en haar lijf werd water. In dat schommelen vloeiden alle uren samen waarin ze zittend op de oever van de Inharrime had gewacht tot de rivier veranderde in zee.

Dat vroeger riep ze nu op. Het verleden waarin de oude Tsangatelo had gevraagd als ze samen op het strand zaten: 'Wat zie je als je naar de zee kijkt?' Chikazi had daar nooit een antwoord op geweten, want ze zag alleen maar mensen. Elke golf spoelde mensen aan, levens na levens die op de kust rolden en schuimend vergingen. Vele generaties lang waren de meest uiteenlopende mensen aangekomen op het strand. Die doden streelden haar voeten als ze over het natte zand liep. Daarom glimlachte mijn moeder toen ze haar man hoorde praten over oceanen en eilanden.

'In het water verliezen ze hun lichaam,' herhaalde Katini.

Een van de buren, een oudere man, stond op en legde zijn hand op de schouder van onze eilandenmaker. Hij vatte moed om zich tot ons allemaal te richten. Het had, zei hij ten slotte, geen zin illusies te koesteren. De troepen van Ngungunyane waren nu anders. De meeste soldaten waren VaNdau's. En die waren niet bang voor de zee. Of we nu naar de oceaan vluchtten of uitweken naar de meren, we zouden even kwetsbaar blijven als op het vasteland. Degenen die door de VaNguni's tot slaaf waren gemaakt zouden nog wreder optreden dan hun heren. Dat, zo zei hij, is helaas de wet van de wereld: wie geleden heeft wil anderen laten lijden. We zouden het erger te verduren krijgen bij de slaven van de VaNguni's dan bij de VaNguni's zelf. We zouden zoveel lijden onder de zwarten dat we zouden vergeten wat we te verduren hadden gekregen van de blanken. Hij hield op met praten en er viel een lange stilte. Tot mijn vader weer tussenbeide kwam: 'Dat is allemaal onzin, mensen. Vijanden moet je niet doden. Als je ze doodt, groeien ze. Je moet ze alleen afmatten. Wegschuiven, doen alsof ze nooit bestaan hebben.'

Zo sprak onze vader. En zelfs hij luisterde al niet meer naar zichzelf. Want hij deed maar alsof hij bestond.

*

Wat was dat voor zee waar onze moeder nooit naar terug zou keren? Ik zou het niet kunnen zeggen, want ik kon me het dorp van mijn kinderjaren nauwelijks herinneren. We hebben jarenlang bij de vissers op de kust ten noorden van het estuarium van de Inharrime gewoond, totdat opa Tsangatelo op zekere dag koos voor ballingschap in het binnenland. De hele familie stomverbaasd. Aan zee waren we beschermd. Als er vijandelijke troepen naderden, haalden we zo snel als we konden onze vlotten en vertrokken over de golven van de Indische Oceaan. Degenen die ons aanvielen huiverden voor de oceaan, die voor hen een naamloos domein was, een door de goden verboden gebied. Het enige wat ze konden doen was op de duinen klimmen en machteloos onze bonte vaartuigen nakijken. Op die golving waren we veilig voor de invallende drommen.

Opa had die zwakte van onze vijanden bij toeval ontdekt. Op een keer vluchtte hij over het strand met mij in zijn armen. De timbissi's zaten achter ons aan, het executiepeloton van de keizer van Gaza. Op zijn wilde ren struikelde opa over de ankertouwen van een oude boot. In zijn wanhoop klom hij in de boot en roeide door de branding. Op dat moment ontdekte hij dat de zee een grens was: de bravoure van de achtervolgers zakte weg in het natte zand. Later werd het vermoeden bevestigd dat de VaNguni's niet de zee op durfden. Ze waren niet zozeer bang voor het water als wel voor de geesten die erin wonen.

Mijn moeder had dus toch gelijk met haar beklemde twijfel: mag iemand weggaan van zijn eigen redding? Waarom had Tsangatelo ons weggerukt uit dat beschutte bed en de familie door duinen, rivieren en moerassen geleid?

*

Die middag riep tante Rosi me bij zich. Ze zat op haar vaste matje, was rijst aan het zeven. Ik zei dat ze er moe uitzag, alsof de zeef zwaar voor haar was. Rosi zei zonder me aan te kijken: 'De doden geven ons het meeste werk voordat ze dood zijn.'

Ze was net terug uit het naburige dorp, waar haar moeder op sterven lag. Al maandenlang ging mijn tante 's morgens weg en kwam ze aan het eind van de middag terug, waarbij de vermoeidheid de kromming van haar rug tekende. Eerder had ze ook haar oma al verzorgd, wier doodsstrijd zich jaren achtereen had voortgesleept. In elke familie is er iemand die stilzwijgend de taak krijgt toegewezen degenen die vertrekken te verzorgen.

'Ik wil niet tegen je klagen,' verklaarde mijn tante. 'Ik wil je alleen een droom vertellen die me afgelopen nacht benauwd heeft.'

Ze had gedroomd over blinde paarden. De dieren botsten tegen bomen aan en struikelden over rotsen tot ze hun benen braken. Ze staarde in hun ogen, die zwarte waters waren, en ineens verloor ze haar evenwicht en zonk weg in de wanhoop van de grote dieren. Dat was haar visioen geweest. En haar borst hijgde toen ze uitgesproken was. Mijn tante was waarzegster en ze vroeg me de betekenis van die spookverschijning te ontcijferen.

'Ik wil dat je in de boeken bij je thuis een tekening van een paard zoekt. Als je er een vindt, moet je die naar mij brengen.'

'Ik zal zien wat ik kan doen.'

'Maar doe het snel, want ik heb een slecht voorgevoel. Ik kan je namelijk één ding vertellen, kind: die paarden zijn mensen. De Portugezen geven ze namen zoals je met je kinderen doet. Dat heb jij me zelf verteld, of niet?'

'Ja, dat klopt,' beaamde ik.

*

De paarden waar tante Rosi nachtmerries van kreeg waren voor mij een grote belofte. Wat had ik graag dreunende hoeven in mijn nachten gehoord. En ik zegende de dromen, waardoor ik plaats en leeftijd vergat. De dromen waren mijn rookwaar, mijn drank.

Mijn vader haalde me van de slaapmat waar ik lag te dommelen. Hij streek met zijn hand over zijn hoofd voor hij vroeg: 'Is je tante hier geweest? En heeft ze je verteld over haar nachtmerries?'

'Ja.'

'Ik maak me ernstig zorgen over die dromen van haar.'

Hij dacht even na met een grassprietje tussen zijn tanden en zijn ogen op de grond gericht. Ineens was hij eruit: 'Ga naar de kazerne, Imani. Pak daar de papieren van de blanken en kijk in de brieven of daar niet over paarden wordt gesproken...'

'Mijn tante vroeg min of meer hetzelfde.'

'Ik maak me ergens anders zorgen over. Ik wil weten of er nieuws is over Mouzinho en zijn cavalerie. Hij zou eigenlijk al met zijn paarden naast Xlperenyane aan het vechten moeten zijn. Er is iets gebeurd.'

*

Mijn vader had gelijk: het verslag lag bij de Portugese sergeant thuis, tussen de lijsten met inkomsten en uitgaven. Dit stond er geschreven:

Toen het ruiterkorps van Mouzinho de Albuquerque van boord ging in Lourenço Marques en door de Rua Sete de Março naar het Praça Ponta Vermelha defileerde, ontlokte de trotse sierlijkheid van onze troepen de omstanders in koor de uitroep: 'Wat een prachtige groep!' Een vlaag van geestdrift en bezieling trok door de uitgeputte inwoners van de stad. Kapitein Mouzinho was beloofd dat hij de noodzakelijke voorzieningen voor het uitvoeren van zijn actieplan zou aantreffen, maar meteen de volgende dag al werd de legerleider teleurgesteld: de paarden die op hem wachtten waren nauwelijks geschikt om te berijden, laat staan om in te zetten in de oorlog. Hij liet de trainingen nog intensiveren en de dieren extra voer geven, maar wat de daaropvolgende maand gebeurde, overtrof de meest pessimistische verwachtingen. De conditie van de paarden verslechterde vreemd genoeg: sommige werden ziek en konden niet eens meer wagens trekken, andere werden ontembare wilde beesten. Mouzinho's enige hoop was nog dat de paarden die uit Durban moesten komen de kudde aftandse oude knollen waar hij mee opgezadeld zat zouden compenseren. Hij moest opboksen tegen de scepsis van de officieren, die riepen dat je geen cavalerie kon inzetten in oorlogen in de Afrikaanse wildernis. Hij wilde met alle geweld het tegendeel bewijzen, maar daarvoor had hij verschrikkelijk hard deugdelijke dieren nodig.

Toen die paarden uit Durban arriveerden, had de teleurstelling echter niet groter kunnen zijn: het waren voor het merendeel uitgeteerde etterknollen die versleten waren door het trekken van wagens voor de Engelsen. De verkoper in Durban verzekerde wapperend met keuringsrapporten dat de zending in goede staat was vertrokken uit de haven. Dat werd bevestigd door de getuigenverklaring van de Portugese militair die bij de overdracht aanwezig was geweest. Wat was er op de bootreis gebeurd dat de paarden zo achteruit waren gegaan? Wat voor mysteries vertragen de patriottische bedoelingen van onze fiere kapitein?

*

Toen ik naar huis ging, was ik vast van plan om te liegen. Dat ik niets had gevonden. Geen rapport, geen brief, geen enkele opmerking over paarden. Tante Rosi mocht dan wel dromen, maar de redenen van die nachtmerries waren persoonlijk en hadden niets te maken met wat er in de grote wereld gebeurde. Er was geen enkele reden om te geloven dat er sprake was van bezweringen. Mijn broers waren daardoor vrij van de verdenking rapporten weg te smokkelen en over te dragen aan vijandelijke handen. Alles was in orde, Mouzinho kon nu elk moment aankomen met zijn messiaanse cavalerie.

De volgende dag was het onze beurt om tante Rosi op te zoeken. De gelegenheid was gunstig, want Musisi was jagen en de waarzegster stond ons volledig ter beschikking. Zelfs zonder het bewijs van de papieren beroofde de achterdocht van mijn vader haar van haar slaap. Er lag een duistere oorzaak verborgen in het uitblijven van de paarden en ruiters.

'Vandaag heeft hij de hele dag gehuild,' liet de waarzegster weten zodra ze ons zag aankomen.

'Oom Musisi huilen?!'

'Nee. Mijn zoon. Het kind dat hier in mijn buik wacht.'

Rosi was nooit moeder geworden. Iedere keer dat ze zwanger was geworden had ze een miskraam gehad. De kinderen waren 'teruggegaan', zoals ze dat noemen. Mijn tante was gedoemd geen nakomelingen te krijgen. Lang geleden had ze de test van de spin uitgevoerd om te achterhalen wie er schuld droeg aan haar onvruchtbaarheid. Ze had twee lapjes stof neergelegd bij een spinnenweb, een van haarzelf, het andere van een kledingstuk van haar man. De spin zou het lapje kiezen van degene die onvruchtbaar was. De test leverde uiteindelijk geen resultaat op, want de spin liep gewoon tussen de twee lapjes door, zonder een van beide aan te raken.

En nu maakte ze haar rug hol om haar platte buik beter uit te laten komen.

'Je moet ze meer aandacht geven,' stelde mijn moeder, 'alle kinderen hebben aandacht nodig.'

En zo zette Chikazi het gesprek voort, alsof er een onbetwistbare waarheid school in de woorden van haar schoonzus. In die tijd wist ik nog niet dat de vrouwen van de hele wereld één schoot vormen. We worden allemaal zwanger van alle kinderen. Die geboren worden en die teruggaan.

*

Mijn vader moest intussen wel gewend zijn aan het terugkerende ijlen van Rosi. Als ze beweerde dat ze zwanger was, werd haar buik boller. Allemaal onwaar en allemaal echt. Want zelfs haar handen, haar mond en haar neus kregen de welving van goed nieuws.

Ditmaal was Rosi echter overtuigder dan ooit terwijl ze haar omvangrijke buik streelde. Ik keek mijn vader vragend aan: had het wel zin om bij de bedoeling van ons bezoek te blijven? Tante Rosi begreep onze zwijgende aarzeling en stelde ons gerust: 'Zeg het maar, dit kind wordt heus vandaag nog niet geboren. Het wacht al langer dan een jaar. We wachten met ons tweeën op een tijd zonder oorlog.'

Onze moeder trok haar schoonzus mee in de schaduw en getweeën bogen ze zich over een zeef met rijst. Samen haalden ze er de korrels uit, waarbij ze elkaars vingers afwisselden en verwisselden, totdat tante Rosi mij vroeg: 'Zeg nichtje, heb je Mwenua niet ergens gezien? En Munyia, die luie donder?'

Ik schudde mijn hoofd, deed alsof dat allemaal steek hield. Tante Rosi was de *nkossikazi*, letterlijk de 'grote echtgenote', de eerste vrouw van een huis. Oom Musisi had nog twee vrouwen gehuwd, die een heel stuk jonger waren. Zij, zijn eerste vrouw, had de andere uitgekozen: Mwenua en Munyia. Het hele dorp wist dat die twee vrouwen verkracht en vermoord waren door de VaNguni's. Het hele dorp behalve tante Rosi.

'Heb je gehoord wat ik je vroeg?'

Mijn ogen bewaarden afstand, alsof het rondom donker was. In die schemering was mijn vader verdwenen.

'Ik zal kijken of ik de andere tantes kan vinden,' zei ik toen ik opstond.

Ik liep weg, maar niet ver. Achter het huis vond ik mijn vader. Hij rookte en gaf me een zie-je-wel-teken met zijn wenkbrauwen: 'Treurig. Heel treurig. Ik ga weer naar binnen, kan je moeder niet alleen laten met haar.'

Hij drukte zijn sigaret uit in het zand en glipte weg om zich weer bij de vrouwen op het erf te voegen. Ik keek vanuit de verte toe. Tante had de papieren die ze van mijn vader had gekregen op de grond gelegd. Zodra ze hem zag, vroeg Rosi: 'Leg eens uit hoe je dat doet.'

'Wat doet?'

'Lezen, hoe doe je dat? Dat zou ik zo graag kunnen...'

'Daar moet je lang voor leren, Rosi.'

'Ik heb gekeken hoe jij dat doet. Je gaat met je vinger over de regels en beweegt je lippen. Heb ik ook al gedaan, maar ik hoor niks. Wat is het geheim? Ik leer snel.'

Mijn vader draaide met zijn ogen en streek de bladen glad die in het stof lagen.

'Om die papieren te lezen moet je stil blijven zitten, Rosi. Doodstil, je ogen, je lichaam, je ziel, alles. Zo moet je een poos blijven zitten, net als een jager die op de loer ligt.'

Als ze een poosje niet bewoog, zou het tegenovergestelde gebeuren van wat ze verwachtte: dan zouden de letters naar haar gaan kijken. En haar verhalen toefluisteren. Het lijken allemaal tekentjes, die letters, maar binnenin zitten stemmen. Elke bladzij is een eindeloze doos vol stemmen. Als je leest ben je niet je oog maar je oor. Zo sprak Katini Nsambe.

Rosi knielde neer voor de papieren en bleef doodstil zitten, wachtend tot de letters tegen haar praatten.

Hoofdstuk 20

Tiende brief van de sergeant

Nkokolani, 28 juni 1895

Edelachtbare heer
Staatsraad José d'Almeida,

Het schuldgevoel dat ik heb is met geen pen te beschrijven, Excellentie. Gisteren werd Nkokolani overvallen door de afschuwelijke Vátua's (ik weet eigenlijk niet waarom ik ze zo blijf noemen, want ze duiden zichzelf aan als VaNguni's). Die schurken hebben gemoord, platgebrand en verkracht. Voor de aanval had ik Mwanatu naar het dorp gestuurd om uit te zoeken waarom de inwoners enorme loopgraven hadden aangelegd. Het waren geen loopgraven, bleek. Het waren schuilplaatsen, waar ze hoopten onzichtbaar te worden. Die opzet lukte niet. De arme donders werden verrast en hadden geen enkel verweer tegen het laffe geweld van de soldaten van Gungunhana.

Na de inval heb ik een bezoek gebracht aan het dorp en de akkers rondom, maar ik had niet de moed om meer te doen dan een korte blik werpen op die troosteloze weidse vlakte, geheel overdekt met as, die van tijd tot tijd richtingloos opdwarrelde. Daarna ben ik teruggekeerd naar de kazerne, deze vervallen post waarvan ik nooit had gedacht dat hij mij zo goed zou kunnen beschermen. Ik ging zitten met mijn kip Castânia op schoot en wijdde me weer aan de enige bezigheid die nog zin heeft: schrijven.

Ik weet niet hoe ik nog naar buiten kan gaan, zo immens groot is mijn wroeging. Ik zit hier al veel te lang, heb banden gekweekt en heb me laten meevoeren door een gevoel van empathie dat Ornelas ontdekte in de muziek, maar dat ik vind in de meest simpele details van het leven van dit zo bescheiden volk.

Toen ik moe was van het schrijven, trok ik mijn uniform uit, hing het aan een knaapje en bleef ernaar kijken alsof ik het zelf was die daar hing, slap, dof en leeg. Een vreemd gevoel voor iemand die nooit echt soldaat is geweest. Maar het probleem, Excellentie, het probleem is, als ik zo vrij mag zijn, het probleem is dat ik ook nooit iets anders ben geweest, om het even wat. Ik ben dat lege uniform dat over een knaapje hangt en alleen door spoken wordt aan- en uitgetrokken.

Ik beken dat ik al vaker met de gedachte heb gespeeld het bijltje erbij neer te gooien, door de wildernis naar Inhambane te trekken en van daaruit verder naar het noorden te vluchten, naar de hoofdstad van deze kolonie, op het Ilha de Moçambique. Dan zou ik niet alleen naar een eiland gaan, ik zou een eiland worden. Haalt U mij hier alstublieft weg.

Ik was al geruime tijd mijn verstand aan het verliezen, maar na wat ik gisteren heb gezien in het uitgemoorde Nkokolani is het onherroepelijk afgelopen met me. Toen ik vanmorgen wakker werd, was ik totaal verlamd. Ik kon alleen mijn oogleden bewegen. Ik dacht dat ik daar dood zou gaan, moederziel alleen. Zelfs aan mijn adjudant, die sul die als loopjongen dienstdoet, zou ik niet veel hebben, want die komt nooit zonder permissie in mijn slaapkamer. En zelf kon ik hem niet roepen. Gelukkig kwam Imani toevallig langs. Omdat ze niets hoorde, duwde ze de deur open en zag mij daar zo afschuwelijk verdwaasd liggen. Ik knipperde met mijn ogen om haar iets duidelijk te maken. Heel even aarzelde het meisje. Het leek alsof ze me daar weerloos en zieltogend wilde laten liggen, maar uiteindelijk deed ze toch wat ze altijd doet als ik zo beroerd ben: ze masseerde mijn borst en mijn armen. Geleidelijk kwam ik weer tot mezelf.

Ik herinner me dat ze het volgende zei: onze oogleden zijn vleugels die we hebben overgehouden van een vroegere fase, toen we vogels waren. En de wimpers zijn de veren die zijn blijven zitten. Dat is de overtuiging van haar volk, dat er allerlei absurde vormen van bijgeloof op nahoudt. Ze noemde er nog een paar terwijl ik terugkeerde tot mijn normale staat. Zo zei ze bijvoorbeeld dat in de taal van de Zoeloes 'vliegen' en 'dromen' wordt uitgedrukt met een en hetzelfde woord. Ik hoop het, dacht ik. Hopelijk raken onze kogels die vervloekte Vátua's in volle vlucht.

De tussenkomst van het meisje hielp me maar genas me niet, want de ziekte waaraan ik lijd begint niet bij mij. Ze begint lang voor mij, in de geschiedenis van mijn volk, dat door de bekrompenheid van zijn leiders verdoemd is. Ik herinner me dat Tsangatelo een keer vroeg hoe groot mijn land was. Hij had geen idee hoe klein we zijn, en dan bedoel ik niet in geografische zin maar door onze atavistische gemoedstoestand, die heimwee verwart met bestemming.

Die verstikking zou gecompenseerd kunnen worden door de eindeloze oppervlakte van Afrika, maar die weidse verte heeft het omgekeerde effect: alles hier komt dichterbij. De einder komt binnen het bereik van onze vingers. En ik stel me het immense parcours voor dat onze brieven afleggen door het Afrikaanse binnenland. Nu ik daaraan denk, schrijf ik deze woorden alsof het paarden zijn, of schepen, die de afstand overbruggen. Ik weet niet of U ook dat gevoel hebt. Zoals ik ook niet weet waarom ik U deze onzinnige gevoelens toevertrouw.

Verleden week heb ik uitgeprobeerd hoe het is om die kant op te reizen. Slechts geleid door Mwanatu ging ik naar het stroomgebied van de Inharrime. Ik wilde met eigen ogen onze troepen zien oprukken onder het commando van kolonel Eduardo Galhardo. Ik wilde een Lusitaanse militaire colonne in beweging zien, als bewijs van de onverbiddelijke opmars van onze noordelijke troepen om de perfide Vátua-leider in te sluiten. De reis zou goed zijn voor mijn gepieker en mijn ziekten, dacht ik, maar ik had het beter niet kunnen doen. Ik hoopte op opluchting, maar wat ik zag stemde me nog wanhopiger. Niemand kan zich voorstellen wat voor titanenklus het is om al die rivieren over te steken met karren, kanonnen en manschappen.

De kolonel nam me terzijde en zei: 'Het is goed dat u ziet hoeveel moeite dit kost en dat u dat meedeelt aan António

Enes, zodat hij weet hoe verdomd hard wij vechten om terrein-winst te boeken.' Galhardo wilde een gezant, een bondgenoot in zijn ruzie met de autoriteiten in Lourenço Marques. Daarom voegde hij er nog eens extra aan toe: 'António Enes gelooft me niet, hij denkt dat ik bang ben, dat ik smoesjes verzin.' De kolonel had gelijk, en hij voelde zich daar zeer ongelukkig onder.

Ik daalde de helling af om te kijken naar de tros karren en zag de jonge soldaten daar tot aan hun middel weggezakt in de modder. Het was alsof ze verslonden werden door de Afrikaanse wildernis. En toen werd ik bevangen door een van mijn hallucinaties. Ineens zag ik in plaats van wapenkisten doodkisten, in plaats van geweren kruisen, en in plaats van kolonel Galhardo zag ik een priester in toog. In een oogwenk veranderde die hele karavaan in een begrafenisstoet. Ik was op een begrafenis. En tussen de doodkisten bevond zich ook die van Francelino Sardinha. Mijn bloedende handen groeven zonder te stoppen een graf uit in de rotsachtige bodem.

Terwijl ik toch al redenen te over had om niet goed te slapen, had ik er nu een om niet eens in slaap te vallen: het geluid van de hak in de grond. De nacht is de poort naar de hel, zeggen ze. De pieren, die eerst door elkaar krioelden op de bodem van het graf, kronkelen nu voor mijn deur. Die reusachtige vleeskleurige wormen verjagen mijn slaap.

Op het moment dat ik deze brief schrijf, word ik overvallen door een heimwee dat me verlamt. Ik lig trouwens op bed, dat zal de reden zijn waarom mijn zo geprezen handschrift verandert in deze slordige hanenpoten. Die apathie heeft me totaal ongeschikt gemaakt voor een missie die ik eerst niet meende te begrijpen en waarvan ik nu vermoed dat ze nooit heeft bestaan. Ik heb namelijk het volgende ontdekt: de spinnen die ik meteen de eerste dag al op tafel zag, hebben altijd in mezelf gezeten. En ze hebben in mij een web gesponnen dat niet alleen mijn bewegingen maar mijn hele leven verstoort.

Van de rollen sisal, de oude lappen stof en de muren van het huis, van dat alles heb ik mijn eigen web gesponnen. En ik bleef daarin gevangen in de hoop dat deze schijnkazerne van mij was, Portugees was, mijn huis was. Het ging niet. Een groter iets verslond de spin met web en al. Dat iets heet Afrika. Geen enkele muur, geen enkel fort zou dat iets kunnen tegenhouden. Het drong binnen door de kieren, in de vorm van marimba-muziek en stemmen en gehuil van kinderen. Het veranderde in wortels die door de scheuren in de tegels heen groeiden. Het huisde in mijn dromen en drong mijn leven binnen in de vorm van een vrouw. Imani.

Hoofdstuk 21

Een broer van as

'Ik ken de tactiek van de Europeanen. Eerst sturen ze kooplieden en missionarissen; vervolgens ambassadeurs; dan kanonnen. Het zou beter zijn als ze met dat laatste begonnen.'
− Keizer Theodorus II van Ethiopië

Ik werd geroepen: een onbekend iemand had een pakje voor me en wilde het mij persoonlijk overhandigen. Hij kwam van ver, uit een land dat alleen in andere talen een naam heeft. Ik gluurde wantrouwig en weifelend door een kier van de deur. De grootmoedigheid van een familie wordt bij ons afgemeten aan de manier waarop gasten worden onthaald. Maar het is ook zo dat geen enkele man ergens zomaar aanklopt om met een ongehuwde vrouw te praten. De goede zeden schrijven voor dat hij zich tot haar ouders wendt en net zo lang wacht tot die weten wat zijn bedoeling is. Wij, de familie Nsambe, waren echter anders, we zaten minder vast aan de tradities. Daarom deed ik open. Een oudere man zwaaide met een stapel papieren en liet met schorre stem weten: 'Dit zijn brieven uit de mijn.'

'We hebben niemand in de mijn zitten.'

'O jawel.'

'Wie dan?'

'Dat weet je best.'

De papieren waren verkreukeld en zo vuil dat je er geen letter van kon lezen. Desondanks behandelden de dikke vingers van de boodschapper ze met vrouwelijke verfijndheid. Ik werd bestormd door twijfels: leefde opa echt nog? En had hij die brieven geschreven, hij die geen letter kon lezen?

'Tsangatelo dicteerde en ik schreef,' zei de boodschapper, alsof hij mijn gedachten had geraden.

Toen herkende ik hem. Het was de mijnwerker die eerder nieuws had gebracht over opa. Ik had onmiddellijk al zoiets vermoed, maar nu wist ik zeker dat die man zijn kameraad was, de tchipa die voor hem zorgde in de diepte van de aarde.

Zoals ik in het begin het handschrift niet kon ontcijferen, begreep ik later ook niets van wat de vreemdeling zei. Er kwam een soort roet uit zijn mond dat bleef plakken op zijn onderlip, die onder het gewicht van het zwarte speeksel ging hangen. De gezant van opa hoestte meer dan hij sprak.

Tot de bezoeker wel verstaanbaar werd. De oude Tsangatelo vroeg om tegen mijn moeder te zeggen dat zij de zee nooit meer zou zien. Niemand van ons hier in Nkokolani zou terugkeren naar het kustgebied. De tchipa herhaalde met de stelligheid van een profeet: 'Er keert nooit meer iemand terug.'

Ik bestudeerde het gezicht van de boodschapper en ik merkte dat hij geheimen in zich droeg en misschien wel antwoorden had op een paar van onze aloude vragen.

'Ik zal u niet naar uw naam vragen, maar ik zou het fijn vinden als u ons zou helpen begrijpen waarom opa zo ver weg wilde zijn van de oceaan?'

'Tsangatelo heeft me geleerd om nooit iemand iets te vertellen wat hij niet kan vergeten.'

'Het gaat niet om mij. Ik vraag het voor mijn moeder, om haar niet langer te laten lijden onder de illusie ooit nog terug te keren.'

'Goed, dan zal ik het verhaal vertellen,' zei de boodschapper.

*

Het was allemaal begonnen op een zonnige ochtend in het regenseizoen, toen er een blanke bij hem kwam die op een paard zat, een dier dat hij niet kende. Het was een schimmel, veel bleker dan zijn berijder. Paard en ruiter vormden één silhouet, zodat opa dacht dat het één wezen was. En met afgrijzen stelde hij vast dat de verschijning zich wilde afscheiden van zijn onderste helft: de ruiter stapte af en Tsangatelo Nsambe hoorde

169

vlees scheuren en bot versplinteren. Hij sloot zijn ogen om zich de aanblik te besparen van bloed dat spoot als uit een kippennek. De in het Portugees gestelde vraag bracht hem terug naar de werkelijkheid: 'Ben jij Tsangatelo? De *pombeiro* van deze streek?'

Opa sprak geen woord Portugees. Hij giste meer dan dat hij de vraag van de vreemdeling had verstaan. Hij knikte als antwoord op de eerste vraag, maar hij noch iemand anders uit het dorp kon weten wat het woord 'pombeiro' betekende. Het was afkomstig uit Angola en duidde de handelaren aan die expedities naar het binnenland van Afrika organiseerden.

'Ja, ik ben Tsangatelo Nsambe, zoon van Zulumeri, die de zoon is van Masakula, die de zoon is van Mindwane, die de zoon is van...'

De Portugees stak zijn arm op om de eindeloze opsomming te stuiten. In feite was er nauwelijks sprake van een onderbreking: naarmate hij vorderde in de lijst van voorvaderen, praatte opa steeds zachter. Hij wilde niet te veel opvallen, want opvallen is levensgevaarlijk in zo'n klein en arm milieu. Het was tevergeefs, want binnen een paar tellen stond er een zee van mensen rond de verschijning. Uit angst te worden opgeslokt door de menigte ging de vreemdeling weer in het zadel zitten. Hij wilde op een hoger plan worden gezien, zoals je naar de goden kijkt: tegen het licht in, afstekend tegen de hemel. Hoog op zijn paard blikte de Portugees laatdunkend in het rond, alsof hij dacht: zoveel volk en geen enkele echte mens!

De ruiter had twee andere Portugezen bij zich, eveneens te paard. Hun paarden verschilden behoorlijk van kleur en omvang, maar de blanken waren hetzelfde: hun gezicht bedekt door een breedgerande hoed, een grote, omhoog krullende snor en schichtige, onrustige ogen. Een van hen, de kleinste, zei in een soort mengtaaltje iets wat Tsangatelo Nsambe met de nodige moeite en creativiteit vertaalde als: 'Wij hebben je diensten nodig.'

Opa was de eigenaar van sjouwerskaravanen. Hij organiseerde vrachtvervoer over lange afstanden. In die tijd had je nog geen wegen. Alleen paden, gebaand door de voeten van reizigers. De lastdragers waren de straten en spoorwegen, waren de zee en de rivieren. Eeuwenlang werden op hun rug ellende en fortuin, roem en verraad vervoerd.

Tsangatelo was waarschijnlijk niet bepaald geliefd om de manier waarop hij zijn sjouwers behandelde. Talloze malen had hij gelast lui te onthoofden die moe en ziek waren maar beschouwd werden als vadsig. Hij vertelde zelf het geval van een vrouw die met touwen vastgebonden was aan andere vrouwen en met alle geweld haar zoontje wilde dragen, dat een paar dagen tevoren was omgekomen van de honger. Hij moest haar laten afslachten. Helemaal niet uit kwaadaardigheid, verdedigde Tsangatelo zich. Ze oefende een slechte invloed uit op de anderen. Die lui zijn doortrapt, zei hij. Het leven had hun geleerd te liegen, rouw en ziekte te veinzen.

Het zou dus niet meer dan normaal zijn dat ze Tsangatelo haatten om al die jaren slechte behandeling, maar de sterkste haat kwam voort uit het feit dat hij zich steeds meer onderscheidde, rijker en deftiger werd dan alle andere dorpelingen. In een arme plaats is het misdadig niet langer arm te zijn. In ons dorp wordt rijkdom nooit schoon geboren.

*

Een gevoel van twijfel bekroop Tsangatelo toen hij samen met de Portugees die de mengtaal sprak ging zitten. Het was een voorbereidende ontmoeting, een 'mondopener' zoals wij zeggen. De vreemdelingen wilden alleen hun komst aankondigen en een beknopte ontmoeting afspreken voor de volgende dag.

Die nacht kostte het opa moeite de slaap te vatten. Hij was gewaarschuwd: in andere plaatsen hadden blanken en halfbloeden zich al de handel van vrachtvervoer en dragers toegeeigend. Daarom stond hij vroeg op en bereidde hij zich voor om indruk te maken op de Portugese delegatie. Hij wilde niet dat ze hem aanzagen voor een minderwaardig boertje. Hij vroeg Europese kleren te leen aan zijn oudste broer. Die had alleen maar een jas en een bril met sterke glazen die hij net buiten het dorp had gevonden. De jas boven een koeienvel als rok en de bril op het puntje van zijn neus: zo presenteerde Tsangatelo zich, ijdel en zelfbewust. En nee, geen twijfel mogelijk, in de hele regio leverde niemand beter werk dan hij.

'En nog iets: ik betaal alleen de dragers die het einde van het traject halen.'

Maar dat betalen deed hij niet in geld, nee, hij betaalde in slaven die hij onderweg roofde. Zo is het leven, filosofeerde hij: wie vandaag iemands eigendom is, is morgen de eigenaar van anderen. We stammen allemaal af van slaven of van slavenbezitters.

De Portugees haalde een enorm pistool uit zijn holster en de schittering van het metaal verblindde Tsangatelo. Hij boog zijn hoofd en deed alsof hij zijn eeltige voeten schoonveegde. Zwaaiend met het wapen alsof het een waaier was, zei de Europeaan: 'De lading die we voor u hebben is erg gevoelig.'

'Ik heb vaak ivoor vervoerd voor Portugezen en Engelsen. Mijn karavanen gaan tot Inhambane en nog verder, naar Lourenço Marques.'

'Dit keer is het anders. Ik zal er geen doekjes om winden: het zijn wapens.'

Opa trok de mouwen van zijn jas omlaag, die al omhooggeschoven waren tot aan zijn ellebogen, duwde zijn bril hoger op zijn neus en klopte zijn rok schoon van denkbeeldig stof. Daarna keek hij de Europees voor de eerste keer recht in de ogen: 'U komt van buiten. De enige verte die u kent is de zee. Op het land kan verte een enorm voordeel zijn.'

'En wat mag dat voordeel dan wel zijn?'

'Die verte lijkt duizend-en-een manieren aan te bieden om te ontsnappen, maar het is de grootste gevangenis. Geen enkele drager waagt het te vluchten.'

'Goed, ter zake: wilt u die wapens vervoeren of niet?'

'Van waarheen naar waarheen gaan die wapens?'

'Iemand brengt ze van Lourenço Marques naar de Limpopo. Vanaf die rivier vervoert u ze naar Chicomo.'

Op weg naar huis werd opa bevangen door een vreemd gevoel: wapens verplaatsen zich niet, dacht hij. Ze zijn altijd geweest waar ze nu zijn. Ze schieten steeds weer op als onkruid, zonder reden of bedoeling.

*

Tsangatelo liep terug over het smalle strand: het donker was gevallen en de bospaden zaten vol gevaren. Zijn vrouw wachtte op hem op het erf en luisterde zwijgend naar zijn verslag van de ontmoeting met de Portugezen.

'Wapens?' vroeg ze verbaasd.

Ze bleef enige tijd zwijgend naar de zee staren, wat een manier is om nergens naar te kijken. Toen stond ze op, met haar handen onder op haar rug, alsof ze haar eigen lichaam dwarsboomde. Met de rust van grote zekerheden verklaarde ze: 'Neem één ding van me aan, lieve man: wapens mogen geen handel worden. Als je die opdracht aanneemt, stap ik op uit dit huis en vlucht uit dit dorp. En dan ziet niemand me ooit nog terug.'

'Maar vrouw, die wapens zijn om onze vijanden te verjagen.'

'Als onze vijanden hier weg zijn, gaan die geweren niet slapen. En we zullen afgeslacht worden door dezelfde wapens als we nu aan onze borst dragen.'

'Ik weet niet waarom ik je dit heb verteld. Ik heb mijn handeltjes, dat zijn mannenzaken.'

De bezwaren van zijn vrouw stoorden opa en stuurden zijn nacht in de war. De volgende morgen, na slecht te hebben geslapen en nog beroerder wakker te zijn geworden, zag hij een van zijn dragers bij zijn voordeur staan. Naast hem op de grond lag een baal ivoor en dierenhuiden. De man maakte een buiging en terwijl hij vooroverboog schoof hij zijn handen onder de baal. Toen hij de lading optilde, gebeurde er iets wat Tsangatelo later nooit goed kon beschrijven: samen met het pak kwam de hele grond rondom mee. Alsof het een handdoek was, richtte de hele omringende aarde zich op in een stofwolk die bleef hangen. Rond de drager opende zich een bodemloze afgrond. Ogenschijnlijk moeiteloos tilde de man het hele landschap boven zichzelf uit. Vervolgens zette hij de wereld op zijn hoofd. Roerloos op dat plotseling ontstane eiland waarop zijn voeten rustten, vonniste de slaaf: 'Nu kan er niemand meer lopen! De karavanen zijn dood, voorgoed dood.'

De baas van de dragers, de machtige Tsangatelo, rilde van zijn hoofd tot zijn voeten: hij was het doelwit van een boos oog. Ergens in een naamloze ketel werd zijn funeste lot bereid.

Diezelfde dag besloot opa Tsangatelo het dorp aan het strand te verlaten. Ziedaar de jarenlang verborgen gehouden reden waarom wij weg waren gegaan van de plek waar we gelukkig waren geweest.

*

De boodschapper van Tsangatelo liep weg en er bleef zelfs geen voetspoor van hem achter in het geveegde zand rondom ons huis. Eigenlijk zou ik nu naar mijn moeder moeten gaan om haar al dat nieuws uit de diepte van de aarde te vertellen, maar dat deed ik niet. Ik bleef de hele dag thuis uit ontzag voor de traagheid waarmee berichten zich bij ons verspreiden. Ik zou de volgende morgen met mijn moeder praten.

Maar ook dat deed ik niet, omdat in alle vroegte het bericht was gekomen dat een spookgestalte ons dorp overvallen had en opgewonden door de straten rende. Die kabouter – die *txigono*, zoals wij zeggen – drong binnen in stallen en huizen en liet een spoor van enorm misbaar achter.

Binnen een paar tellen konden we zelf nagaan of het gerucht waar was: een monsterlijke gestalte sprong over de schutting op ons erf en zaaide daar paniek onder de vrouwen en kinderen.

Bij de eerste oogopslag leek het een grotesk en angstaanjagend wild dier. Daarna bespeurde je toch een bepaald soort vertrouwdheid. Monsters jagen meer schrik aan naarmate ze meer op een mens lijken. Dat was het geval met die verschijning. Op het hoofd van de txigono wiebelden drie struisvogelveren. Door een soort muts van dierenhuiden die achter vastzat met een lint leek het hoofd veel omvangrijker. Rond de nek droeg hij een zwarte reep koeienleer die wij *tinkosho* noemen. Benen, buik en armen waren versierd met riemen van koeienleer. Om zijn middel had hij het vel van een wilde kat gebonden. Hij brulde met een stem die in het begin eerder van een dier dan van een mens leek, maar geleidelijk aan merkten we dat hij in het Zoeloe schreeuwde, de taal van de bezetters. En met die vaststelling groeide onze angst.

Toen de eerste verbazing voorbij was, vatten een paar mannen moed, sprongen op de indigono en hielden hem met geweld in bedwang. Ze waren al begonnen hem te mishandelen toen mijn vader tussenbeide kwam: 'Laten we eerst eens kijken wie die ellendeling is!'

Ze rukten de versierselen af waarmee hij zich vermomd had. Of dat voor mij een verrassing was, weet ik niet, maar degene die zich achter dat masker verborg was niemand minder dan mijn broer Dubula. Ik hielp hem overeind, terwijl mijn vader de woedende buren wegstuurde. Toen we ten slotte onder ons waren, keek Katini zijn zoon lange tijd aan en vroeg: 'Waarom?'

Dubula gaf geen antwoord, hij was druk bezig zijn spullen op te rapen, die verspreid over de grond lagen.

'Waarom heb je die kleren aan?' ging mijn vader verder met zijn verhoor.

'Ik ben niet verkleed als een Nguni-krijger, ik bén een Nguni-krijger.'

'Ben je gek geworden?'

'Ik ben nog nooit zo helder geweest.'

Onze vader draaide een paar keer rond met zijn handen op zijn hoofd: wat zou Germano de Melo zeggen als hij merkte dat iemand uit onze familie achter die treurige vertoning zat?

Mijn moeder knielde neer voor haar zoon, legde haar hand op zijn hoofd en smeekte zacht: 'Ga weg voordat je oom hier is. Als mijn broer je zo ziet, steekt hij je dood met een speer.'

'Het is net mijn bedoeling dat hij me ziet.'

'Wil je hem uitdagen?'

'Integendeel, ik doe dit uit respect voor hem.'

'Dat snap ik niet, jongen.'

'Oom Musisi is de enige man in de familie. Ik ben er trots op dat ik hem als vijand heb. Eens hoop ik het tegen hem op te nemen, in een lijf-aan-lijfgevecht.'

*

Je broer of zus, dat ben je zelf ook half. Dubula was meer dan de helft van mij. Hij was mij, in een ander lichaam. Ondanks het feit dat hij mijn lievelingsbroer en de oogappel van mijn moeder was, had het leven hem van ons en ons huis verwijderd. Mijn oudste broer behoorde tot de kleine minderheid die welwillend stond tegenover de aanwezigheid van de Nguni's. De grootste vijand, degene die alle vormen van woede moest oproepen, nu en in de toekomst, was voor hem de Portugese overheerser.

Vóór de invallen wisten we nog niet hoe groot Dubula's verering voor de VaNguni's was. 's Middags zagen we hem op de hoogste helling klimmen. Het was een duin waar niets op groeide, verblindend wit. Op de naar het zuiden gerichte top ging hij op de uitkijk zitten. Het dorp geloofde dat hij dat uit voorzorg tegen de VaNguni's deed, maar hij werd niet bewogen door angst. Hij wilde dat ze kwamen.

Aan het eind van de middag klom ik ook naar boven om hem dooreen te schudden en te zeggen dat hij naar huis moest komen.

'Dit kan zo niet langer, Dubula. We willen dat je terugkomt en onze vader om vergiffenis vraagt.'

Hij gaf nooit antwoord. Hij wachtte op de barbaren alsof hij op zichzelf zat te wachten. Hij wilde overvallen worden. Veroverd wilde hij worden, van top tot teen bezet, zodat hij vergat wie hij voor de invasie was geweest.

'Ngungunyane is meer waard dan welke Portugees dan ook.'

En hij legde het uit: de Nguni-vorst was een keizer zonder rijk; de blanken waren een rijk zonder keizer. Een keizer is weg als hij doodgaat; een rijk vestigt zich in ons hoofd en blijft levend zelfs als het verdwijnt. Wij moesten ons verdedigen tegen de hel en niet tegen de duivel.

Talloze malen smeekten we Dubula om zich te matigen in zijn uitgesproken sympathie voor de bezetter. Zwager Musisi zou zulke wartaal niet accepteren. Wanhopig drong mijn vader aan en vroeg: 'En als aan het eind van deze oorlog tussen indringers de VaNguni overwinnen? Wat voor verschil maakt dat uit voor ons?'

'Als de VaNguni's winnen, zal ik nog altijd iemand kunnen zijn. Wat voor mensen worden we als de Portugezen winnen?'

Kijk maar, zo zei hij, naar het voorbeeld van Maguiguane, de opperbevelhebber van Ngungunyane. Die was geen Nguni, maar hij was wel geaccepteerd en had promotie gemaakt. En uitdagend vervolgde hij: zat er ook maar één zwarte in de Lusitaanse legerleiding? Er waren duizenden negers gesneuveld aan de kant van de Portugezen. Was er ooit sprake geweest van een hommage, een beloning voor de Afrikanen die gevallen waren? Alleen onze broer Mwanatu, die dwaas geboren was, geloofde nog dat hij het respect van de blanken genoot. Dat alles zei mijn broer Dubula daar op zijn hoge plek.

Wanneer een vader en een zoon bekvechten, is de echte reden van het dispuut altijd een andere, een oudere onenigheid dan de woorden. Ik wist op voorhand waar de argumenten op uitdraaiden, aan weerskanten. En het was mijn vader die de ruzie altijd beëindigde: 'De kleur van de slang kan mij geen snars schelen. Het gif dat ons doodt is toch altijd hetzelfde.'

*

Daags voor de beslissende slag – die zou plaatsvinden op de Madzimuynivlakte – kreeg ons dorp bezoek van de krijger Xiperenyane. Zijn gedrag boezemde iedereen vertrouwen in. De Chope-commandant genoot de steun van de Portugezen, maar hij leek helemaal geen beschermheren nodig te hebben. Hij, de zoon en troonopvolger van koning Binguane, was de eerste die in zijn eigen kracht geloofde.

Alle dorpen in de omtrek hadden hun mannen naar het leger van Xiperanyane gestuurd, dat het zou opnemen tegen de VaNguni's. Alle families, behalve wij, waren druk in de weer met de voorbereidingen van de grote botsing.

's Avonds nodigde mijn vader zijn zwager Musisi uit om samen *mbangue* te roken. 'Mbangue roken' was de naam die werd gegeven aan het bijleggen van een geschil. Maar mijn vader rookte niet. Alleen Musisi zoog de verdovende rook op en hield hem lange tijd in zijn borst. Mijn vader veegde slechts af en toe de hoorn schoon die dienstdeed als pijp. Telkens als hij vooroverboog, klaagde hij met een grijns op zijn gezicht: 'De grond zit steeds lager.'

Ze lieten rustig tijd verstrijken voordat ze de ware inhoud van hun gesprek kenbaar maakten. Het was mijn vader die de sluier oplichtte: 'Vandaag graaf ik mijn assegaai op.'

Hij pakte een handvol zand, balde zijn vuist en blies er stevig op. Daarmee liet hij zien dat hij een eed zwoer.

'Ik heb je niet goed verstaan,' merkte Musisi op. 'Wat ga je opgraven?'

'Morgen ga ik samen met jou naar het slagveld.'

'Heb je gedronken?'

'Ik meen het: morgen ga ik vechten tegen de gieren.'

Een schaterlach was het antwoord van Musisi. De uitnodiging voor de rookceremonie was bedoeld om eendracht te scheppen maar kon geen grotere onmin teweeggebracht hebben. Toen hij opstapte, zorgde mijn oom er angstvallig voor niet achterom te kijken, om zich te beschermen tegen een slecht voorteken.

Musisi's minachting versterkte de beslissing van mijn vader slechts. Later op de avond trad hij gewapend en al plechtig voor zijn vrouw. 'Ik had ongelijk, het is afgelopen met mijn illusies,' verklaarde hij. En hij voegde er bedachtzaam aan toe: 'Morgen ben ik soldaat, ik ga met je broer mee.'

Chikazi morste de rijst die ze aan het zeven was. Door de aankondiging van haar man werd haar ziel uitgestrooid als een korrel onder de rijstkorrels. En de kwelling werd nog erger toen haar man een slaapmat naar buiten sleepte. Hij zou in de openlucht slapen, als bewijs van trouw aan zijn beslissing om te gaan vechten. De nacht voor een veldslag slapen de krijgers ver van hun geliefden.

*

Die avond dromden mannen en jongens samen op het plein. Musisi klom op een oude boomstronk en richtte zich tot de menigte: 'Wat denken jullie, mensen? Wachten we op de Portugezen?'

Een donderend 'nee' galmde door het hele dorp. En opnieuw liet mijn oom de groep donderen: 'Wachten we op lui die hun beloften nooit nakomen?'

Hij sprak over de Portugezen maar bedoelde mijn vader, Katini Nsambe, die nergens te bekennen was. De Lusitaanse troepen hadden ordere ontvangen om niet in te grijpen. Verdwaasd in zijn bed gehoorzaamde mijn vader aan orders van de drank die hij zo gul had ingenomen.

De *nyanga* nam de plaats van mijn oom in op het geïmproviseerde podium om van daaraf zijn machtige woord te verkondigen. In een eerder gezongen dan gesproken redevoering verzekerde hij de mannen dat ze gerust konden gaan, want dankzij de geneesmiddelen die hij hun had verstrekt waren ze immuun voor de vijandelijke wapens.

En de menigte marcheerde ordeloos weg, onder luid gezang en geschreeuw. Toen ik die lui daar over de weg zag lopen, bedacht ik dat we wel heel sterk leken op onze eigen vijanden.

*

Toen onze mannen terugkwamen, was goed te zien dat het geen soldaten waren maar boeren en vissers, totaal niet voorbereid om oorlog te voeren. In feite waren het net zo weinig militairen als Mwanatu wachtpost was. Hoe het ook zij, die uiteengerukte rij bracht rouw en de schande van de nederlaag mee. Ze staken met gebogen hoofd het plein over, hun speren krasten in de grond. Mijn vader stond naast mij te kijken naar die troosteloze stoet. Nog nooit had ik zijn ogen zo leeg gezien, zo dof. Katini deed alsof hij zag, veinsde dat hij huilde.

De verslagenen verdwenen in de schaduw van hun huizen. Ze waren allemaal teruggekeerd behalve Dubula.

*

Er gingen twee dagen voorbij zonder nieuws over mijn oudste broer. Het enige wat we wisten was dat hij naar de slag bij Madzimuyni was gegaan en dat hij zich daar bij de regimenten van de agressors had aangesloten. Dat was alles. De daaropvolgende dagen werd er met geen woord gerept over zijn afwezigheid, maar er hing een donkere wolk boven ons huis.

De derde dag besloot Chikazi haar broer op te zoeken. Ik ging ongevraagd met haar mee. Op het erf van Musisi ging ze niet eens zitten. Gekweld vouwde ze haar handen voor haar borst en daarna stak ze ze naar voren alsof ze ze wegwierp met de beschuldigende woorden: 'Dubula is nog steeds niet terug, Musisi. Je hebt mijn zoon vermoord.'

'Wie heeft je dat verteld?'

'Een droom. Wij zijn broer en zus, we worden bezocht door dezelfde voorouders.'

'Ik heb Dubula niet gezien, niet voor en niet na de slag.'

'Je hebt hem niet gezien omdat mijn zoon een ander werd in de oorlog. Je hebt hem vermoord, Musisi. Luister dus goed naar wat ik je zeg: je zult nooit meer een nacht meemaken die van jouzelf is.'

*

Diezelfde ochtend begaf ik me in mijn eentje naar de vervloekte weidegrond van Madzimuyni, die al was omgedoopt tot 'de dodenvlakte'. Ik ging mijn broer zoeken, in de stille hoop dat hij nog leefde. Toen ik al een eind buiten het dorp was, spraken een paar boeren me verrast aan: 'Waar ga jij heen? Deze weg is verboden.'

En toen ik vertelde waar ik naartoe ging, liep er een rilling door hun blik. En ze smeekten me om het niet te doen. Omdat ik bij mijn besluit bleef, schudden ze hun hoofd en liepen haastig weg, zoals je wegloopt van gekken of melaatsen. Voordat ik vage paadjes op glipte, hoorde ik mezelf nog gillen: 'Zijn jullie bang voor mij? Daar heb je dan groot gelijk in, want ik ga hier weg als vrouw en kom terug als spook.'

Ik daalde zonder haast de helling af die naar de vlakte leidde. Onder het lopen bedacht ik dat mijn broer zich in het strijdgewoel had gestort in de zekerheid dat hij zijn vijand kende, maar dat het bij mij precies omgekeerd was: ik wist niet wie ik moest haten en ik had niemand om voor te sterven. Met andere woorden, ik wist niet van wie ik moest houden. En ik benijdde de manier waarop hij, die geen zin meer zag in het leven, iets gevonden had om voor te sterven.

Wat Dubula en mij verbond was de angst die de anderen voor ons hadden. Bij hem vreesden ze zijn totale ongehoorzaamheid. Voor mij waren zowel mannen als vrouwen bang.

De mannen omdat ik een vrouw was. De getrouwde vrouwen omdat ik jong en knap was: ik kon worden wat zij ooit geweest waren. En de ongehuwde vrouwen waren jaloers op mijn omgang met de wereld van de blanken: ik was wat zij nooit konden zijn.

Zo verdiept in mijn gedachten had ik niet gemerkt dat ik was aangekomen op de plaats van de tragedie. Ik trok mijn schoenen uit voor ik op het slagveld stapte. Alsof ik binnenliep in een onbekend huis. Ik stak het terrein over tussen lijken, gekreun en doodsgerochel. Er lagen zoveel doden dat ik een paar tellen lang niets meer zag. Ik was blind geworden en bleef roerloos staan. Tussen zoveel lichamen bestond alleen mijn eigen lichaam. Toen ik weer kon zien, merkte ik dat mijn voeten rood waren. Pas toen zag ik dat de hele aarde bloedde, alsof een onderaardse buik was opengereten.

*

De wreedheid van een oorlog meet je niet af aan het aantal grafzerken op de kerkhoven. Die meet je af aan de lijken die niet begraven worden. Dat dacht ik terwijl ik me voorzichtig een weg baande tussen roofvogels, jakhalzen en aan stukken gehakte mensen.

De ergste oorlogswond is dat we altijd de lichamen van degenen van wie we hielden ophalen. Wie had ooit gedacht dat ik een van die vrouwen zou worden die gedoemd zijn hun hele leven tussen as en ruïnes te dolen?

Terwijl ik verder liep over het terrein, riep ik mijn broer bij zijn naam, in de ijdele hoop dat hij daarop af zou komen.

'Dubula!'

*

De lijken leken gezaaid te zijn door een dronken god: in het wilde weg uitgestrooid, maar hier en daar ineens op een hoop. Zou iemand ze verlegd hebben? Of zouden zij zich met een allerlaatste groepsgevoel naar dezelfde plek hebben gesleept, uit angst dat de dood hen zou verrassen in weerloze afzondering?

En opnieuw verspreidde mijn roep zich over het troosteloze landschap: 'Dubula, o broer!'

Plotseling hoorde ik iemand antwoorden. Recht voor mij kronkelde steunend een krijger die nog zijn legerkleren droeg. Hij was op zijn rug gevallen, zijn gezicht verborgen onder het oorlogsmasker, en hij leek vreselijk gewond. Met droeve stem herhaalde hij almaar: 'Zusje? Ik ben hier, zusje. Help me!'

In eerste instantie vond ik zijn stem bijna vreemd klinken. Hij was zo mishandeld dat zelfs die vervormd was. Onder de veren die zijn gezicht bedekten steeg zijn zucht op: ik ben hier, zusje! De tranen vertroebelden mijn blik en ik vroeg volkomen absurd: 'Dubula, leef je nog?'

Ik kreeg geen ander antwoord dan mijn eigen huilen. Degene die ik zocht lag daar. Misschien was het te laat om hem te redden, maar Dubula zou in elk geval naar huis terugkeren met iemand die van hem hield. En ik dacht aan het geluk van mijn moeder als ze ons zou zien aankomen, wankelend en elkaar ondersteunend alsof we één schaduw waren.

'Kom, broer. Ik help je.'

Ik vermeed hem aan te kijken. In de blik van de stervenden zie je je eigen dood. Toen ik zijn handen aanraakte, werd ik ineens door twijfel overvallen. Dat waren niet de handen van mijn broer. Dit was een andere jongen, een onbekende die mij in zijn doodsnood aanzag voor familie. Ik stond op en liep om het lichaam heen, klaar om weg te lopen. Op dat moment fluisterde de stervende: 'Ik wist dat je zou komen. Daar wachtte ik op...'

Met grote moeite hielp ik hem overeind. Ik bood hem mijn steun aan om samen te lopen, en arm in arm, als een bruidspaar, begaven we ons op weg naar het dorp.

'Kom, broer. We gaan naar huis.'

Al na een paar passen viel de soldaat om en sleurde mij mee. Een golf bloed maakte me doornat en zijn armen verloren iedere overtuiging. Desondanks richtte ik dat bewusteloze gewicht weer op en sleepte het moeizaam mee, tot de jongen opnieuw weerloos op zijn laatste grond stortte. Ik knielde naast hem neer en schikte zijn kleren, zoals ik altijd bij mijn broer had gedaan als hij thuis dronken in slaap viel voor de deur.

Ineens schrok ik van een geluid. Er kwam iemand aan. Eerst was het niet meer dan een vage gestalte in een zwarte mantel, die haar het uiterlijk verleende van een roofvogel. Toen ze dichterbij was, stelde ik vast dat het om een van die schooiers ging die zich in leven houden door oorlogsresten te stelen. De gestalte sprong tussen de lijken door met dat belachelijke huppelen van aasgieren. Op haar rug droeg ze een zak vol kleren en wapens. Bijna zonder stem smeekte ik: 'Help me, alsjeblieft!'

De man, het was een man, keek me aan alsof ik niet meer was dan oorlogsafval dat zijn uitpuilende tas nog voller kon maken. Ik deinsde bang terug. En de man vroeg: 'Waar kom jij vandaan? Ik heb je nog nooit gezien.'

'Ik ben van hier.'

'Ook aan het oogsten? Zelden zo'n rijke oogst gezien, alle goden nog aan toe.'

Mijn stilzwijgen beschouwde de man als het ergste verwijt. Hij stak zijn arm op, en het leek inderdaad net de vleugel van een roofvogel.

'Ik steel alleen maar van de doden om hun te besparen dat ze bestolen worden door hun eigen familie. Het duurt niet lang meer of ze zijn hier, die jakhalzen... En wat doe jij hier?'

'Ik zoek iemand. Mijn broer.'

'Ik bedoel niet dit kerkhof. Ik bedoel waarom je in Nkokolani bent.'

De man stonk als een beest en toen hij dichterbij kwam, rook ik de lucht van een hyena. Hij boog zich over het lichaam dat in mijn armen lag en spuwde voor hij zei: 'In die man zit geen mens meer.'

En hij wilde al weggaan toen hij zich bedacht, luidruchtig slepend met zijn tas om me heen liep en ten slotte vroeg: 'Hoe heet je?'

'Ik? Ik heb geen naam,' antwoordde ik.

Het was alsof ik hem een klap in het gezicht had gegeven. Hij liet zijn tas vallen en de inhoud rolde over de grond. Met opgestoken arm kwam hij naar me toe: 'Zeg dat nooit meer. Weet je hoe je echt iemand vermoordt? Je hoeft zijn keel niet door te snijden of een mes in zijn hart te steken. Het is genoeg als je zijn naam steelt. Dat doodt levenden en doden. Zeg daarom nooit meer dat je geen naam hebt, kind.'

Hij hurkte neer om de gestolen voorwerpen terug te stoppen terwijl hij op vertrouwelijke toon doorpraatte, bijna alsof het de bekentenis van een familielid was. En hij zei dat hij me de fijne kneepjes kon bijbrengen van zijn vak, dat nooit te lijden zou krijgen onder een schaars aanbod. En dat hij ook al geplunderd had op de kerkhoven van de blanken, in Inhambane en Lourenço Marques. En dat hij had gemerkt dat de Europeanen de naam van degenen die begraven zijn op een steen schrijven. Dat is de manier waarop zij herrijzen, zei hij.

'Degene die je zoekt, was dat geen legerchef?'

'Nee, een soldaat als alle andere.'

'Gelukkig maar voor hem. Weet je wat Ngungunyane doet met de lijken van zijn machtigste vijanden? Hij rukt hun hart en wervels uit hun lijf, vermaalt die tot poeder en geeft dat te eten aan zijn soldaten. Zo eten zij onze kracht op.'

En hij liep neuriënd weg met de bestofte tas achter zich aan. De vriendelijke stem contrasteerde met de duistere figuur. Ik wachtte tot de gestalte verdwenen was, trok toen mijn kleren uit en dekte het levenloze lichaam van degene die heel even mijn broer was geweest toe. Ik liet hem daar vooroverliggen, zonder graf of zerk, maar bedekt conform het respect voor de Schepper.

Spiernaakt liep ik het dorp in en ik had de indruk dat ik me vergist had: Nkokolani was verlaten. Meer dan verlaten, het leek alsof er nooit iemand gewoond had. Ik schreeuwde, ik huilde, ik was buiten mezelf.

Een voor een kwamen er vrouwen toegesneld. 'Waarom schreeuw je, kind?' vroegen ze. Ik wist niet wat ik moest antwoorden. Meestal schreeuwen we om onszelf niet meer te horen. 'Waarom huil je zo?' vroegen ze opnieuw. En ook nu kregen ze geen antwoord. Wie terugkeert van de doden heeft geen woorden.

'We brengen je wel naar huis.'

Kijk wat oorlog aanricht: je gaat nooit meer naar huis. Dat huis – dat vroeger van jou was – dat huis gaat dood, er is nooit iemand geboren. En er is geen bed, er is geen schoot, er is zelfs geen ruïne om als basis te dienen voor je herinneringen.

*

Daags daarna besloot ik de medicijnman op te zoeken die de troepen had gezegend en beloofd had hun lichamen te pantseren tegen de kogels. Zijn huis stond in de bocht van de rivier, waar verder niemand durfde te wonen.

De nyanga zat bij een vuur dat nog brandde. Daar had hij de medicijnen gemaakt die hij mijn broer te drinken had gegeven. Ik schepte een handvol gloeiende as op met de bedoeling die in het gezicht van de medicijnman te smijten. Ik wilde zijn ogen verbranden, hem voorgoed blind laten worden. Maar ik deed niets en het vuur brandde mijn handen.

'Het was niet mijn schuld!' verdedigde de man zich. 'Toen je broer hier wegging, had hij al geen lichaam meer.'

Misschien was dat waar. Misschien was Dubula een engel en had een kogel zijn vleugels verscheurd. Zo vallen de hemelse wezens. Om zijn woorden kracht bij te zetten liet de medicijnman met zijn blote voeten een aswolk opstijgen. Daarna wrong hij mijn vingers los om me te bevrijden van de gloeiende houtskool.

'Voel je de brandwond niet?' vroeg hij.

Ik liep zonder afscheid te nemen weg en dwaalde langs de oevers van de Inharrime. Op een bepaald punt sprong ik in het water en liet me voorover meevoeren als een dor blad. De regen wast de doden. De rivier wast de levenden.

Terwijl ik daar op de trage stroming dreef, zag ik in dat het niet volstond om weg te gaan uit Nkokolani. Ik wilde weg uit het leven zelf. Oma Layeluane was gestorven in het vuur van de hemelen. Opa Tsangatelo was opgegaan in de diepten van de aarde. Ik zou oplossen in de omhelzing van het water.

'Dubula!' riep ik.

Op de oever doemde een zwarte gestalte op, die langzaam zwaaide. Het waren de kleren en de gebaren van de man die zopas nog als een gier had rondgestruind op het slagveld. Maar hij was het niet. Het was de blinde uit het dorp die snuffelend als een hond op me afkwam. Hij verzocht me te blijven praten zodat hij wist waar hij me kon vinden. Ik vertelde hem wie ik was. En hij spreidde zijn armen voor een lege omhelzing: 'Kom aan land, Imani. De rivier is een plek om geboren te worden.'

Toen hij mijn lichaam voelde, trok hij aan mijn armen alsof hij me aan het redden was. 'Hoe wist u dat ik hier was?' vroeg ik. En hij antwoordde dat mijn verdriet heel luidruchtig was en dat ik liep als Tsangatelo in de mijn: met mijn vingers in de aarde wroetend om een uitgang te vinden.

'Jouw uitgang is deze rivier, kind. Er is geen andere weg. En neem je vader mee. Want de oude Katini is net zo blind als ik.'

In een wereld van schoten en doden luisterde mijn vader alleen naar muziek. Ik moest hem daar weghalen, zei de blinde.

Hoofdstuk 22

Elfde brief van de sergeant

Nkokolani, 10 juli 1895

Edelachtbare heer
Staatsraad José d'Almeida,

Vanmorgen kwam Imani woedend op de post. Ze hoefde niets te zeggen. Ik begreep dat ik haar moest volgen. Ik liep met haar mee over lange paden, en zo, van opzij, zag ik dat ze boos nog veel mooier was.

'Mag ik weten waar je me mee naartoe neemt?'

Ze antwoordde niet. We drongen steeds verder het binnen-land in, zij met lichte, gedecideerde tred. Tot ik de stank van rottend vlees rook en een lugubere aanblik zich opende voor mijn ogen: een immense vlakte vol lijken. Ik wilde me om-draaien maar Imani pakte mijn hand vast en wreef over mijn arm, als een soort liefkozing. Haar stem probeerde een bijten-de toon te verdoezelen: 'Kijk, sergeant Germano. Kijk naar dit uitgestrekte kerkhof en zeg me dan waar ik tussen zoveel do-den mijn broer Dubula kan vinden...'

En nog steeds op ingehouden toon zei ze dat mijn leugen niet kleiner was dan die van de medicijnman, die bescherming tegen de vijandelijke wapens had gegarandeerd. Waar waren de Lusitaanse troepen die ik had beloofd, vroeg ze.

'Herinnert u zich uw belofte om ons te helpen? Hoe gaat u dat nu doen, sergeant, hoe gaat u ons nu helpen?'

Met een ruk bevrijdde ik me uit haar greep en ik rende te-rug naar huis. Dwars door doornstruiken; mijn enige zorg was weg te komen van die walgelijke stank.

Ik moet flauwgevallen zijn. Het enige wat ik nog weet van daarna is dat ik wakker werd op het erf achter mijn huis. Vlak bij mijn gezicht staarde de hen Castânia me aan met haar kippige lege blik. En ver weg hoorde ik de akkoorden van een timbila. Daarna drong het verre zingen van een vrouw tot me door. En ik zei tegen Castânia: aan de andere kant van de zee zingt een vrouw. Hoe ze heet? Ze heeft geen naam. Ik noem haar 'moeder'. Ze zingt stiekem, mijn moeder, om het mijn vader niet te laten horen. Die oude liedjes zijn nu van mij en voor wie zing ik ze nu? Voor jou, mijn lieve kip.

Terwijl ik zo ijl, valt Castânia in slaap. Er is verder niemand in huis, maar ik gedraag me alsof ik bang ben iemand te wekken. Ik ben nog altijd de gevangene van die man die in mijn kinderjaren de baas was over de nacht.

Ten slotte, iets helderder geworden, sleepte ik me naar binnen, warmde een restje thee op en ging verder met de afhandeling van mijn correspondentie, die ik had onderbroken toen Imani me kwam halen. Ik nam Uw meest recente klachten door, waarde Staatsraad, en probeerde bij mezelf na te gaan hoezeer U zich gekrenkt moet hebben gevoeld door het domme wantrouwen van onze gemeenschappelijke superieuren. Onze Commissaris des Konings kan alleen maar vervalste inlichtingen over U hebben ontvangen.

De tegen U opgeworpen beschuldigingen zijn niet alleen ongegrond maar ook enorm onrechtvaardig. Denken dat je in een paar dagen de onderhandelingen met Gungunhana kunt afronden, getuigt werkelijk van totale onbekendheid met het tijdsbesef dat het leven van de inboorlingen beheerst. Ik snap bijvoorbeeld dat ik het vertrouwen zou moeten zien te winnen van de plaatselijke leider, maar in al die tijd dat ik hier zit, ben ik er nog niet achter gekomen of die gesprekspartner de vader of de oom van Imani zou moeten zijn. De twee betwisten elkaar de heerschappij over het dorp. Eigenlijk zou ik de oom moeten kiezen, die ons misschien niet welgezind is, maar wel het dichtst bij het hof van Binguane staat. Ik ben echter hopeloos gebonden door de diensten die Katini, Imani's vader, me bewijst.

Hoe dan ook kan ik er absoluut niet bij waarom U het bevel

heb gekregen om U onmiddellijk terug te trekken uit Manjacaze en nieuwe instructies af te wachten in Chicomo! Wat moet U in godsnaam doen in Chicomo, afgezien van totaal ongerijmd afwachten? Waarde Staatsraad: wat men met U doet is hetzelfde als ze met mij hebben gedaan: ze hebben U opgesloten. Het resultaat van deze willekeur zal catastrofaal worden voor onze aanwezigheid in het zuiden van Mozambique.

Ik begin U langzamerhand gelijk te geven als U zegt dat U zo behandeld wordt omdat U samenleeft met een zwarte vrouw. U hebt dan wel het geluk, als ik zo vrij mag zijn, dat U toch Uw eigen leven kunt leiden. Dat kan ik niet zeggen. Komt U naar Nkokolani, waarde Staatsraad. Hier is plaats te over om U en Uw zwarte echtgenote te herbergen.

Vat U deze vermetele uitnodiging niet serieus op, waarde Staatsraad. Nu ik nog eens overlees wat ik heb geschreven, merk ik dat de toon van mijn correspondentie geleidelijk is veranderd. Deze brieven zijn voor mij wat het balkon bij ons thuis voor de vrouwen is om aan hun eenzaamheid te ontsnappen. Ik zit op dat balkon alsof ik kijk naar een straat in Lissabon. Een straat in mijn dorp zou het helaas nooit kunnen zijn, want in dat dorp heb ik geen broer gehad. Geen jeugd.

U zult wel vreemd opkijken van deze woordenvloed. Misschien ben ik wel eerder een dichter dan een soldaat. Het dierbaarste wat ik van thuis heb meegenomen zijn dan ook twee dichtbundels, die ik keer op keer herlees. Een van Antero de Quental en een van Guerra Junqueiro. Die laatste kan alleen maar deze legerpost bedoelen als hij in *Finis Patriae* schrijft:

Ze waren van levende rotsen, de door reuzen
En condors aangevreten tinnen!
Nu maken vermorzelaars
Van de verminkte stenen
Grind voor op de wegen.

En ik lees die verzen met zoveel vervoering terug dat ik op een zonnige namiddag door een vreemde extase werd bevangen. Ik had gedronken en ging duizelig op mijn rug liggen, met de zon recht in mijn gezicht. Toen voelde ik dat er een rotsblok onder mij bewoog. Ik ging verschrikt rechtop zitten en zag dat ik me op een open plek bevond die vol stenen van een behoorlijke omvang lag. Midden in mijn delirium merkte ik dat een van die rotsen praatte.

'Niet schrikken, wij zijn stenen,' zei het rotsblok.

'Dat is niet waar,' bracht een ander rotsblok ertegen in. 'Wij zijn mensen. We doen alsof we stenen zijn om niet als slaven te worden meegenomen in de schepen.'

'Wie neemt jullie dan mee?'

'Iedereen. Zwarten en blanken.'

In die vervoering doemde de gestalte van Mouzinho de Albuquerque op. Hij was een ervaren militair, kon de valse van de echte stenen onderscheiden. Terwijl hij op zijn paard voorbijreed, kraste de krijgsman met zijn zwaard in de rotsen en ontstak zo vuren die de wegen verslonden. Daarna maakten paard en ruiter rechtsomkeert en draafden heelhuids door de vlammenzee. Met adelaarsogen beoordeelde Mouzinho de echtheid van de rotsen. De ruiter bracht de levende stenen krachtige houwen toe. Brokken vlees vlogen alle kanten op en het bloed en het vuur vermengden zich tot een rood laken.

Wat een onzin allemaal! Daarom zeg ik: genoeg slecht geschreven gedichten en slecht beleefde dromen. Genoeg over mij. In Uw laatste brief vraagt U mij mijn dagelijkse routine te beschrijven, omdat U het beu bent alleen maar gortdroge politieke stukken onder ogen te krijgen. Ik ben bang, waarde Staatsraad, dat het er niet minder saai op zal worden, want mijn dagelijkse routine is, laten we zeggen, een routine zonder dagen. Desondanks klaag ik niet. Het doet me goed dat ik een routine heb. Ik mag niet vergeten dat ik een gevangene ben en net zoals iedere gevangene moet ik vaste patronen ontwikkelen om de saaie sleur te doorbreken.

's Morgens vroeg brengt Mwanatu me water en emmers voor de ochtendlijke wasbeurt. Imani komt later met het eten dat haar moeder voor me heeft klaargemaakt. Ze lacht als ik de pan aanpak: 'U bent intussen al de man van mijn moeder, ik snap niet dat mijn vader dat slikt.' Haar glimlach doet me goed, die ik altijd verwacht maar die me toch telkens weer verrast. Het meisje dringt niet meer aan op lesgeven. Ze houdt zich nu met andere klussen bezig: opruimen, schoonmaken, kleren wassen. Ik had haar echter niet moeten toestaan mijn slaapkamer op te ruimen. Dat is riskant, het meisje kan lezen, ze kan in mijn papieren snuffelen. Maar het kwaad, als het al een kwaad is, is reeds geschied. En er gaat geen dag voorbij zonder dat Imani me om papier, pen en inkt vraagt om te schrijven. In de keuken aan tafel pent ze God weet wat voor dingen neer. Ik geef toe dat dat het enige moment is waarop ik haar niet graag bij me heb. Uiteindelijk heb ik haar een pen, een inktpotje en een pak papier cadeau gedaan op voorwaarde dat ze ver weg zou gaan schrijven, waar ik het niet zie. Ik weet niet waarom ik het vervelend vind een neger te zien schrijven. Ik vind het prettig als ze onze taal fatsoenlijk en accentloos spreken, maar dat ze ook het schrijven beheersen voelt aan als een invasie.

Ziedaar mijn dagelijkse routine in Nkokolani, Excellentie. Zoals U ziet is het iets wat je op een half dozijn regels kunt beschrijven. Gelukkig maar, want het wordt laat, buiten zijn hyena's en jakhalzen te horen. Het is donker, ik word omgeven door insecten die om de lamp heen cirkelen, en met de punt van mijn pen vis ik kevers op die in de inktpot zijn gevallen. Ze leven nog en ik laat ze over het papier lopen. Ze laten een inktspoor achter, alsof ze een versleutelde boodschap hebben geschreven.

Er is nog iets wat deel uitmaakt van mijn dagelijks leven en wat ik nog niet heb genoemd, waarde Staatsraad. Het gaat om een routine die ik haast religieus uitoefen. Morgen vraag ik Mwanatu om, voordat hij de post bezorgt, plaats te nemen in mijn leunstoel en naar me te luisteren. Voor de duizendste keer vertel ik hem dan over het proces tegen de opstandelingen van 31 januari. Dat doe ik elke dag. De achterlijke Mwanatu is de ideale luisteraar voor een bezeten verteller: hij verstaat wat je zegt maar is niet bij machte te begrijpen wat je bedoelt. De jongen is een steen met oren. Al praat ik urenlang, hij vertoont geen spoor van moeheid of verveling.

Wat ik Mwanatu al ontelbare keren heb verteld, zal ik U nu ook vertellen. Ik wil dat U weet wat er gebeurd is bij dat proces, waar niet alleen ik maar het hele land terechtstond. Ook U, waarde Staatsraad, bent veroordeeld door die krijgsraad. Er gebeurde namelijk het volgende: op de pakketboot Moçambique moesten we dagen achtereen wachten in collectieve hutten. Daar zat alles samen, burgerlui en militairen, sergeanten en kapiteins, journalisten en politici.

Telkens als we onder bewaking over het dek liepen, kregen we de treurige aanblik te verduren van vrienden en familieleden die jammerden op de kade. Ze huilden en riepen om hun man, hun zoon, hun broer. En er waren vrouwen die zich in hun wanhoop op de trossen van het schip stortten. Elke keer keek ik of een van hen misschien niet toevallig mijn lieve moeder was. Ik heb haar nooit gezien. Ze zat ongetwijfeld in ons afgelegen dorp, onwetend van mijn kwetsbare toestand.

Mijn kameraden werden een voor een naar de ruimte geroepen waar de krijgsraad zitting hield. Daar werden ze in ijltempo berecht. Toen het mijn beurt was, brak er een verschrikkelijk onweer uit en huizenhoge golven veroorzaakten een dusdanige deining dat we voortdurend van wand tot wand werden geslingerd. Terwijl hij met zijn linkerarm steun zocht tegen een patrijspoort, las de secretaris van de krijgsraad lijkbleek het vonnis voor. De gebruikelijke verhevenheid van de hoge rechters was daar omgekeerd. Waggelend alsof ze dronken waren hadden degenen die veroordeelden de kwetsbaarheid van degenen die veroordeeld werden.

Keer op keer dwong misselijkheid de secretaris het plechtige voorlezen te onderbreken. Kokhalzend bereikte hij de slotzin: '...en om al deze redenen wordt verdachte Germano de Melo veroordeeld... veroordeeld tot...' Hij kon niet afronden, dooreengeschud door onbeheersbare braakneigingen. De overige leden van de rechtbank repten zich naar het dek, zich aan elkaar vastklampend om niet meegesleurd te worden door de golven.

Een paar dagen later, de storm was intussen geluwd, werden we allemaal bijeengedreven om de vonnissen aan te horen, die nog niet bekend waren gemaakt. Dezelfde secretaris van de krijgsraad riep de namen van de betrokkenen af, en telkens als hij er een voorlas, stond er een verdachte op die werd weggeleid om het schip te verlaten. Toen begrepen we dat de lijst betrekking had op degenen die werden vrijgesproken. Bij iedere naam die afgeroepen werd, stonden verscheidene soldaten op, die zich, terwijl ze haastig wegliepen, ontdeden van hun bivakmutsen en uniformjasjes waardoor ze kenbaar waren als militairen. De lijst was pas op de helft en de zaal was al praktisch leeg. Verward keek ik naar een journalist naast mij, die het allemaal onbewogen aanzag. 'En jij,' vroeg hij me, 'ben je er zo happig op veroordeeld te worden?' Ik antwoordde dat ik vertrouwen had in het pleidooi van onze advocaat. Tijdens de openingszitting had ik delen van zijn pakkende woorden opgeschreven. Ik vouwde een vel papier open en las een stukje van de verdediging voor, om mijn kameraad van gedachte te laten veranderen: 'En wat moet ik u zeggen van het applaus van het volk voor hen die hier nu als misdadigers worden voorgesteld? Weet u het misschien niet? Is de echo van dat enthousiasme niet doorgedrongen tot uw oren, heren rechters? Klopt het niet dat de straten en ramen zich vulden met mensen die klapten voor de opstandige militairen? Klopt het niet dat het Praça de Dom Pedro zich opende als een prachtige morgen, waar de grootst mogelijke vreugde heerste op ieders gezicht?'

Ik onderbrak mezelf om in het spottende gezicht van de journalist te kijken. En hij vroeg: 'Ben je klaar?' Waarop ik antwoordde van niet, dat ik het slot van dat aangrijpende pleidooi nog moest voorlezen. Ik had zin om recht te gaan staan om de verplichte glans te verlenen aan de woorden van de advocaat: 'Om die optelsom van redenen dient u uiterst clement te zijn voor al die ongelukkigen. En waarom zou u dat niet zijn? U oordeelt, maar de geschiedenis zal oordelen over u...'

De journalist keek me indringend aan. Zijn scherts had plaatsgemaakt voor een vaderlijke toon toen hij zei: 'Weet je wat mij troost? Het feit dat wij, de verliezers van 31 januari, gelukkiger zullen zijn dan de rechters van de krijgsraad.'

En toen gebeurde het dat de pakketboot Moçambique onverwachts begon te varen. We dachten eerst dat we het ons verbeeldden, of dat het slechts ging om een manoeuvre van het schip vanwege de sterke golfslag. Maar daarna merkten we verbijsterd dat het vaartuig Leixões verliet en langs Matosinhos gleed. En de Moçambique voer almaar verder over de woelige zee, tot we de veilige wateren van de monding van de

Taag bereikten. Daar wierp de boot het anker uit. In die rustige wateren kreeg ik een soort uitgesteld evenwicht terug, een
mengeling van spanning en rust die voorafgaat aan de aankondiging van tegenspoed. Welnu, op dat moment kreeg ik het
vonnis te horen van mijn verbanning naar Afrika.

Hoofdstuk 23

Een vleermuis zonder vleugels

Zie hoe wij onze doden begraven: we gaan naar hun graan-
schuur en rapen de korrels bijeen waarmee we hun koude handen vullen. Daarna zeggen we tegen ze: trek je maar terug met
je zaden!

In het holst van de nacht drong een groep vrouwen het huis
van de Portugees binnen en onderbrak zijn slaap. Ze maakten
zoveel kabaal dat de sergeant eerst niets verstond van wat ze
allemaal schreeuwden. Ten slotte lukte het hem de vrouw die
het drukst gebaarde te verstaan: 'We hebben de Maagd gezien.'
    'De maagd? Welke maagd?'
    'Dat weten we niet, hoeveel zijn er dan?'
    Germano kleedde zich struikelend aan en hinkte naar het
erf terwijl hij zijn schoenen probeerde aan te trekken. De
groep begaf zich in de richting van ons huis. Het was donker
en de Portugees liet zich leiden door de gestalten voor hem. De
vrouw die voorop liep verkondigde in half Portugees half Txitxope, terwijl ze naar de grond wees: 'Ziet u het, meneer? Hier
zijn de voetsporen.'
    'Van haar?'
    'Nee. Dit zijn voetsporen van de engel.'
    'Welke engel?'
    'De engel die ze bij zich had.'
    De sergeant bleef staan om zand uit zijn schoen te schudden.
Hij was het liefst opgehouden met die onzin en naar huis gegaan, maar vreesde dat hij verkeerd begrepen zou worden. De
zon was nog niet op en het was toch al snikheet.

'Is het nog ver?'

'We zijn er bijna.'

Dat zeggen ze altijd, dacht de sergeant: dat je er bijna bent. Waarom kunnen die lui hier toch geen afstanden meten? En hij stelde opnieuw de verschijning in twijfel. Het was aardedonker, hadden ze zich niet vergist? Waarop een van de vrouwen tegenwierp: 'U zult het wel zien als we er zijn: het is net zo'n Maagd als die in de kerk stond.'

'Het is vast en zeker haar tweelingzus,' zei een andere vrouw.

'En deze heeft ook aan elkaar geplakte handen,' voegde nummer drie eraan toe.

'Aan elkaar geplakte handen?' vroeg de sergeant verrast.

'Meneer pastoor noemde haar altijd de Maagd met de Aan Elkaar Geplakte Handen, omdat ze haar handen altijd gevouwen had.'

De Portugees had geen zin om het te verbeteren. Het was al moeilijk genoeg om het geschreeuw van het vrouwvolk te begrijpen. De sergeant miste node iemand die zijn eigen gedachten voor hem vertaalde. Hij stelde zich voor dat hij teder als een minnaar de handen van Maria Onbevlekte Ontvangenis uiteenhaalde. En hij had het gevoel dat die handen, nu vrij en dankbaar, zijn lichaam streelden. Die vervloekte hitte ook, dacht hij terwijl hij het zweet van zijn voorhoofd wiste, daar krijg je alleen maar zondige gedachten van.

Op dat moment hoorde hij een schot, dat uit de kazerne kwam. Vervolgens nog een schot. En nog een. De vrouwen zagen de Portugees hijgend terugrennen naar zijn plek.

*

Na de dood van mijn broer Dubula vlogen de vogels niet meer over ons dorp heen. De paar die het wel deden stortten hulpeloos neer, als losgescheurde stukjes wolk. Onder het vallen verloren ze hun veren, die dwarrelden op de wind, elke pluim in een eigen hallucinante vlucht. Die verschijningen werden steeds zeldzamer. Het duurde niet lang meer of de inwoners van Nkokolani zouden niet meer steeds omhoogkijken.

Die nacht tijdens zijn wachtdienst had Mwanatu onafgebroken naar de lucht gestaard. Tot hij vrouwenstemmen hoorde achter de kazerne. En de sergeant in een stoet vrouwen weg zag gaan in het donker. Hij dacht er nog even over de opgewonden groep achterna te lopen, maar hij kon zijn post niet zomaar verlaten. Op dat moment vloog er een enorme vis over het dak heen. Het beest streek neer in de mangoboom, maar omdat het zich moeilijk overeind kon houden, steeg het weer op. De vis bewoog zijn kieuwen alsof hij nog zwom. Mwanatu hief zijn geweer op en schoot. Eén, twee, drie keer. De vis struikelde in de lucht en leek neer te storten, toen hij toch weer met korte rukken hoogte won, het was duidelijk dat hij voor het eerst vleugels gebruikte.

De wachtpost rende buiten adem de straat op om de wereld te vertellen wat hij zojuist had meegemaakt. Een paar boeren kwamen erbij staan en luisterden even geboeid als ongelovig naar hem. De meest uiteenlopende meningen werden gespuid: sommigen beweerden dat de goden in de war waren en het water hadden verwisseld met de hemel; anderen verdedigden dat het hier de finale straf betrof; en de meest optimistische lui verkondigden dat de op die manier aangekondigde rampspoed niet op ons maar op de VaNguni's zou vallen. Als de hemel zee was geworden, zouden de indringers, een volk dat afkerig was van het water, ten dode zijn opgeschreven. En de vijanden van ons volk zouden vervloekt verdrinken in de zwevende wateren.

Op dat moment kwam sergeant Germano hijgend aanlopen. Hij was doodongerust vanwege de schoten en een vliegende vis was net even te veel voor hem. De Portugees sloeg een kruis, schudde zijn hoofd en keek smekend om hulp naar de hemel.

'In dit land van jou zou Jezus werkloos zijn, beste Mwanatu: hier verricht iedereen wonderen.'

Mijn broer liep met geheven hoofd weg en stak zijn wijsvinger op om zijn oordeel te onderstrepen: 'Er zitten hier engelen. Ik heb ze voor hun raap geschoten.'

*

Waar we gek van werden was de stank. Die smerige lucht die overwaaide van Madzimuyni maakte duidelijk dat de gieren en hyena's de lichamen nog niet hadden veranderd in kale geraamtes. Het waren niet de lijken maar de aarde zelf die verrotte.

Die lucht hechtte zich aan de muren van ons huis en plakte aan de kleren die mijn moeder droeg sinds ze weet had van de dood van haar zoon. En zelfs toen mijn vader brullend binnenkwam, bleef mijn moeder onbewogen en afwezig. Katini's gezicht zat onder het bloed. Zoals alle mannen maakte hij enorm veel ophef over zijn lichte verwonding: 'Ik word blind!' Ik hielp hem te gaan zitten en hij staarde naar mijn moeder, wachtend op haar aandacht.

'Wie heeft je zo gekrabd, man?' vroeg ze ten slotte. 'Welke vrouw heeft zulke scherpe nagels?'

'Het was een boom! Een boom heeft me zo toegetakeld,' verklaarde hij terwijl we zijn gezicht wasten.

Als hij op zoek was naar materiaal voor zijn marimba's, drukte mijn vader zijn oor tegen de stam van de bomen. Hij wilde nagaan of ze drachtig waren. Dat had hij die dag ook gedaan, om hout te kiezen voor zijn allerlaatste marimba. Maar iemand had zijn smaak en zijn gebaren vergiftigd.

'Die rotboom had klauwen, ik zag dat hij me met zijn klauwen naar de hel trok.'

Hij praatte hard om indruk te maken op zijn vrouw. Dat lukte niet. De hemel was weids en Chikazi's blik streelde de eindeloze verte. Mijn vader kneep zijn ogen dicht tegen het water dat over zijn gezicht stroomde. En met zijn ogen dicht luisterde hij naar zijn vrouw: 'Waarom heb je de witte kip geslacht?'

'Omdat ik honger had.'

'Ze was bedoeld voor de plechtigheden.'

'Wat voor plechtigheden? Er is toch niemand gestorven?'

'O jawel. Jouw zoon is gestorven, je eerste zoon. Maak jezelf niets wijs, Katini Nsambe.'

En ze voegde er in één adem aan toe: 'De andere jongen is uit zijn eigen hoofd verhuisd. En je dochter hier heeft ons ook al verlaten. We zijn alleen, man.'

Daarna vroeg ze aan mij: 'Imani, ga je echt bij ons weg?'

En zonder op antwoord te wachten ging ze door: dat ik er al niet meer was, dat ik bezoeken van boodschappers verzon, alsof opa nog leefde. En dat ik dat allemaal deed omdat ik bang was. Ik was alleen, had geen vrienden en geen enkele man wilde me hebben. Dat zei mijn moeder. En het was de schuld van mijn vader.

'Verwijt je me dat ik een slechte vader ben? Omdat ik wil dat mijn dochter wegkomt uit die ellende hier, omdat ik wil dat ze naar een betere plek gaat?'

'Ze loopt weg van zichzelf.'

En Chikazi stond op en zette haar handen in haar rug, zoals zwangere vrouwen doen. Na een lange stilte voegde ze eraan toe: 'De witte kip was voor onze zoon. En die is dood.'

'Hebben we zijn lijk gezien?' vroeg mijn vader. 'Geef antwoord, Chikazi, keer me je rug niet toe: heeft iemand zijn lijk gezien?'

Ik had veel zin om te zeggen dat Dubula gestorven was op mijn schoot, maar ik zweeg. Degene die weggegleden was in mijn armen was nog op weg om mijn broer te worden.

*

Een week na het overlijden van Dubula was er nog steeds geen vogel teruggekeerd naar de lucht boven ons. In de vroege ochtend van zondag hing mijn moeder in de grote boom van de *tsontso*. Ze leek uitgedroogd fruit, een slappe, donkere vleermuis. We riepen onze vader, die schoorvoetend dichterbij kwam. Hij ging onder de brede kruin zitten en keek naar het lichaam alsof hij verwachtte dat dat bladeren zou krijgen.

'Ze is niet dood. Jullie moeder is alleen een boom geworden.'

Af en toe bewoog het lijk in de ochtendbries. Het leek net een dans, een van die dansen waarop ze ons zo vaak vergastte. Toen de avond viel vroeg ik: 'Laten we haar daar hangen? Ze wordt nog opgegeten.'

Het was donker en ik had de sergeant niet zien aankomen, die verbijsterd uitriep: 'Haal dat lijk daar weg! Onmiddellijk!'

Mwanatu wilde zoals altijd meteen gehoorzamen, maar mijn vader stak zijn arm op en sprak: 'Niemand doet hier iets. Dat is geen lijk. Dat is Chikazi, mijn vrouw.'

Sergeant Germano liep radeloos om de boom heen. Herhaaldelijk leek het of hij iets tegen me wilde zeggen, me onhandig wilde troosten. Een van die keren stelde hij zelfs voor om samen te bidden. Maar hij verbeterde zichzelf meteen: 'Nee, niet bidden, want je bidt niet voor een zelfmoordenaar.' En hij voegde eraan toe, nu vastbesloten: 'In godsnaam, Imani, vraag je vader om haar naar de kerk te brengen.'

'Naar de kerk?' riposteerde mijn vader. 'Ze is toch al in een kerk? Onze kerk is die boom.'

Uit de mond van mijn vader klonk dat vreemd en de Portugees keek hem ongelovig aan. Was Katini niet een bekeerde Kaffer? Germano schudde zijn hoofd om de onoplosbare twijfel van zich af te zetten. Hoe kon je nou rekenen op de trouw van een neger als zelfs dat gezinshoofd met zo'n gemak van het ene geloof oversprong op het andere? De sergeant sloeg onopvallend een kruis en trok zich terug, terwijl hij binnensmonds mompelde: 'Ze hebben geen schuldgevoel en kennen geen schaamte: hoe kun je dan verwachten dat het goede christenen zijn?'

*

En zo bleef het lijk tot de volgende dag hangen, als een vleermuis in het donker. 's Morgens vroeg liep ik erheen, bang om haar die mij onsterfelijk leek aangetast te zien door de tijd. Maar er waren geen tekens van bederf, geen stank, geen vliegen, geen raven. En in de onbewolkte lucht zweefden geen gieren. Ik ging naast mijn vader zitten, die de hele nacht daar was gebleven. Hij hield zijn ogen strak gericht op zijn vrouw zaliger. Op een bepaald moment zei hij: 'Ze is zo mooi!'

Hij had gelijk. Zelfs zo, uitgemergeld, behield mijn moeder de sierlijkheid van een levend mens. Misschien omdat haar lichaam doorweekt was van de regen die 's nachts was gevallen. Er dropen druppels van haar voeten, die een kleine, treurige plas vormden. 'Zo hoort het,' zei mijn vader terwijl hij langzaam knikte. 'De doden moeten gewassen worden door de regen.'

'Zal ik in de boom klimmen?' vroeg ik na een lange stilte.

'Nee, laat haar maar hangen waar ze dat zelf wilde.'

Het touw dat mijn moeder had gewurgd begon ook mij geleidelijk te verstikken. Om twaalf uur, toen de dode haar schaduw
verloor, stapten de buren sprakeloos en bedrukt op. En ik wilde
ook weggaan, maar mijn vader belette dat door me bij mijn
arm te pakken.

'Jij blijft, kind!'

Onverwacht lenig klom mijn vader in de boom, gewapend
met een kapmes. Met één houw hakte hij het touw door. Ik had
gedacht dat het lijk met een doffe plof zou neervallen, net als
bomen als ze gekapt worden, maar nee. Er was niets te horen,
wat daar viel was een stuk van een wolk, zonder geluid en inhoud.

Mijn gekke broer Mwanatu kwam nog toesnellen om het
lijk op te vangen. Hij bezweek bijna onder het gewicht, dat boven op hem viel, en toen ze daar allebei plat op de grond lagen,
vreesden we even dat we een dubbel sterfgeval hadden.

*

Mwanatu was vanaf het begin aanwezig bij de begrafenis-
plechtigheid voor mijn moeder en hij gedroeg zich alsof hij
zich bij de rituelen van het dorp evenzeer thuis voelde als bij
een katholieke uitvaartdienst. Hij leek anders, helderder, toen
hij mijn vader aanbood te helpen, die het lichaam vervoerde
alsof zijn rug de aarde was waarin hij haar wilde begraven. Hij
droeg haar langer dan nodig was, want zonder dat iemand erover was begonnen, had hij beslist dat ze begraven zou worden
onder de boom waar ze zich had opgehangen.

Mijn vader liep een aantal keren om de grafkuil heen en
zakte toen hulpeloos door zijn knieën. We snelden allemaal toe
en hielpen om de dode in dat gat te leggen. En we gooiden
het graf dicht zoals we eerder haar ogen dichtgedrukt hadden.
Toen vroeg ik me af waarom we eigenlijk de ogen van de doden
sluiten. Omdat we bang zijn dat ze ons aankijken. En waarom
verbergen we de koude lichamen diep in de aarde? Omdat we
vrezen dat we zien hoezeer we zelf al dood zijn.

Toen de aarde aangedrukt was, plantte de sergeant een ijzeren kruis op het graf en nodigde ons met zijn ogen dicht uit om te bidden. Alleen Mwanatu gaf gehoor aan zijn oproep. Oom Musisi wrong zich tussen de aanwezigen door, rukte het kruis uit de grond en begon op luide toon onze voorouders aan te roepen in het Txitxope. De sergeant keek ons aan alsof hij om hulp vroeg, maar Musisi negeerde zijn stille smeekbede en vroeg de militair via mij als tolk: 'Moet u horen, meneer de sergeant, als uw God de vader van ons allemaal is en de schepper van alle talen, zou hij dan alleen maar Portugees verstaan? En jij, nichtje, beperk je niet tot vertalen, maar vertel hem ook hoe wij negers dat doen. Of ben je je ras vergeten, Imani Nsambe?'

Mijn ras? vroeg ik me in stilte af. Op dat moment begreep ik dat mijn verdriet groot was, maar dat ik allang wees was geworden. En dat ik niet alleen hulpeloos was, maar dat al mijn zwarte broeders en zusters dat waren. Daarvoor is de dood niet nodig. We zijn al wees voor we geboren worden.

Ik boog voorover naar het zand waar het kruisbeeld was gevallen en stak het weer in het graf van onze moeder. En ik dacht aan haar woorden, op die lieve manier van praten van haar: niet de doden zijn een zware last, maar degenen die nooit ophouden te sterven.

Hoofdstuk 24

Twaalfde brief van de sergeant

Nkokolani, 29 juli 1895

Edelachtbare heer
Staatsraad José d'Almeida,

Omdat ik niet wist hoe ik haar moest troosten, zei ik tegen Imani dat haar moeder op een dag zou terugkeren. 'Ze hoeft niet terug te keren,' antwoordde het meisje prompt. 'Ze is nooit weggegaan.' En ze nam me mee naar een termietenheuvel achter haar huis. Ze wees naar de hoop en zei: 'Daar begraven we ons hele leven lang sterren. Dat is mijn troost.'

Daarna zei ze dingen tegen me die misschien godslasterlijk zijn, maar wel de mooiste ketterijen die ik ooit heb gehoord. Ze vertelde dat de doden niet voortbestaan op aarde, maar dat zij de aarde laten voortbestaan. Met een touw van zand en wind binden de doden de zon vast opdat die niet verdwaalt in het heelal. En ze zei ook nog dat de doden de weg banen voor de vogels en de regen. En dat ze met de nevel neerdalen om de grond te bemesten en de kevers te drinken te geven.

Het meisje gooide dat er allemaal in één adem uit. 'Waar heb je dat geleerd?' vroeg ik bang. 'Ik heb het niet hoeven te leren,' antwoordde ze. 'Ik besta daaruit. Wat ze me hebben moeten leren zijn de verhalen van de blanken.'

'Maar je bent toch katholiek?'

'Ja, maar ik heb nog een heleboel andere goden.'

Die onthulling choqueerde me niet. Waarschijnlijk omdat ik zoals iedere goede republikein uitgesproken antiklerikaal ben. De woede van mijn vader jegens priesters is het enige goede dat ik van hem heb geërfd. Mijn moeder liet me een heel andere erfenis na: ze hunkerde naar de heilige mis, het enige moment dat ze van huis weg mocht. Ik herkende haar bijna niet als ze naar de kerk liep: kleine pasjes, gesluierd gezicht, zwarte doek over haar hoofd. Thuis mocht ze geen moeder en buiten mocht ze geen vrouw zijn.

Ik keerde van Chikazi's begrafenis terug met een onbeantwoorde vraag: moet je iemand die niet in de dood gelooft condoleren? Voor die rouwende Afrikaanse familie was er een dode zonder dood. Welke rouw ondergingen ze dan? In plaats van me te kwellen, zorgden die twijfels ervoor dat mijn terugkeer naar de kazerne van een rust was die ik lang niet meer had gevoeld.

Ik moet zeggen dat ik enigszins verrast was toen ik Mariano Fragata thuis aantrof. Hij wachtte op me in de woonkamer, wapperend met een envelop die hij me toestak zodra hij me zag: 'Ik ben net hier en ik heb dit voor je,' zei hij met een raadselachtige grijns.

Hij was nog niet opgestaan van de schimmelige bank toen hij me waarschuwde: 'Maak je borst maar nat, beste Germano. Je zult dit niet leuk vinden.'

'Wat is dat voor envelop?'

'Dat zijn je brieven, alle brieven die je de afgelopen maanden hebt verstuurd. Ze zitten er allemaal in.'

Ik schudde mijn hoofd: mijn brieven? Stuurde José d'Almeida die echt retour? En waarom deed hij dat dan nu?

Wat Fragata mij daarna onthulde, was de laatste dolkstoot in mijn toch al zo gepijnigde borst: Staatsraad José d'Almeida had geen van mijn brieven ooit in handen gekregen. Degene die ze steeds had gelezen en beantwoord was luitenant Ayres de Ornelas.

'Ik begrijp er niets van, Fragata, helemaal niets. Alles wat ik hier heb geschreven...'

Mijn verbijstering maakte plaats voor argwaan. Wat had de luitenant ertoe bewogen mijn brieven te onderscheppen en, nog veel kwalijker, zich uit te geven voor een ander? Wat voor geheimen had Ornelas ontdekt? En wat voor gebruik had hij gemaakt van de confidenties die ik had gedaan aan iemand die ik als mijn vader beschouwde? Op geen van die vragen vond ik op dat moment een antwoord. Ik kon alleen maar verzuchten: 'Ik ben verloren! Dit wordt mijn ondergang...'

'Misschien is het wel niet wat je denkt,' zei Fragata om olie op de golven te gooien.

'Hoezo niet wat ik denk? Vergeet niet dat ik veroordeeld ben en hier alleen op voorwaardelijke basis zit. Nu mijn confidenties onthuld zijn, zullen ze me alsnog executeren. Ik zal het lot van Sardinha ondergaan...'

En ik herinnerde de adjunct van de Staatsraad eraan hoezeer ik mij bloot had gegeven in die lange briefwisseling. Hoe vaak had ik niet de monarchistische regering vervloekt, hoe vaak had ik niet mijn meerderen verwenst! Waarom had ik me verdraaid nog aan toe niet beperkt tot de afgezaagde rapporten die verwacht worden van een anoniem sergeantje?

'Niet overdrijven, Germano. Zo erg is het allemaal niet.'

'Helaas kan ik alleen maar het ergste vrezen. Kijk hier...'

Ik liet Fragata een ongewoon stuk zien dat ik per abuis in handen had gekregen. Het was een onderzoeksverslag over de verdonkeremaning van telegrammen die de Commissaris des Konings naar de militaire hoofden van Inhambane had gestuurd. Ayres de Ornelas gaf toe dat hij voor de verdwijning verantwoordelijk was geweest. En ik las hardop de eigenhandig geschreven brief voor waarin Ornelas schuld bekent: '...ik smeek God om vergiffenis indien ik onvrijwillig oorzaak ben geweest van een verstoring van de plannen van Uwe Excellentie, de Commissaris des Konings. En ik verzoek Uwe Excellentie mijn misstap bekend te maken...'

Fragata viel me in de rede om me te kalmeren. Ornelas mocht dan arrogant en ambitieus zijn en aan achtervolgingswaan lijden, hij was geen slecht mens, hij zou me nooit benadelen of beschadigen. En er was nog iets wat ik niet wist. Ornelas was degene die alle correspondentie met Staatsraad José d'Almeida afhandelde. En hij deed dat met toestemming van José d'Almeida zelf, voor wie hij achteraf de inhoud van de diverse telegrammen en missives samenvatte.

Ik hoorde het zonder overtuiging aan. Daarna scheurde ik de envelop open en las de brieven over die ik in al die maanden had geschreven. Fragata viel intussen uitgeput in slaap. Ik had mijn bed aan hem afgestaan omdat ik wist dat ik die nacht toch niet zou kunnen slapen. Ik geloof dat ik dat nooit meer zal kunnen.

Hoofdstuk 25

Streken, oorlogen, begraven en uitgraven

De soldaat wint het uniform; de man verliest zijn ziel.

Na de dood van onze moeder trok Mwanatu weer bij ons in. Mijn vader onthaalde hem alsof hij nooit weg was geweest: hij zei geen woord en besteedde geen aandacht aan hem. Degene die terugkeerde was een vreemde, gewoon een bezoeker die je een slaapmat geeft. Mwanatu leek wat minder traag en dom, maar was wel nog altijd in zichzelf gekeerd. Urenlang bleef hij op het erf in de schaduw zitten. We bekeken hem met angst, want zijn arm had de vorm gekregen van het geweer dat hij maandenlang in zijn vuist had geklemd.

Die morgen nam Mwanatu Nsambe echter een besluit. Hij pakte een hak en liep naar het dorpskerkhof. Iemand die van ver kwam zou het struikgewas naast de rivier ten noorden van het dorp geen kerkhof noemen, maar daar, in dat heilige bosje, waren de doden van de oudste familie van Nkokolani – de zogenaamde 'eigenaren van de plaats' – te ruste gelegd. De blanken spreken van 'de doden begraven'. Wij zeggen 'de doden zaaien'. We zijn eeuwige kinderen van de grond, we kennen de overledenen toe wat de aarde aan de zaden geeft: slaap om herboren te worden.

Afgezien van de hak, die hij op zijn schouder droeg, had Mwanatu zijn geweer bij zich, een Martini-Henry die hij in zijn linkerhand klemde met de plechtigheid van een militaire parade. Mijn broer zou overigens niet het woord 'zaaien' kunnen gebruiken, omdat hij letterlijk het wapen ging begraven dat hij tijdens gefantaseerde veldslagen tegen de Nguni-invasie had gebruikt. Hij begroef daardoor een deel van zichzelf. Het andere deel lag allang begraven in de uithoeken van zijn verstand.

Met die gang naar het kerkhof voerde Mwanatu een opdracht uit. Sinds zijn terugkeer werd hij nacht in nacht uit bestookt door een droom. In die droom gebeurde het volgende: vanuit het topje van de boom waaraan ze zich had opgehangen, gelastte onze moeder hem zich te ontdoen van zijn geweer. En zich nooit meer te laten doorgaan voor een agent van de Portugezen.

'Doe dat ding weg, jongen! Begraaf dat schiettuig bij de rivier.'

'Schiettuig? Pas op, moeder, dit is wel een Martini-Henry, hoor,' en hij spelde het woord alsof hij de letters voor haar uittekende.

Zo uitgesproken zag hij het woord voor zich met de glans van een medaille. Onze moeder wist niets van de zorgen die hij wijdde aan dat andere schepsel: de speciale doek voor het schoonmaken van de buitenkant, de olie om het vanbinnen te smeren, het vilten foedraal om de loop te omhullen. Al die toewijding maakte duidelijk dat het om veel meer ging dan een doodgewoon wapen.

'Het is geen verzoek,' sprak moeder. 'En ik praat hier ook niet in mijn eentje. Er zijn hier heel veel stemmen en ze zeggen allemaal hetzelfde: doe dat geweer weg.'

Het bevel was duidelijk en het was geen persoonlijke bevlieging. Door de karabijn in de grond te stoppen zou Mwanatu de oorlog zelf begraven.

*

Op weg naar het kerkhof schatte mijn broer hoeveel zijn geweer eigenlijk woog. Bij zijn avonturen als imaginair soldaat had hij het nooit gewogen. Integendeel, hij had altijd de indruk gehad dat het wapen deel uitmaakte van hemzelf, dat het een verlengstuk was van zijn eigen lichaam.

'Het is een aangeboren wapen,' betoogde hij tegen moeder.

Ze moest weten dat hij veel personen in zich droeg, die met

elkaar overhooplagen. Een korporaal en een kabweni, een zwarte en een blanke, een christen en een heiden. Hoe moest hij één mens worden? Hoe kon hij weer alleen haar zoon worden?

Terwijl hij afdaalde in het dal van de Inharrime, was de tred van mijn broer aarzelend en aftastend, als gevolg van alles wat hem verontrustte. Ineens draaide hij zich echter met een ruk om en beende naar de kazerne. Hij wilde voor hij zijn belofte inloste eerst gaan praten met sergeant Germano. Hoewel hij geen dienst meer deed als wachtpost, was hij zijn soldatendiscipline niet kwijtgeraakt. En hij had iemands zegen nodig voor zo'n ernstige vorm van ongehoorzaamheid.

*

Eerst deed de Portugees alsof hij hem niet eens hoorde, maar daarna legde hij al zijn verbazing in zijn stem: 'Je gaat wát doen? Je geweer begraven?'

'Ja sergeant, begraven.'

'En wat wil je dat ik nu doe? Met je meegaan en mijn zegen geven aan de begrafenis?'

Zover durfde Mwanatu niet te gaan. Hij wilde alleen goedkeuring voor zijn krankzinnige handeling. Hij, de kranige soldaat Mwanatu, christen en netjes gedoopt, was namelijk even hulpeloos als verward. Hij had het bijvoorbeeld altijd indrukwekkend gevonden dat een geweer de naam van een mens had. Martini-Henry? Met alle respect en zonder God te willen beledigen, maar een zwarte zou nooit ofte nimmer de naam van een mens aan een wapen geven.

'Neem me niet kwalijk, sergeant. Ik wou alleen maar om raad vragen.'

'Wil je een goede raad? Vertel eens: dat geweer, dat heb je toch niet zelf gekocht, of wel? Weet je nog van wie je het gekregen hebt?'

'Van u. Het geweer en het uniform.'

'Ben je vergeten dat je dat wapen hebt gekregen om de vijanden van God en Portugal te doden?'

'Nee, denk ik niet.'

'Nee? Dan zou ik het teruggeven als ik jou was. Dat had je trouwens meteen moeten doen toen je wachtpost-af werd. En je geeft het ook terug, net als het uniform, dat je nu nog draagt. Wapens, munitie en jijzelf zijn eigendom van de Portugese kroon.'

'Maar als ik het geweer niet begraaf, wat moet ik dan tegen mijn moeder zeggen als die me in mijn dromen bezoekt?'

'Dan verzin je maar iets. Lieg tegen haar, zeg dat je dat rotgeweer hebt begraven. Ze zal je toch nooit geloven.'

'Praat u niet zo over mijn moeder! Niet zo...'

Mwanatu trok zich terug terwijl hij zijn handen wrong alsof het doeken waren. En de Portugees was voor de eerste keer bang voor de achterlijke wachtpost. Hij bedacht dat Mwanatu een zware terugval had gehad: hij was weer een neger geworden. En als neger verdiende hij geen vertrouwen. Het wantrouwen van de sergeant werd nog groter: wat als het wapen van de jongeman in staat was om te doden? Het was dus eigenlijk beter als hij het wegdeed. En met gespeelde spijt gaf hij toestemming om de Martini-Henry te begraven. En voordat Mwanatu weg was, riep hij hem nog toe: 'Waar is je zus trouwens? Ik zie haar nooit meer...'

'Imani heeft verdriet. Dat is alles...'

'Zeg maar dat ik een paar nieuwe lappen stof heb uitgepakt, als ze die wil hebben, moet ze langskomen. En jij ook, Mwanatu, kom langs want ik mis je.'

De jongen wuifde slap en glimlachte nog triest: wat voor heimwee kon die Portugees nou hebben? Hij had al die maanden nooit een woord tegen hem gezegd. Telkens als een blanke bezoeker hem groette en vroeg hoe het met hem ging, verhinderde de sergeant dat: 'Vraag een Kaffer nooit hoe het met hem gaat, want binnen de minuut moet hij iets van je.'

Vanwege die herinneringen had de cipaio veel zin om de kip van de sergeant een trap te verkopen. Hij deed het niet, maar spuwde wel naar het beest. De spuug bleef hangen in de kam, maar de blik van de kip bleef onverschillig en leeg. Zo zou Mwanatu wel willen zijn: zonder binnen- of buitenkant, zonder spijt of vermoeidheid.

Wat hem het meest dwarszat, waren niet zijn eigen herinne

ringon maar de raad van de Portugees. Liegen tegen de overledene? De sergeant kon dan wel een machtig man zijn, hij wist niet dat daar andere goden heersten, even oud als de aarde. En hij begaf zich weer op weg naar het kerkhof.

*

Het was middag, het roerloze tijdstip waarop de schaduwen verslonden worden door de grond. In het heilige bos stapte mijn broer zo behoedzaam als een luipaard op de schaduwen, tot hij een goede boom vond, groot en met wortels die als donkere ellebogen oprezen uit de aarde. Daar wilde hij het graf delven. Hij knielde en mompelde wat onverstaanbaars. Was hij aan het bidden? Nee. Wat hij deed was de namen opsommen van degenen die in de oorlog waren gevallen.

Zijn stem bracht slechts zwak gefluister voort, maar elke naam werd uitgesproken met dezelfde zorg als waarmee je kinderen en bejaarden aankleedt. Op een bepaald moment zweeg hij verlegen, om vervolgens te klagen: 'Ik kan me verder niemand herinneren. Vervloekte oorlog...'

Dat is de wreedheid van degenen die sneuvelen: ze blijven altijd vallen, in de tijd geslagen klauwen, net als dode vleermuizen. Desondanks haalde Mwanatu diep adem en rondde zijn preek af: 'Hier ben ik, krijgers van het Chope-volk, en ik roep jullie!'

Hij streelde het geweer voor hij begon te graven. 'Chope-volk?' vroeg hij hardop. En hij verbaasde zich over zijn eigen woorden.

*

Mwanatu stiet de hak met kracht in het warme zand. Hij hoorde een metalig geluid, een geluid van ijzer op ijzer. Opnieuw haalde hij uit met de hak, met de woede van iemand die een slang doodslaat. En opnieuw sprongen er vonken weg, alsof de grond bliksemde. Vanwege een donker voorgevoel keek de cipaio omhoog, op zoek naar hulp. De zon scheen recht in zijn ogen en door de overdaad aan licht werd hij even verblind. Dat was de bedoeling: dat de doden heel even weggingen. En dat de goden, de levende en de dode, hem vergaten.

Toen hij zijn ogen weer opendeed, zag Mwanatu een assegaai. Die was de oorzaak van de geluiden en de vonken. Hij woelde de aarde rond de vondst om en zag speren, pijlen en bogen opduiken. Zoveel wapens dat ze onmogelijk te tellen waren. Onder zijn voeten verschenen de resten van alle oorlogen.

De cipaio voerde zijn plan niet uit: hij rende half slingerend in allerijl terug. Het geweer sleepte hij achter zich aan alsof het een kapotte hak was. Hoe kon dat, vroeg hij zich af: bij het begraven van zijn wapen had hij een oud wapenarsenaal opgegraven.

*

Nadat hij buiten voor de deur zijn laarzen had uitgetrokken, verborg Mwanatu de Martini-Henry snel in de kamer achter de kast. Vervolgens ging hij op zoek naar onze vader om hem te vertellen wat er gebeurd was. Of liever, wat er niet gebeurd was.

Hij vond zijn verwekker achter het huis, waar hij bezig was het erf te vegen. Vegen, zei hij altijd, was net zoiets als vissen: een activiteit waarbij je niets uitvoerde. Na de dood van onze moeder had vader het hoofd in de schoot gelegd. 'Hoe minder ik leef, hoe minder ze me willen doden.' Dat zei hij. Als ik, zijn enige dochter, er niet was geweest, had hij al zijn bezittingen, zijn huis en zijn bestaan al opgegeven. Zijn ketel en zijn marimba's wegdoen zou beslist langer hebben geduurd.

Vegen was nu zijn enige bezigheid. En hij liet ook nu zijn bezem niet rusten terwijl Mwanatu hem vertelde wat er in het bos gebeurd was. Hij mocht zijn buren niet laten zien dat hij in de war was. Op een bepaald moment leunde hij op de bezem, trok de hoed over zijn voorhoofd en fluisterde: 'Er zijn dingen waar je niet over praat in het openbaar. Kom mee naar binnen.'

In een hoek van de slaapkamer zakte Katini diep weg in zijn stoel, bevangen door bezorgdheid. Hij nam zijn hoed af, legde hem op zijn knieën en stortte na een lange stilte zijn hart uit:

'Wat jij daar in het bos hebt gevonden valt niet uit te leggen en niet te begrijpen...'

'Maak me niet aan het schrikken, pa. Wat is er dan gebeurd?'

'Wat er is gebeurd is wat er nog gaat gebeuren.'

Langzaam draaide hij een sigaret, alsof hij moed zocht. Niemand vindt vloeitjes lekker en niemand vindt tabak lekker, zei hij altijd tegen ons. Het genot van de roker is dat hij door de tijd wordt gerookt. Hij hoestte een poosje en stamelde vervolgens, nog half stikkend: 'Ik zal je iets vertellen: ik ben de vader van dat gat.'

'Wat zegt u?!'

'Je hebt ergens gegraven waar ik dat al eerder had gedaan. Op die plek heb ik mijn assegaai verborgen.'

'Hebt u die ook begraven?'

'Wapens begraaf je niet. Wapens verberg je, in afwachting van de volgende oorlog. Kom, dan gaan we eens kijken naar die kuil.'

Leunend op zijn bezem alsof het een wandelstok was, trok hij de poort achter zich dicht en liep de weg op. Ze sloegen het bospad in, Mwanatu ernstig stil, onze vader slepend met zijn schoenen, een erg duur woord voor de twee zolen die hij met een touw op zijn wreef had vastgebonden.

Tot ze bleven staan bij de boom waar Mwanatu tevoren had gegraven. De wortels leken nu meer bloot te liggen, omarmden de grond alsof ze hun exclusieve bezit opeisten.

Voorovergebogen boven de kuil raapte onze vader zijn assegaai op en klakte met zijn tong om blijk te geven van zijn beklemming.

'Het is hetzelfde gat. En dit is mijn assegaai, ja, kijk maar naar dit merkteken.'

'En hoe zijn die andere wapens hier beland?'

'Dat zijn ze niet.'

'Hoezo dat niet?'

'Ze zijn hier geboren. Ze zijn levend.'

En hij vroeg zijn zoon om hem te helpen al dat materiaal bij elkaar te rapen en soort bij soort te leggen. Ze stapelden de assegaaien aan één kant op, de speren aan een andere en de schilden in een derde hoop. De oude Katini stapte langzaam langs de stapels, alsof hij een generaal was die zijn wapens schouwt. Ten slotte zei hij: 'We laten de wapens zo liggen, ver van hun graf. En dan maken we dat we wegkomen. Maar niet omkijken!'

*

Toen hij bij me kwam op het erf, waar ik het vuur aanmaakte, keek Mwanatu alsof hij net zijn doodvonnis had gehoord. Hij vertelde me wat er gebeurd was bij de mislukte begrafenis van zijn geweer.

'Vroeg de sergeant echt naar mij?'

'Ja, hij zegt dat hij heimwee naar je heeft. Moet ik iets tegen hem zeggen als ik het uniform terugbreng? Het geweer geef ik niet terug, maar dit uniform wel. Als de lui van Ngungunyane komen, wil ik niet dat ze me voor iemand anders aanzien.'

Of ik maar wilde zeggen wat voor boodschap hij moest overbrengen, drong hij aan. Ik bleef een poosje zwijgen en stond daarna zo bruusk op dat de arme Mwanatu ervan schrok: 'Kleed je uit, broertje. Dit is een bevel, ik ben ouder dan jij. Trek dat vervloekte uniform uit.'

'Nu?'

'Nu meteen.'

Jasje, hemd en broek gleden als een zucht op de grond. Ik raapte de kledingstukken bijeen en gooide ze in het vuur. Binnen een paar seconden was het uniform verteerd door de vlammen, voor de verbijsterde blik van Mwanatu. En voordat hij kon gaan jammeren, snauwde ik woedend: 'Het waren mannen in uniform die de vrouwen van dit dorp hebben verkracht.'

Dat was wat mannen deden, gehoorzamend aan de wetten van de oorlog. Ze schiepen een wereld zonder moeders, zusters en dochters. Die wereld, beroofd van vrouwen, had de oorlog nodig om te leven.

Mijn broer trok zich beschaamd terug toen hij onze vader binnen hoorde komen. Terwijl hij de veters van zijn afgedragen zolen lospeuterde, mopperde Katini, alsof hij tegen de vloer sprak: 'Ik neem aan dat het eten klaar is.'

De last van een heel leven schoot door mijn hoofd: meer dan

liefde verlangen de mannen uit Nkokolani van hun vrouwen dat ze stipt zijn in het opdienen van de maaltijden. Mijn vader verschilde wat dat betreft niet van de andere mannen. Hij leefde om bediend te worden. Die oude plicht van de vrouw was nu overgedragen aan mij.

Vader en zoon gingen op het erf aan tafel zitten, onder de oude mangoboom. Ik deed wat ik altijd had gedaan toen moeder nog leefde: ik bracht de mannen een teil met water en een handdoek en ze wasten hun handen. Daarna diende ik het eten op, in stilte, alsof we luisterden naar de afwezigheid van moeder. Katini was overstuur. Hij dronk overvloedig nsope en sprak met dubbele tong toen hij zich tot mij richtte: 'Heb je tegen je broer gezegd dat hij zijn kleren uit moest trekken? Dan zeg ik nu tegen jou: sta op, kind. Sta op en knoop je capulana los.'

Mwanatu maakte nog een verontwaardigd gebaar, maar mijn vader herhaalde zijn bevel. Ik wachtte lang voor ik hem gehoorzaamde. Mijn vader was dronken, hij wist niet wat hij zei.

'Jij probeert heel slim te zijn, kind, je droomt van heel ver weg. Maar vertel me nou eens, Imani: heeft die blanke een oogje op je? Heeft hij je al ooit aangeraakt?'

'Pa, alstublieft...'

'Mond dicht. Zei ik niet dat je je kleren uit moest trekken?' herinnerde hij me.

Ik knoopte de doek die om mijn middel vastzat los en bleef naakt staan, doodstil, de armen strak langs mijn lijf, als een soldaat. Haar in de war, mijn slanke benen licht gespreid, mijn romp lichter dan het schijnsel van het vuur dat naast mij knisterde.

'Je bent mager, je lijkt net een kogel,' merkte mijn vader op.

Katini Nsambe was verrast mij zo te zien, zo vrouw geworden, zo vervuld van die ernstige stilte van echtgenotes, die als ze zwijgen de hele wereld rondom laten verstommen. Hij keek naar schaduwen die op de grond dansten en zei dat ik me weer moest aankleden. En daarna liet hij weten: 'Kogels zijn levende dingen. Daarom doden ze, omdat ze levend zijn. En jij, kind, jij lijkt een dood iets.'

En hij concludeerde: 'Geen enkele blanke wil je zo hebben,

zo zonder vlees, zonder lichaam.' Nu mijn moeder niet meer onder ons was moest ik niet aankomen met het praatje dat ik altijd mager was geweest.

'Je blijft niet altijd zo dun. Al was het maar omdat je tatoeages duidelijk zichtbaar zijn in je taille en op je dijen. Zie je dat, Mwanatu?'

'Ik mag niet kijken, pa.'

'Maar jij hebt wel al goed naar jezelf gekeken,' viel Katini Nsambe hem in de rede. 'En je weet donders goed dat geen man die tatoeages kan weerstaan. Zo weet die Portugees dat jij niets fout doet als hij...'

'De Portugezen hebben andere gewoonten...'

'Zo is het genoeg, Imani. Kom hier en drink, om te vergeten wie je bent: een arm negerinnetje dat naar de aarde ruikt... Morgen ga je terug naar die Portugees en breng je het hoofd van die vreemdeling op hol met de vlammen van dat vuur.'

Terwijl hij mijn glas volschonk, dacht ik: ja, ik ben een getatoeëerde kogel. Ik vuur mezelf af op het hart van die man. En ik ga voorgoed weg uit dit vervloekte dorp.

*

Het was grijs die ochtend en tante Rosi — die na de dood van onze moeder thuis bijsprong — sloeg een warme sjaal om voor ze naar haar akker ging. In Nkokolani hoeft het 's morgens maar grijs te zijn of we maken ons op voor de strengheid van de winter. Ook al is het nog zo warm, als het bewolkt is trekken we allemaal warme kleren aan. Bij de inwoners van Nkokolani is de lucht belangrijker dan de temperatuur. De kleuren zijn zo bepalend dat we zelfs geen naam voor ze hebben.

En zo begaf Rosi zich op die grijze morgen warm ingepakt naar haar akker. Ze droeg al het verdriet van de wereld met zich mee. Op de akker zette ze haar benen uiteen en boog langzaam voorover, als een ster die dooft. De hak ging in haar handen omhoog en omlaag alsof het een bijl was die trilde boven de nek van een terdoodveroordeelde. En die terdoodveroordeelde was ze zelf, niet bij machte een wending te geven aan haar lot.

Heel geleidelijk viel de vrouw ten prooi aan een onbedwingbare huilbui, maar ze hield niet op met wieden, waarbij haar lichaam een tellurische dans uitvoerde. Het duurde niet lang of ze hoorde een metalig geluid, alsof de hak over een steen of een bot had geschuurd. Ze krabde de aarde weg en zag dat daar een pistool begraven lag. Gillend naar haar buurvrouwen rende ze weg. De vrouwen dachten dat het beter was het schiettuig niet aan te raken en de aarde gewoon terug te leggen. Ze deden alsof ze niets gezien hadden, alsof er niets gebeurd was. Maar toen ze in het zand wroetten om de vondst te bedekken, kwamen er honderden kogels bloot te liggen, allemaal hetzelfde, alsof het kikkervisjes in een regenplas waren. Ze pakten snel hun hakken op en maakten zich uit de voeten.

Meteen toen ze thuiskwam, vertelde tante ons wat er gebeurd was. De twee mannen zeiden niets. Dat was een zeer beladen stilte, die niet veel goeds beloofde. Totdat oom Musisi zei: 'Morgen ga je verder weg wieden. Maar niet in je eentje. Neem de andere vrouwen mee.'

*

Bij ons thuis schrok Mwanatu midden in de nacht wakker. Moeder had hem weer eens bezocht. Ze wees hem op zijn dralen bij het doen van zijn plicht. En hij moest niet alleen zijn eigen wapen begraven.

'Alle wapens?' vroeg haar zoon.

'Ja. Ook die van de Portugezen.'

'Dat mogen en kunnen we niet, ma.'

'Je begrijpt iets niet, jongen. Het is niet de oorlog die om wapens vraagt, het is omgekeerd, het zijn de wapens die de oorlog laten ontstaan.'

*

De volgende morgen in alle vroegte rende tante opgewonden door het huis. En ze schudde haar man in bed dooreen: 'De oorlog...'

'Wat is er? Worden we aangevallen?'

Ze beaamde het door te knikken. Oom Musisi stond hals-overkop op en liep in zijn blootje de kamer door om een buks uit een leren tas te halen. Schreeuwend riep hij Mwanatu. Zijn neef was in een oogwenk bij hem, geweer in de aanslag.

'Wat gebeurt er?' vroeg hij. 'Valt Ngungunyane ons aan?'

'Weet ik niet, ik heb geen schoten gehoord,' verklaarde oom. 'Waar vallen ze aan?'

Tante Rosi stond er roerloos bij en gedroeg zich alsof ze voel-de dat er iemand in huis was. Onzichtbaar. Tot ze discreet naar de grond wees.

'Ik snap het niet,' zei mijn oom. 'Zit er iets onder het huis?'

Ze knikte. 'Ze zitten overal,' voegde ze eraan toe. Met een subtiele handbeweging beschuldigde ze de vloer opnieuw.

'Wie zitten overal?'

'Zij.'

In het skelet van het huis kraakte iets. Ik probeerde de span-ning te verbreken en opperde vol overtuiging: 'Dat is Tsanga-telo. Opa komt ons halen.'

'Stil, Imani. Ik vraag je opnieuw, vrouw: zit er iemand onder de grond?'

'Zij, de wapens.'

Fluisterend vertelde Rosi toen wat er gebeurd was: ze was het huis uit gegaan om ergens een nieuw akkertje te beginnen, ditmaal veel verder weg, dicht bij de oever van de rivier. Het duurde echter niet lang of de onzalige vondst herhaalde zich: op dat nieuwe terrein ontwaarde ze tussen de opzij gerolde stenen een paardenschedel. En verderop een zadel en een stel stijgbeugels. Aan haar voeten lag een van die rossen die door haar dromen galoppeerden. Misschien was het wel het rijdier van Mouzinho de Albuquerque zelf.

Rond de schedel lagen oneindig veel kogelhulzen verspreid en tante Rosi durfde er een eed op te doen dat die hulzen poot-jes hadden gekregen, rondkropen als vraatzuchtige insecten en alles verslonden wat ze tegenkwamen. Dat onderaardse leger groef tunnels die door de hele wereld liepen, en zelfs terwijl ze wegrende hoorde ze nog het geluid van hun wroetende klau-wen. De op de vlucht geslagen vrouwen gilden dat ze daar weg moesten.

'We zijn verloren,' besloot ze, nog steeds even beheerst en waardig. 'We komen om van de honger, we hebben geen grond meer om te bewerken.'

Dit was er gebeurd in Nkokolani: de oorlog had een kerkhof gemaakt van de aarde. Een kerkhof waar nu geen dode meer op paste.

Hoofdstuk 26

Dertiende brief van de sergeant

Nkokolani, 11 augustus 1895

Edelachtbare heer
Staatsraad José d'Almeida,

Ik had nooit gedacht dat ik iemand die er nauwelijks was zou missen. Een achterlijke, zwijgzame en afstandelijke knaap heeft met zijn vertrek een gat in mijn ziel geslagen. Sinds Mwanatu terug is gegaan naar zijn ouderlijk huis, zijn mijn eenzaamheid en wanhoop – die al waanzinnig groot waren – uitzichtloos geworden. Ik heb altijd gedacht dat God een christen eeuwig gezelschap houdt, waar die zich ook bevindt. Het is dus een van de twee: ik ben geen goed christen of Nkokolani ontsnapt aan de goddelijke aandacht.

Ik weet niet of ik Mwanatu het meest mis als mens of als postbode. Het is toch wel het uitblijven van post dat ik het meest ontbeer. Af en toe zie ik als in een delirium de hele vloer vol liggen met papieren. Als ik het raam openzet, waait de wind bladzijden op die door de lucht wervelen en in de verte wegfladderen. De akkers en velden zijn allemaal overdekt met vellen papier. Duizenden brieven die één groot laken vormen, brieven zover als het oog reikt. En ergens midden in die velden ligt een jonge dode met in zijn arm het volgende woord getatoeëerd: 'moederliefde'. Van dichtbij is te zien dat zijn hele lichaam onder de tatoeages zit. Een heel boek had hij er in piepkleine letters in laten krassen. De dode verrijst en blijft wakker zitten. Hij schrijft wat op zijn huid staat over op papier. Maar hij ziet algauw in dat hij aan één leven niet genoeg heeft om alle letters over te brengen, want het zijn er meer dan hij poriën heeft.

Ben ik gek geworden? Dat zult U ongetwijfeld denken. Ik denk het zelf ook. Vanwege die krankzinnigheid was ik dolblij toen mijn oude wachtpost een paar dagen geleden bij me langskwam. Wilde hij zijn werk hervatten? Nee hoor. De jongen kwam me alleen maar om raad vragen in verband met een onzinnige missie. Hij wilde het wapen dat hem was verstrekt begraven. Ik profiteerde ervan om te vragen naar zijn zus, de schone Imani. Hij antwoordde me dat hij niets wist. Dat was gelogen. Het is duidelijk dat het meisje me niet wil zien. En ik respecteer dat. Zoals ik ook de dwaze bedoelingen van haar broer Mwanatu heb gerespecteerd, door te doen alsof ik naar hem luisterde en hem zogenaamd raad te geven.

Toch gebeurde het deze week dat ik Imani tegen het lijf liep toen ik vis was kopen in het dorp. Ze keek niet naar me. Dat zei op zich niets, want een vrouw slaat haar ogen neer als ze met een man praat. Ze keek dus niet, maar ze praatte wel. En ze stelde me een heel vreemde vraag: 'Vindt u dat ik een kogel ben?'

Ze herhaalde haar onzinnige vraag omdat ik niet in staat was die te begrijpen. Ik stelde haar voor om samen het graf van haar moeder te bezoeken. Ze stemde stil toe. Achter haar huis gingen we zwijgend zitten.

'Hier liepen vroeger olifanten voorbij,' zei ze, wijzend naar de bomen. 'Nu is er geen meer over. Jullie hebben ze allemaal gedood.'

'Wij?'

'Is wie doodt degene die schiet of degene die opdracht geeft om te doden? En ik vraag u: zijn jullie door al dat ivoor rijker geworden?'

'Ik niet, Imani. Ik niet.'

En het meisje ging verder: 'Zo zal het ook gaan als jullie de aarde openrijten om de mineralen eruit te roven. Jullie zullen de zwarten bevelen op elkaar te gaan staan tot ze aan de maan komen. En Chope-mijnwerkers zullen dan het zilver van de maan delven.'

In de woorden van het meisje school een onverbloemde

wrok. Ik had gelogen, dat is waar, maar er waren andere, veel oudere redenen.

'Is het omdat ik blank ben? Ga je me daarom uit de weg?'

'Het leven is als eb en vloed.'

Ik heb, moet ik zeggen, niet genoeg kennis om de vergelijkingen te begrijpen die de negers hier voortdurend te berde brengen. Imani heeft een haast blanke ziel, maar ze verrast me nog altijd met dat taaltje.

'Ik begrijp dat verbitterde gevoel van de negers jegens mijn rasgenoten nu veel beter,' zei ik, als vredessignaal.

En toen vertelde ik haar een oude herinnering uit Lissabon. Iets wat zich had voorgedaan tijdens de enige keer dat ik, samen met mijn vader, naar het stierenvechten ben geweest. Omdat de stier vermoeid was en mak begon te worden, werden er een stuk of wat negers de arena in gestuurd, die getooid met veren op belachelijke kartonnen paarden zaten. Daardoor waren ze niet erg beweeglijk maar het werd er wel karikaturaler op, tot groot vermaak van de toeschouwers. De stier viel de arme donders aan en ze werden allemaal vreselijk toegetakeld, tot vreugde van het publiek, dat tot dan toe de armzalige vertoning had uitgejoeld.

Ik sloeg mijn ogen op naar Imani om te kijken wat dat verhaal haar deed. Haar gezicht bleef onverstoorbaar.

'Het was geen racisme. Of misschien wel, maar er werden ook Galiciërs de arena in gegooid.'

'Zijn de Galiciërs zwart?'

'Nee. Ze zijn net als wij.'

'Welke wij, sergeant Germano?'

Ik weet niet of ik glimlachte en ik weet niet of dat mijn bedoeling was. Ik weet wel dat het meisje opstond en me uitnodigde om samen met haar zwijgend bij het graf van haar moeder te gaan staan.

'Leeft uw moeder, sergeant?'

Ik antwoordde dat ik dat niet wist. Imani keek me lange tijd aan en schudde haar hoofd. En toen zei ze dat dat het treurigste antwoord was dat ze ooit had gehoord.

En ik bewaar voor het slot van dit schrijven wat mij de afgelopen dagen het meest heeft opgewonden. Er klopte namelijk een onbekende postbode bij me aan, een slanke mulat met blauwe schelvisogen. Hij kwam uit Inhambane en had behalve de normale correspondentie een brief van mijn moeder bij zich. Ongelooflijk! Toen hij me de envelop overhandigde, verstijfde ik en vroeg totaal verbluft: 'Een brief van mijn moeder?'

De man moest bijna met geweld mijn vingers buigen om me de envelop te laten aannemen. En hij bood zijn verontschuldigingen aan: de brieven waren bij het oversteken van de rivier nat geworden. Ik rende naar de beschutting van mijn slaapkamer om de brief te lezen, langzaam en vol genot. Door het water was de inkt vlekkerig geworden, maar mijn ogen, die nat waren van ontroering, wisten toch raad met wat onleesbaar leek. Het waren slechts een paar regels en de inhoud was vaag: ze drukten de dankbaarheid van een moeder uit voor het feit dat haar zoon haar voortdurend schreef hoezeer hij haar miste. Ik legde de brief weg met de absolute zekerheid dat hij niet aan mij gericht was.

En ik liep naar buiten en ging op zoek naar de bode. Ik had de nieuwe koerier de kamer van Mwanatu aangeboden om uit te rusten. Ik onderbrak zijn rust en gaf hem die verkeerd bezorgde missive terug.

'Deze brief is niet voor mij!'

De jongeman opende zijn ogen half en draaide zich om op zijn slaapmat. Pas toen besefte ik dat ik nog nooit in dat piepkleine hokje was geweest en ik voelde een soort spijt. Ik had dat nooit gedaan, voerde ik voor mezelf als excuus aan, om niet binnen te dringen in de privésfeer van een ander. Maar diep in mijn hart wist ik dat er een andere reden was.

Ik keerde terug naar mijn slaapkamer, vol haast om U te schrijven. Ik ging zitten en begon, zoals ik altijd doe, met boven aan het blad de naam van de geadresseerde te zetten. Uw naam, waarde José d'Almeida. En verder kwam ik niet. Ik dacht aan de herhaalde keren dat er iets fout is gegaan bij onze correspondentie.

Zo begreep ik niet waarom u mij kopieën toezond van de brieven die luitenant Ayres de Ornelas aan zijn lieve moedertje had gestuurd. Ik dacht zelfs, moet ik bekennen, dat U de grens had overschreden van fatsoen en consideratie voor wat rechtens van een ander is. Maar nu begrijp ik Uw geraffineerde gevoeligheid, en ik ben U daar erkentelijk voor. U hebt mijn oudste zorg gezien, mijn meest verborgen gemis. En nu ik mijn pen heb neergelegd na het schrijven van Uw naam boven aan de pagina, kom ik tot de volgende slotsom: ik kan niet langer doen alsof. Omdat ik nu weet dat niet U, Staatsraad Almeida, mij leest en me antwoordt. Ik zou eigenlijk Uw naam door moeten strepen en Ayres de Ornelas ervoor in de plaats moeten zetten, want ik praat tegen U, beste luitenant Ornelas, en eigenlijk heb ik altijd tegen U gepraat.

Ik voel mij niet gekwetst door deze scheve gang van zaken. Integendeel. Ik verzoek U zelfs, beste luitenant, om mijn oprechte dank over te brengen aan Staatsraad Almeida. Zegt U tegen hem hoe blij ik ben met het bedrog. Hoe dankbaar ik ben dat hij altijd Ayres de Ornelas is geweest. En tegen U, waarde luitenant, zeg ik: dank U wel dat U zich hebt uitgegeven voor een ander. Meer dan wat ook dank ik U voor het aardige gebaar mij brieven te sturen die aan Uw moeder gericht waren. U kunt zich niet voorstellen hoe goed die missives mij hebben gedaan hier in deze afgelegen wildernis. Imani had gelijk toen ze me erop wees dat niets treuriger is dan iemand die niet weet of zijn eigen moeder nog deel uitmaakt van de wereld. Uw brieven gaven mij de illusie te praten met mijn moeder, alsof zij de pijn van deze helse ballingschap verzachtte.

Ik ben er nu zeker van dat ik alleen maar overleefd heb in deze Afrikaanse wildernis dankzij de heilige vrouw die mij ter wereld heeft gebracht. En alles waar ik op kan bogen heb ik te danken aan haar inspiratie. Omwille van haar heb ik mij aangesloten bij de republikeinse opstand van 31 januari. Alsof ik door de koning te willen vermoorden wraak nam op mijn verre, strenge verwekker.

Op het Praça da Batalha in Porto dacht ik aan mijn moeder, toen de kogels in het rond vlogen als vuige ijzeren vogels. Door een vreemde en treurige ironie waren de tegen ons gerichte schoten afkomstig van de trap voor de Sint-Ildefonsuskerk, waar de Gemeentelijke Garde opgesteld stond. Hoe anders die ook was, hij deed me sterk denken aan de kerk waar mijn moeder altijd bedrukt in verdween en licht als een engel weer uit kwam.

Naast mij op de treden van de trap viel mijn slaapkameraad. Samen met hem stortte de rood met groene vlag neer die hij in zijn armen hield. Ik boog me over de ongelukkige om hem bijstand te verlenen. Noch op zijn lichaam noch op zijn uniform was een druppel bloed te bekennen. Het leek alsof hij slechts gestruikeld was, en hij stamelde iets onverstaanbaars zonder ooit zijn mond dicht te doen, tot zijn blik verstarde, vastgebonden door een donkere strik. Het was niet slechts een kameraad uit de kazerne die daar stierf. Ik was zelf degene die daar de laatste adem uitblies. De tranen die ik op dat moment huilde, hadden alleen waarde omdat ze me terugvoerden naar mijn kinderkamer.

En de lange reis die mij had verwijderd van mijn ouderlijk huis was uiteindelijk een trage, onmerkbare terugkeer. De dag waarop ik werd achtergelaten voor de deur van de militaire school draalde ik lang voor ik naar binnen ging. Ik wist dat als ik dat deed een deel van mij voorgoed zou sterven. Ik bleef bij de ingang staan kijken of mijn moeder terugkwam, bewogen door een gevoel van spijt. Ze kwam niet terug.

Jaren later, toen ik geboeid werd weggevoerd van het proces tegen de muiters, geloofde ik nog dat ik op de kade, waar de familieleden van de beschuldigden stonden te wachten, een moederlijk warme arm zou ontwaren. Maar mijn moeder stond niet tussen de aanwezigen.

Ik weet niet, hier zo ver weg, of ze nog leeft. In mijn hoofd hoor ik nog het lieve hese lied waarmee ze mij in slaap zong. En ik hoor haar in de harmonie van de marimba's, in de uitgestrekte stilte van de savanne. Misschien is mijn moeder altijd alleen maar dat geweest: een zachte stem, een dun zijden draadje waaraan het volle gewicht van de wereld hing. Dat had ik Imani moeten antwoorden toen ze me vroeg of ik nog iets gehoord had van thuis, in Portugal.

Ik moest tussen vreemde zwarte mensen wonen om mezelf te doorzien. Ik moest op een verre obscure plek wegkwijnen om te beseffen hoezeer ik nog thuishoor in het dorpje waar ik geboren ben.

Misschien heeft Imani gelijk met haar spinnen en hun webben die de wereld genezen en de scheuren in onze ziel oplappen. Misschien heb ik in mijn ballingschap een vreemd genot aangekweekt om ziekten te verzinnen. Waaraan ik lijd heeft echter niets met geneeskunde te maken. In feite ben ik niet in Afrika ziek geworden, Excellentie, zoals al die anderen. Ik ben ziek geworden van Portugal. Mijn ziekte is niets anders dan het verval en de verrotting van mijn land. Eça de Queiroz schreef: 'Het is afgelopen met Portugal.' Hij zegt dat de tranen hem in de ogen sprongen toen hij dat opschreef. Dat is mijn en Uw ziekte: ons vaderland zonder toekomst, leeggezogen door de hebzucht van een handvol lieden, kromgebogen onder de grillen van Engeland.

Deze vervallen kazerne is niet verkeerd. En ik zit hier ook niet verkeerd. Zoals mijn opa terecht zei: wie het uniform aantrekt, ontdoet zich van zijn ziel. Als ik nu doodga, zult U niet het ongemak hebben mij terug te moeten sturen naar het vaderland: de naakte ziel heeft geen gewicht. Ik hoef geen reis, want geen mens zal zich mij herinneren.

Mijn moeder zei altijd dat er engelen waren. En ook al was ik een kind, toch geloofde ik in al mijn onnozelheid niet in die hemelse schepsels. Ze hadden iets zo treurigs dat ik niet in ze kón geloven. Nu pas begrijp ik dat. Het is niet dat er geen engelen kunnen bestaan. Misschien is er gewoon niet genoeg hemel om ook maar één engel te herbergen.

Hoofdstuk 27

De vlucht van de handen

Wat pijn doet aan de dood is de onechtheid. De dood bestaat slechts zolang er een kortstondige uitwisseling van afwezigheden plaatsvindt. De dode wordt herboren in een ander wezen. Ons leed is dat we niet onsterfelijk kunnen zijn.

'Misschien heb ik mijn moeder meer verloren dan jij die van jou,' zei Germano.

De sergeant omhelsde me hoffelijk. Hij was de dag waarop we onze moeder herdachten naar ons toe gekomen om ons nogmaals te condoleren. Ik was alleen op het erf toen hij zich met een somber gezicht aandiende.

'Ik weet niet of ik u wil zien.'

Het was alsof hij me niet hoorde, zijn handen bleven op mijn schouders liggen. Heel even twijfelde ik: waren het wel handen, zo gewichtloos, of waren het engelenvleugels? Zeker was alleen dit: de Portugees omhelsde mij lang. Nooit eerder was ik met zoveel overtuiging omklemd. Ik liet met me doen, rustiger dan een steen. In dat ene ogenblik verborgen alle vijftien jaren die ik had geleefd zich in de armen van die man. Ik was verbaasd over de onbeweeglijkheid van de sergeant, alsof hij ineens niet meer bestond. Geleidelijk aan werden zijn handen echter wakker en begonnen omlaag te glijden, ze verkenden mijn rug en voeren over mijn dijen. Ik was zo afwezig dat ik niet reageerde. Toen ik wilde protesteren, was ik mijn stem kwijt. Met kracht duwde ik de buitenlander van me af. Op dat moment was ik een kogel, een kogel die dwars door de vleugels van die engel kon gaan. Met zijn hoofd omlaag liep hij weg, zo fragiel dat ik hem bijna terugriep.

Die avond ging ik vroeg naar bed, in de hoop op een droom zo zacht als een streling. Maar die kreeg ik niet. Ik droomde over een immens vuur dat de nacht in vlam zette. Mijn moeder danste blootsvoets in de vlammen terwijl mijn vader een marimba bespeelde. Elke keer als hij een toets aansloeg, maakte een vleermuis zich los van de marimba en wervelde boven onze hoofden. Op een gegeven ogenblik pakte mijn moeder een smeulende brok houtskool, bracht die naar haar mond en slikte hem in één keer door. En zo, met een rode tong en gloeiende lippen, riep ze naar haar man: 'Ik voel het vuur niet. Mijn lichaam kent geen pijn. Neem dus van mij aan: ik heb er nooit iets van gevoeld als jij me sloeg.'

Katini ging door met spelen alsof hij haar niet hoorde. En zij wervelde rond het vuur en de marimba. Haar gezicht geheven verkondigde ze met trotse stem: 'Kijk, nu dans ik, man. Nu, en niet als jij het zegt.'

Daarna werd ze moe, en zwetend en trillend nestelde ze zich naast mij. Ik veegde het zweet weg en gaf haar water te drinken. En ik vertelde haar dat vader elke nacht een beetje tabak en meel neerlegde bij de boom waar zij zich had opgehangen. En dat hij daar urenlang voor zich uit bleef staren.

'Dat weet ik, kind. Je vader heeft me nog nooit zoveel gezelschap gehouden.'

En ik bekende haar mijn innerlijke twijfels. Vertelde over de Portugese sergeant die me tegelijk tegenstond en fascineerde. Hoe kon ik een man willen die ons zo verraden had?

'Wil je een man die niet liegt en bedriegt? Dan sterf je ongetrouwd, mijn lieve kind.'

*

's Morgens vroeg gooide ik de kleren die ik aanhad op de grond en bond alleen een capulana rond mijn bezwete lichaam. Ik spoedde me naar de kazerne, waar de Portugees met ontbloot bovenlijf voor de deur zat, met zijn oude kip op schoot, die hij langzaam streelde. Verrast en beschaamd wilde hij naar binnen gaan om zich aan te kleden, maar ik sprong voor hem en

Germano botste tegen me op. Toen fluisterde ik wulps: 'Omhels me, sergeant. Omhels me stevig.'

De man bleef stom en onbeweeglijk staan. Na een kort ogenblik keek hij benauwd om zich heen of er geen getuigen in de buurt waren.

'Alsjeblieft, kind...'

Ik nam hem zwijgend bij de hand en leidde hem naar binnen. Hij liep als een blinde en misschien daarom had hij niet gemerkt dat ik mijn capulana had laten vallen. Toen het tot hem doordrong dat ik naakt was, begon hij ongecontroleerd te rillen.

'Sergeant Germano, ik wil vrouw worden,' zei ik, en ik drukte mijn lippen tegen zijn bezwete gezicht.

Ik verwachtte dat hij me zou strelen, maar de militair was verlamd en keek wanhopig naar alle kanten.

'Ik ben een marimba,' fluisterde ik in zijn oor. 'De mannen die mij bespelen horen muziek die nooit eerder iemand heeft gehoord.'

'Het kan niet, Imani. Ik ben niet alleen.'

Er kronkelde een schaduw over de grond. Eerst was het niet meer dan het ruisen van een golvende rok. Daarna rees uit het halfdonker een blanke vrouw op, haar blonde haar los over haar schouders. Ik werd helemaal duizelig, alsof ik een harde duw had gekregen. Toen besefte ik dat ik nog nooit een vrouw van een ander ras had gezien. De blanken die ik had ontmoet, waren allemaal mannen. Verlegen draaide ik de capulana weer om me heen. Mijn stappen naar de uitgang werden gestuit door de bezoekster. Ze was lang en bleek, net als het gipsen Mariabeeld in de oude kerk aan zee. Door haar jurk, die over de grond sleepte, leek ze nog langer.

'Wie is dat?' vroeg ze aan de Portugees.

'Dat? Dat, nou ja, dat is een... een meisje dat af en toe iets voor me doet.'

'Ik kan wel zien wat dat voor iets is...'

'Kom zeg, Bianca, laat me niet lachen.'

De indringster draaide om me heen, keurde mijn lichaam zoals alleen een man zou kunnen doen.

'Denk maar niet dat je zomaar kunt opstappen,' richtte ze

229

zich op strenge toon tot mij. 'Ga zitten, hier, ik ben zo terug!'

Ze verdween in de gang en liet een spoor van zoet parfum achter. Met opgetrokken schouders fluisterde de Portugees dat het een Italiaanse vriendin uit Lourenço Marques was. Ze heette Bianca Vanzini Marini en stond bekend als de 'vrouw met de gouden handjes'.

'Zeg Dona Bianca tegen haar,' waarschuwde hij.

De bezoekster kwam terug met een dolk die half in een doek gedraaid zat. Ik rilde doodsbang. Om redenen van jaloezie zouden daar mijn dagen eindigen.

'Niet doen,' smeekte ik bijna onhoorbaar.

De Italiaanse trok een krukje bij en ging achter mijn stoel zitten. Ze pakte de dolk uit en beval me mijn hoofd recht te houden, terwijl ze haar vingers in mijn nek plantte. Ik begon wezenloos te huilen. Die ogenblikken duurden een eeuwigheid. Daarna begon de indringster langzaam mijn haar glad te strijken. En ineens kwam er een metalen kam tevoorschijn uit de doeken. Ik glimlachte opgelucht: wat ik had aangezien voor een dodelijke dolk was uiteindelijk een onschuldig voorwerp. De blanke vrouw mompelde met een raar accent: 'Laten we maar eens kijken wat we met dat mooie haar kunnen doen.'

Nog nooit had iemand me een compliment gegeven om mijn haar. Integendeel, mijn vader vond dat ik eigenlijk een hoofddoek moest dragen om die zonde te verbergen die mijn kroeshaar was. Terwijl ze me kamde zei de vreemdelinge: 'Jouw moeder heeft zich opgehangen in een boom. Ik ben naar Afrika gekomen om te sterven.'

Ze ging staan om beter te kunnen werken. Haar vingers kroelden door mijn warrige kroeshaar. Mijn nek bleef, nog altijd ongelovig, strakgespannen terwijl zij verder praatte.

'Ik zal je mijn verhaal vertellen. Daarom ben ik je aan het kammen. Ik heb van zwarte vrouwen geleerd dat er geen betere manier is om met elkaar te praten.'

Daar had de Italiaanse gelijk in. Als mannen vrouwen elkaars haar zien vlechten, denken ze dat ze alleen maar aan hun schoonheid denken, maar ze maken de tijd aangenamer.

*

Toen Dona Bianca de eerste keer in Mozambique was, werd ze zwanger, waarop haar man ervandoor ging, naar Zuid-Afrika, zeggen ze. Ze keerde terug naar Italië om daar haar kind te krijgen. De baby stierf echter onmiddellijk na de bevalling. Er was maar één manier om dat verlies te boven te komen: zelfmoord.

'Ik had de moed niet om volledig met alles te breken. Ik miste de grootheid van jouw moeder.'

Toen herinnerde ze zich dat er een plek op aarde was waar mensen makkelijk en vlug doodgingen: Lourenço Marques. Dat zou een mooie plek zijn om te sterven. Het zou allemaal gebeuren zonder drama, zonder bewuste ingreep: de hitte, de slechte lucht, malaria, de vuile, modderige straten, dat alles zou met haar afrekenen zonder dat ze zelf iets hoefde te doen.

En dus ging ze terug naar Afrika, om te sterven. In het huis waar ze kwam te wonen vond ze een album met foto's van opmerkelijke Portugese militairen. Op een van die foto's stond een aantrekkelijke man, stoer en elegant in zijn uniform en een vreemde melancholie op zijn gezicht. Het was Mouzinho de Albuquerque. In een fractie van een seconde zag de Italiaanse de dood in de blik van de kapitein. Ze zag in zijn ogen hetzelfde tragische lot als zij zozeer zocht voor zichzelf. Ze zeiden dat de knappe kapitein naar Mozambique zou komen. Dan wacht ik die dag af, zuchtte ze in stilte. Maar gek genoeg had die man – die ze alleen maar kende van een vergeelde foto – haar haar levenslust teruggegeven.

'Ik hoop hem op deze reis te ontmoeten. Om hem het leven terug te geven dat hij mij heeft gegeven.'

In Lourenço Marques had Bianca zo'n beetje van alles wat gedaan: ze had hoeden gemaakt, kleren genaaid en drank verkocht. En als ze niets had gehad om te verkopen, had ze zichzelf verkocht. Rijk was ze echter geworden in het kansspel. Ze had genoeg geld bijeen gegokt om niet meer te hoeven werken en was nu op reis gegaan naar Inhambane, waar ze de familie Fornasini wilde bezoeken, net als zij Italianen.

Toen Bianca haar relaas afsloot, slaakte ik een zucht van opluchting. De Italiaanse was niet Germano's vrouw, ze was gewoon op bezoek. En ik liet me wegzakken in de loomheid die haar bleke handen me hadden bezorgd.

*

Ver van de kazerne was de wanorde omgeslagen in algehele chaos. De opgedoken wapens wekten de indruk dat Nkokolani omsingeld werd vanuit het inwendige van de aarde. En er werd gerept van vervloekingen, wraak en tovenarij. Angst is de machtigste generaal. Uit de schoot van die caudillo kwamen nu de soldaten tevoorschijn die hunkerend wachtten op een bevel.

Terwijl Dona Bianca mijn haar aan het kammen was, hadden de dorpsbewoners zich verzameld op het plein. Er werd gevraagd om een *chidilo*, een groot bloedoffer, een plechtigheid gericht tot alle wezens uit het verleden. En ze wezen de mannen aan die naar de hoogste heuveltoppen moesten trekken. Die punten lagen voorbij de eerste versterkingen ter bescherming van het dorp. Daar, bij die khokholo's, zouden ze een geit slachten en praten met de geesten van 'heersers over de aarde'.

'In die buurt liggen beslist geen wapens verborgen,' verzekerde tante Rosi. 'Daar mag niemand graven, want daar liggen de eerste heersers over onze aarde.'

Musisi liep naast zijn vrouw aan het hoofd van de enorme, verschrikte menigte. Gewapend met de oude Martini-Henry, die aan een begrafenis was ontsnapt, marcheerde Mwanatu op een van de flanken. En hij stelde vast dat ze allemaal, zonder uitzondering, wapens droegen: kapmessen, dolken, assegaaien, pijl-en-boog, pistolen, karabijnen. Mwanatu vroeg ontzet: 'Waarom zijn we allemaal zo bewapend? Het lijkt wel of we oorlog gaan voeren...'

Niemand gaf antwoord. En de cipaio liet zich afzakken naar de staart van de stoet, alsof hij twijfelde aan de zin van dat geheel. En daar zag hij onze vader lopen. Mwanatu had nooit gedacht dat Katini Nsambe zich zou aansluiten bij die luidruchtige meute. Hij groette zijn verwekker met een ingehouden gebaar.

Toen hij zijn pas wilde versnellen om weg te komen van die

intrigerende aanblik, zag hij oom Musisi dichterbij komen en
hoorde hij zijn verhitte verontrusting: 'Heb jij orders gekregen
om alle wapens te begraven?'
Zonder op te houden met lopen knikte Mwanatu. 'Dat moest
van mijn moeder,' zei hij.
'Dan moeten we ook de wapens van de Portugezen wegwer-
ken,' merkte mijn oom op.

*

De karavaan dorpelingen stak in militaire formatie de rivier
over en worstelde zich door het struikgewas aan de overkant.
De wolken hingen die dag zo laag dat de krijgers moesten buk-
ken om hun lichaam niet kwijt te raken.
Verderop bleven ze staan voor een klein bos. Voor ze de kuil
groeven, bonden ze een witte lap aan de stam van een mafurreira en sprenkelden een paar druppels sterkedrank op het witte zand. Zo wisten de doden dat ze voortleefden in de herinnering.
En vervolgens begonnen ze als één man op het ritme van
viriel gezang verwoed de grond open te rijten. Uit de ingewanden van de aarde rees ineens deze verbazingwekkende aanblik
op: een enorm wapendepot schitterde in de zon en deed de
mannen verschrikt terugdeinzen en hun hakken en houwelen
wegwerpen. Met gespreide armen riep tante Rosi vlug de voorouders aan en smeekte hun om immuun te worden voor wrok
en tovenarij.
Toen ze van de eerste schrik bekomen waren, keken de mannen in de kuil. Daar hoopte zich oorlogstuig in een nooit eerder
geziene verscheidenheid op: kanonnen, mitrailleurs, alle soorten geweren en munitie, het merendeel nog ingepakt in kisten
die half waren weggerot.
Oom Musisi klom op een termietenheuvel en overzag de
menigte. Zijn schorre stem zweefde boven de stilte: 'Het is
treurig wat er met ons gebeurt, beste mensen. Zijn we bang
voor vreemdelingen die van ver komen om ons te overheersen?
We kunnen beter bang zijn voor onszelf, omdat we onze ziel
verliezen.'

Toen maakte mijn vader zich los uit de groep en nam het op tegen Musisi.

'De mensen willen vrede, beste zwager.'

'Willen jullie vrede? Laat dan deze schuilplekken met rust. Als de aarde vergeven is van de wapens, des te beter. Geweren geven meer te eten dan hakken.'

'Laten we teruggaan naar Nkokolani, mensen...'

'Nkokolani is niet meer van ons.'

'Maar broer...'

'Noem me nooit meer broer, jij bent een broer van de blanken...'

Mijn vader boog zijn hoofd maar trok zich niet terug. Hij had nog iets te zeggen. En hij verkondigde met luide stem: 'Ik heb een verklaring voor alles wat er gebeurt.'

De verklaring was eenvoudig: de aarde is een schoot. Wat zich in die aarde bevindt dient om verwekt en vermenigvuldigd te worden. Als er dus wapens in de grond worden gestopt, denkt de aarde dat het gaat om zaden en zorgt ervoor dat die materialen ontkiemen en groeien alsof het planten zijn. Dat zei Katini Nsambe, wiebelend op een boomstronk.

'De aarde is in de war, mensen,' voegde hij eraan toe. 'Ik ben erbinnenin geweest en weet waarover ik praat. Heeft mijn vrouw zaliger gezegd dat we alle wapens moeten begraven? Dan moeten we dat gewoon doen.'

Zonder de reactie van zijn toehoorders af te wachten, stapte mijn vader van zijn geïmproviseerde platform af en ging weer op in de menigte. Mijn oom genoot even van de terugtocht van zijn tegenstander en liet een stilte ontstaan, die aanzwol. Pas daarna begon hij weer te praten, om duidelijk te maken dat hij het laatste woord had: 'Luister naar wat ik zeg: er worden geen gaten meer gegraven. En er worden geen wapens uit de kuilen gehaald die jullie links en rechts gegraven hebben.'

Hij, Musisi, was de enige die de doden vertrouwden. Ze klaagden tegen hem dat ze zich vergeten en in de steek gelaten voelden. En ze vroegen met klem om niet ontwapend te worden.

'We moeten hen hun wapens laten houden,' vervolgde Musisi. 'Dat vragen ze aan ons: dat die gaten dicht worden gegooid met alles wat erin zit. Hebben jullie dat gehoord?'

De aanwezigen keken vol inkeer en ontzag naar de grond. Mijn broer Mwanatu liep door niemand opgemerkt om de menigte heen en posteerde zich naast de termietenheuvel. Toen begreep iedereen dat hij nu de lijfwacht van zijn oom Musisi was.

'Wanneer de volgende oorlog uitbreekt, zijn de doden mijn enige leger. Willen jullie dat?'

En ze antwoordden in koor van niet. Vanaf zijn hoogte stak mijn oom zijn arm op alsof het een vlag was en verkondigde: 'Laten we dan nu naar de kazerne van de Portugees gaan en alle wapens daar weghalen. Die wapens moeten overgaan in onze handen. Als zij ons niet verdedigen moeten we dat zelf doen.'

*

Toen ze terugkwamen in het dorp, werden de mannen tegengehouden door de vrouwen, die samendromden op het plein. Een golf van protesten ging door die andere menigte. De dikste vrouw reclameerde als eerste: 'We hebben geen land meer om op te zaaien. We moeten hier weg, anders gaan we dood.'

'Er zijn zoveel wapens geplant dat de regen en de rivier vol roest zitten,' voegde een andere vrouw eraan toe.

'En nog erger,' krijste een derde, 'we kunnen niet eens meer doodgaan. Waar zouden ze ons moeten begraven?'

En de goddelijke boodschap was volgens hen overduidelijk: er zat niets anders op dan te emigreren. Er zijn plaatsen waar mensen hun land hebben moeten verlaten. In Nkokolani had het land de mensen verlaten.

Oom Musisi, die het allemaal zwijgend had aangehoord, duwde de vrouwen voor hem weg terwijl hij zijn kameraden opriep: 'Zeg, we zijn toch geen vrouwen? Laten we ons tegenhouden door dat gejammer, dat weeïge geklets? Kom op, mannen, we gaan naar de kazerne en halen daar eindelijk de wapens weg die van ons zijn.'

*

Sergeant Germano de Melo keek naar het plein en zag de grootste schrik van iedere Europeaan bevestigd: duizenden zwaarbewapende negers die als donkere mieren uit het niets komen aanlopen met de razernij van een plotseling opgestoken storm. En dat was wat er opdoemde voor zijn blauwe ogen, die groen werden van angst. De ge.lederen waren nog ver weg, maar hij haastte zich om zijn verdediging op te bouwen. Hij rende naar het krakkemikkige kruithuis om het enige wapen dat het nog deed te pakken: een mitrailleur en een aantal patroongordels. Hij barricadeerde de deuren met zware kogeldozen en deed hetzelfde met de ramen.

Daarna rende hij terug naar huis. Tot zijn verbazing stond de deur open en hij schrok toen hij mij en de Italiaanse naar buiten zag staan gluren door de kieren in de houten luiken.

'Hebben jullie gezien wat daar aankomt? Ik ben de klos.'

'Ik kwam u waarschuwen,' legde ik uit.

'Daar ben je dan wel laat mee, nu kan alleen God mij nog beschermen. Wacht hier op mij, verroer je niet. Even mijn bijbel halen...'

Hij stormde als een wildeman de slaapkamer in, waarbij hij bijna op zijn kip trapte, en ik hoorde nog de doffe klap van zijn lichaam dat tegen de grond sloeg. Ik snelde toe. De sergeant was gestruikeld over een geit die door het huis zwierf. Hij zat op handen en knieën met zijn neus tegen de snuit van het beest. Toen pas zag hij dat er een wittige brij uit de bek van de geit kwam. Met geweld trok Germano de kaken van de herkauwer open en liet vervolgens de fijngekauwde resten van een boek op zijn handpalmen zien.

'Mijn bijbel,' jammerde hij. 'Die stinkgeit heeft mijn bijbel opgevreten.'

Inderdaad, de bijbel was opgekauwd. Of meer nog: herkauwd. Het goddelijke woord, waar hij zo dringend naar op zoek was, fijngemalen door een geit. Ik zocht op de grond naar restjes van de Heilige Schrift, terwijl Germano de Melo haastig naar het raam liep. Ik vond nog een paar bladzijden en hield ze voor de hallucinante blik van de sergeant.

'Dit is er nog van over,' liet ik hem bang weten.

De kletsnatte vellen papier vielen op de vloer. De militair

raakte ze nog aan met zijn vingertoppen, maar hij stond met-een weer op en dreef de geit al schoppend naar buiten. Bij de buitendeur vuurde hij een schot af waardoor de kop van het beest uiteenspatte. Een van zijn hoorns werd met kracht de ka-mer in geslingerd en tolde over de grond alsof hij levend was.

Daarna stelde de sergeant de mitrailleur die hij uit het kruithuis had gehaald op bij het raam. 'Weg jullie, ga naar de slaapkamer,' beval hij met een onherkenbare stem. Ik gehoor-zaamde niet. Ik merkte dat de Portugees met de geladen mi-trailleur mikte op de menigte, die luidruchtig naderde. En ik zag dat mijn broer Mwanatu vooropliep. Ik gilde: 'Niet doen, sergeant! Niet schieten!'

Hij gaf geen antwoord. Hij draaide de loop van het wa-pen naar mij en zijn blik verried zijn intentie. Hij zou op mij schieten als ik hem afleidde van zijn obsessieve bedoelingen. Ik haalde de Martini-Henry van de muur, die daar al die tijd had gehangen. Toen ik hem opnieuw riep, had de sergeant al het eerste schot gelost. Eerst keek hij me van opzij aan, maar vervolgens kende zijn ongeloof geen grenzen. Hij had slechts tijd om zijn handen voor zijn gezicht te slaan en toen het schot weerklonk, werd mijn lichaam achteruitgeslingerd en werd ik doof van de knal.

Hoofdstuk 28

Laatste brief van de sergeant

Inharrime, 26 augustus 1895

Edelachtbare heer
Luitenant Ayres de Ornelas,

U zult wellicht vreemd opkijken van dit handschrift, maar het is toch Uw nederige dienaar, sergeant Germano de Melo, die dit schrijft, of liever, die dit laat schrijven. Het handschrift is van Imani, en als er nog meer brieven zullen volgen, zal zij die ook schrijven, gedicteerd door mijn stem. De reden is heel eenvoudig: de angst die me zo vaak heeft gegrepen, is thans omgeslagen in werkelijkheid. Ik heb geen handen meer, ze zijn weggevlogen als engelenvleugels, afgerukt door een kogel die van dichtbij werd afgevuurd. Degene die op mij heeft geschoten was de vrouw die in mijn hart zit, de vrouw die mij talloze malen mijn handen heeft teruggegeven waarvan ik ijlend dacht dat ik ze niet meer had. Als ik deze buitengewoon zware verwonding overleef, doe ik Silva Maneta concurrentie aan, de deserteur die uiteindelijk een held werd. Misschien wordt mij amnestie verleend en kan ik trots door de straten van Lourenço Marques rijden. Of wie weet krijg ik wel een standbeeld in Lissabon, op het Terreiro do Paço. Anders dan alle andere, die het hele lichaam laten zien, zonder enige amputatie.

Toen het noodlottige schot gelost was, verloor ik het bewustzijn. En toen ik weer bij mijn positieven kwam, werd ik naar een grote prauw gedragen. Katini, Imani's vader, en Mwanatu, haar trouwe broer, roeiden het vaartuig ver weg van Nkokolani. Ze roeiden tegen de tijd, roeiden tegen de stroom op. Bianca

238

en Imani zaten achterin en deden het verpleegwerk.

We waren op weg naar de enige arts in de streek, een Zwitser met de naam Liengme. Hij had een veldhospitaal bij de bron van de Inharrime en hoewel hij een tegenstander was van Portugal, was hij mijn laatste hoop op redding. Ik lag uitgeteld op de bodem van de prauw en zag figuren uitgesneden in het felle maanlicht terwijl ik naar de eerst doffe, maar later heldere stemmen luisterde. Af en toe boog een gestalte zich over mij heen: Bianca, die mijn geïmproviseerde verband verschoonde en mijn wonden waste, waar ik niet naar durfde te kijken. De rivier leek een zilveren spiegel en op dat tijdstip waren de nijlpaarden al uit het water gestapt om te grazen op de oevers.

Plotseling lichtte aan de horizon een rode gloed op: ergens in de schoot van de nacht werd een enorm vuur ontstoken.

'Ze hebben ons al gezien,' zei Katini.

Dat vuur was waarschijnlijk het teken waarmee het ene dorp alle andere de komst van blanken aankondigde.

'En die blanken, zijn wij dat?' vroeg ik.

'Ja. Ze geloven dat dit een boot van het leger is en dat wij wapens vervoeren...'

Naderhand werd duidelijk dat het geen waarschuwingsvuur was. Uit het rode hart van dat vuur knalde namelijk een enorme explosie. De steekvlammen schoten zo hoog op dat ze alle weidegronden verlichtten. De prauw voer naar de oever en bleef daar verscholen onder dicht geboomte liggen. Onverwachts sprong Bianca aan land en zette het op een rennen in de verlichte wildernis, als een nachtvlinder aangetrokken tot dat grillige licht. Ik ging rechtop zitten om het opmerkelijke schouwspel beter te kunnen zien en getuige te zijn van de waanzin van de Italiaanse, die zich overgaf aan de verschrikkelijke brand. We schreeuwden dat ze niet verder moest gaan, smeekten haar om terug te komen. Maar zij bleef rennen als een gek. Krankzinnig. Katini schreeuwde tegen zijn dochter dat ze haar moest gaan halen.

Hoewel ze eerst aarzelde, rende Imani toch achter de gek geworden Italiaanse aan. Toen klonk er ineens een harde donderslag en een werveling van rook en stof omhulde ons. En als een spook in het holst van de nacht doemden de paarden op. Ze draafden in wilde galop, hun manen vatten vlam door vonken en hun ogen werden verblind door de schittering van de brand. Ze renden langs ons heen als gevleugelde schepsels van de Apocalyps. En verdwenen. We hoorden nog enige tijd het geluid van de hoeven dat wegebde in het donker.

Daarna begonnen we stemmen te horen. Iemand schreeuwde in het Portugees. Uit het donker dook een militair op die zonder acht te slaan op ons in de duisternis tuurde die de verschrikte paarden had opgeslokt. Met een vurig gezicht staarde Dona Bianca naar de onbekende, en ineens knielde ze voor hem neer en vouwde haar handen, alsof ze een goddelijke verschijning had: 'Kapitein Mouzinho! Het is niet waar!'

'En wie bent u?'

'Ik ben Bianca, ik ben voorbestemd om u te ontmoeten.'

'Dit is geen plek voor een vrouw. Hoe bent u hier verzeild geraakt?' vroeg de kapitein.

We luisterden vanuit onze boot naar dat verbazingwekkende gesprek en tot op de dag van vandaag heb ik moeite om het te geloven. Maar Mouzinho, of wie die landgenoot van mij ook was, liet zijn blik heel even op Imani rusten, alsof hij een uitleg zocht voor de aanwezigheid van die blanke vrouw. Het gezicht van de kapitein was een masker: hij vertrok geen spier. Hij leek volkomen rustig, maar volgens Imani keek hij uit zijn ogen zoals wilde dieren naar vuur kijken. En onmiddellijk daarna liet hij de twee vrouwen voor wat ze waren en deelde orders uit aan de soldaten die nu om hem heen stonden: 'Pas op, want er kunnen overal vijanden verborgen zitten. Dit vuur kan een valstrik zijn, een hinderlaag van die verdomde Vátua's.'

Het felrode licht accentueerde de bleekheid van de blanke militairen die in het donker een bevestiging van hun diepe angst zochten. Daarna vertrokken ze halsoverkop. Samen met hun commandant verzonken ze in de stikdonkere nacht.

Vriendin Bianca kwam aan de hand van Imani terug naar de boot alsof ze een catharsis beleefde. De jonge negerin had een van de soldaten horen vertellen wat er gebeurd was: het kamp van de Portugezen was in vlammen opgegaan en door het vuur was alle munitie ontploft en waren de paarden op hol geslagen. Die felle brand, zei Imani, was niets vergeleken met de angst

240

die in de ogen van de soldaten vlamde. Dat was een eeuwen-oude angst die in elke gestalte monsters uit de oertijd zag. Het vuur was al aan het doven, maar de monsters verscheurden nog de ziel van de jonge militairen.

Bianca was stil, verstard. Ze gaf gehoor aan ons aandringen om zich net als wij te verbergen in de prauw. En we roeiden in alle stilte verder, om niet de schietschijf van die doodsban-ge soldaten te worden. Bang als ze waren zouden ze ons arme bootje met kogels doorzeefd hebben.

Ik ging weer op de kille bodem van de prauw liggen, rillend van pijn en emotie. Ik had mezelf gezien in de wijd openge-sperde ogen van de paarden. Er draafde een rivier in mij, en ik zonk langzaam weg in die troebele diepte waar alles water is.

Hoofdstuk 29

De weg van water

I've known rivers:
I've known rivers ancient as the world and older than the
flow of human blood in human veins.
My soul has grown deep like the rivers.

I've known rivers:
Ancient, dusky rivers.
My soul has grown deep like the rivers.

Regels uit het gedicht 'The Negro Speaks of Rivers' van
Langston Hughes

Voor in de prauw roeiden mijn vader en mijn broer met alle
kracht die ze hadden tegen de stroom op. Midden in het bootje
lag de sergeant. Wat hij nog overhad van zijn armen was in
met bloed doordrenkte lappen gedraaid. Het verdwijnen van
zijn armen – wat eerst alleen maar een hersenschim was geweest – was werkelijkheid geworden. De sergeant zou nooit
meer zijn blik op zijn eigen vingers kunnen richten.

Het bloed vormde geleidelijk aan een plas en elke druppel
viel boven op mijn schuld. Op mij, die hem zo vaak een onge-
deerd lichaam had teruggegeven, daalde steeds weer de schuld
neer van het wegvliegen van zijn handen.

De Italiaanse Bianca zat ook bij ons. Van tijd tot tijd draaide
de vrouw de doeken van de jammerende sergeant los en haalde
ze door het water van de rivier. Een vlek kleurde de Inharrime
rood.

'Ken je het verhaal van deze rivier?' vroeg de Europese me.

En zonder mijn antwoord af te wachten zei ze dat Vasco da Gama hem ook al een naam had gegeven, de Rio do Cobre. En iemand had haar verteld dat de koning van Gaza op de zuid-oever een fortuin aan gouden pond sterling had begraven. 'Maar niks koper en niks goud: het enige wat je hier hebt is onkruid en stenen.' Zo sprak Bianca, waarna ze zich hardop afvroeg: 'Waarom moeten we toch altijd zo nodig een naam ge-ven aan dingen die van niemand zijn? En vertel me eens, schat: hoe zijn ze er in godsnaam bij gekomen om mij de "vrouw met de gouden handjes" te noemen?'

Ik luisterde niet meer naar haar en liet me wegzakken in het gevoel dat me de adem beneemt sinds ik een paar uur geleden op sergeant Germano heb geschoten. Ik weet dat ik dat deed om mijn broer te redden, maar dat is niet voldoende om tegen het lijden te kunnen dat ik op zijn gezicht zie. Sinds ik in de prauw ben gestapt heb ik aan één stuk door naar hem gekeken, alsof mijn blik hem verlichting kan brengen omdat zijn smar-telijke pijn verdeeld wordt over twee zielen.

De armen van de sergeant waren steeds blauwer geworden. Het was een vreemde verkleuring, die extra kracht kreeg door het kruit dat hem had verschroeid. Ook zijn gezicht had een blauwe tint gekregen. Het leek alsof er geen grens lag tussen het blauw van zijn ogen, het blauw van zijn huid en het blauw van de rivier. De man kreunde met open mond. De Italiaanse zei dat hij mijn naam riep. Ik deed alsof ik het niet hoorde. Ik was bang dat hij me wilde laten bevestigen dat hij zijn handen nog had, nu hij ze definitief kwijt was. Op een bepaald mo-ment moest ik me echter wel over zijn zieltogende gezicht bui-gen. Ik meende te horen dat hij mij een brief wilde dicteren, een dringende brief aan de 'edelachtbare heer'.

Onze tocht werd onderbroken door een bijzonder vreemd voorval. Op de linkeroever van de rivier verspreidde een reus-achtige brand zoveel licht en vuur dat de nacht in dag ver-anderde. De Italiaanse sprong uit de boot en rende wild weg. Toen ik haar ging halen, kwamen we uit bij Portugese soldaten die op hol geslagen paarden achternazaten.

Toen we terugkwamen bij de prauw, was de Italiaanse erg in de war en herhaalde ze onafgebroken: 'Ik heb hem gezien, ik heb hem gezien!' Mijn vader zei dat ze stil moest zijn, want hij was bang dat de militairen, verschrikt als ze waren, ons als vijandelijk doelwit zouden beschouwen.

En we roeiden zwijgend door tot het licht werd. Die vreemde gebeurtenissen hadden me afgeleid, maar zodra de zon opkwam, begon het schuldgevoel weer aan me te knagen en zonder het te beseffen rolden er dikke tranen over mijn wangen.

'Toe, niet huilen, Imani,' smeekte Bianca.

'Laat haar toch huilen, mevrouw,' viel mijn vader haar in de rede. 'Die tranen zijn niet van haar.'

En Bianca glimlachte minzaam. Ze was weer tot zichzelf gekomen, alsof ze niets meer wist van wat er 's nachts gebeurd was. Wel was ze triester, terneergeslagen, en haar gebaren waren afgemetener. Sinds ze weer in de prauw zat en hersteld was van haar zinsbegoocheling, deed de Italiaanse alle recht aan de bijnaam waarmee haar handen verguld waren: ze speelde met verve de rol van verpleegster. En met kille afstandelijkheid zei ze bij wijze van troost tegen de sergeant: 'Twee of drie vingers zijn denk ik nog wel te redden.'

'Naar de hel met die vingers,' snauwde Germano. 'Ik ben er geweest, beste vriendin. Het is afgelopen.'

'Och wat, Germano, jij draagt mij nog naar het graf.'

'Je hebt een grappig accent, Bianca, ga alsjeblieft door met praten, blijf praten.'

De verkeerde uitspraak van de Italiaanse maakte het Portugees zachter. Haar klinkers waren voller en ze haalde de scherpe kantjes van de medeklinkers af. Bij pater Rudolfo zou ze zonder meer zijn gezakt. Hier werd de dubbele moraal duidelijk. Blanken mogen op allerlei manieren praten: dat heet dan een accent hebben. Alleen ons zwarten is een afwijkend accent niet toegestaan. Het is niet voldoende dat we de taal van de anderen spreken. We mogen in die andere taal niet langer onszelf zijn.

*

Er zijn veel dingen die Bianca niet weet. Zo begrijpt ze het niet als mijn vader zegt dat mijn tranen niet van mij zijn. Die tranen zijn van een innerlijke rivier die overstroomt door onze ogen. Wij in Nkokolani weten dingen die je niet kunt uitleggen in een andere taal. Wij weten bijvoorbeeld hoe mijn kleine zusjes werden meegesleurd door het hoogwater. Mijn moeder huilde, ze huilde elke nacht, maar geen van haar tranen bracht hen terug. Moe van het huilen voer mijn moeder naar de oorsprong van alle rivieren. Die bron is geen plaats waar je een naam aan geeft. Het is de eerste schoot waar degenen die komen en degenen die gaan zich verstrengelen. Dat weet de Italiaanse allemaal niet.

Als ze op een rivier vaart, ziet Dona Bianca de tijd. In het voorbijglijden van de stroming neemt ze datgene waar wat nooit meer terugkomt. Voor ons daarentegen is de tijd een druppel water: die ontstaat in de wolken, valt in zeeën en rivieren en daalt opnieuw neer bij de volgende regenbui. De monding van de rivier is de oorsprong van de zee.

De Italiaanse had het over de namen van de rivier. Toen ze die noemde, voelde ik me ongemakkelijk, want ze sprak alsof het water van de Inharrime van haar was. In feite weet Bianca totaal niet hoe rivieren ontstaan. Omdat ze alleen maar denkt aan namen, ontgaat haar de geschiedenis. De Italiaanse weet niet dat toen alles begon, toen de aarde nog geen bezitters had, de rivieren en wolken zich onder de grond bevonden. Toen kwam de duivel en die stak zijn vinger in het zand. Met zijn lange nagel groef hij in de diepte. Hij zocht stenen die glinsterden in het zonlicht. Onze moeders smeekten de goden om de sterren te beschermen die ze onder het zand hadden verstopt. Ze smeekten om de duivel te laten ophouden met het weghalen van de glinsterende mineralen en die niet langer over te dragen aan de hebzucht van degenen die rijk wilden worden. Maar de duivel hield niet op, want hij had onder de machthebbers lui die tot hem baden. En zijn nagels braken af en zijn lange dunne vingers bloedden. Voor het eerst stolde het besmette bloed van de duivel in de schoot van de aarde. De bodemschatten waren vervloekt. De wolken en rivieren verlieten de schoot van de planeet om aan die vloek te ontsnappen. En ze werden de aders en het haar van de aarde.

Dat is de geschiedenis van de rivieren. Mensen kunnen hun

water weghalen tot ze droog staan, maar ze zullen nooit hun geschiedenis stelen. Nu begrijp ik dat ik heb leren schrijven om beter verslag te kunnen doen van wat ik heb meegemaakt. En in dat verslag vertel ik het verhaal van degenen die niet kunnen schrijven. Ik doe net als mijn vader: in het stof en in de as schrijf ik de namen van hen die gestorven zijn. Opdat zij opnieuw geboren worden in de voetsporen die we achterlaten.

Het is vreemd hoe afscheid de duur van de tijd verkort. Mijn vijftien jaar zijn voor mij voorbijgeflitst. Mijn moeder heeft nu het lichaam van een kind en ze krimpt verder, tot ze de omvang van een vrucht heeft. En ze zegt tegen mij: nog voor je geboren werd, nog voor je het licht zag, had je al zeeën en rivieren gezien. En er scheurt iets in mij, alsof ik weet dat ik nooit meer terug zal gaan naar Nkokolani.

Nawoord

Stemmen rond de veranda

'Het huis waar ik als kind woonde, was een verzamelplaats van stemmen,' schrijft Mia Couto in de Portugese editie van het tijdschrift *Granta* als antwoord op de vraag wanneer hij schrijver is geworden. Dat huis stond in Beira, de tweede stad van Mozambique, ruim duizend kilometer ten noorden van Maputo. Of Lourenço Marques, zoals de hoofdstad van het extreem langgerekte Mozambique in 1955 nog heette, toen Mia (officieel António Emílio) geboren werd als zoon van een echtpaar uit Porto. Emigranten uit Portugal dus. Zijn vader, Francisco Couto, was journalist en dichter, zijn moeder, Maria de Jesus, huisvrouw. Het heimwee naar 'thuis' werd gelenigd door verhalen te vertellen. Een stem te geven aan hun eigen kinderjaren, aan familie en vrienden, aan de stad die ver weg was. Als je niet meer thuis kunt leven, leef je in je taal. Op die manier kreeg Mia Couto zijn land van afkomst, niet herkomst, met de paplepel ingegeven.

Maar er was meer. Zijn ouderlijk huis, zo schrijft hij, telde veel kamers en gangen, en er werkten, zoals gebruikelijk bij Portugese families in de kolonies, Afrikaanse vrouwen in en Afrikaanse mannen rond het huis. Die een ander Portugees spraken en daarnaast een eigen taal hadden. En ook zij vertelden verhalen, bijvoorbeeld aan de keukentafel, die het kind dat Mia was gretig in zich opnam.

Om het hele huis heen liep een veranda, die de overgang markeerde tussen de Portugese beslotenheid van het gezin en de Mozambikaanse werkelijkheid, die zich op straat afspeelde. Daar speelde het blonde kind met de andere, zwarte kinderen uit de buurt, en daar leerde het zich uit te drukken in de taal die die andere kinderen spraken, Cissena, de hoofdtaal in het stroomgebied van de Zambezi.

Door die drie-eenheid – huis, veranda, straat – werd de basis gelegd voor Mia Couto's schrijverschap. Vanaf zijn eerste boek, de verhalenbundel *Vozes anoitecidas* ('Verschemerde stemmen', maar in het Nederlands uitgegeven als *De dag waarop Mabata-bata explodeerde*) laat hij al die stemmen opklinken, in een bijzonder Portugees, waarin woorden uit Afrikaanse talen zijn opgenomen. Dat is op zichzelf nog niet zo bijzonder. Het gebeurt wel meer, al was het maar voor de couleur locale. Couto gaat echter verder. Niet alleen vertaalt hij uitdrukkingen en manieren van praten naar het Portugees, hij verandert dat Portugees ook door geheel nieuwe woorden te vormen, die hem als het ware worden ingefluisterd door de stemmen van veranda, huis en straat in Beira. Zijn poëtische neologismen hebben hem beroemd gemaakt, omdat ze uniek zijn.

Mia Couto was net aan een studie biologie begonnen in Maputo, toen in Portugal de Anjerrevolutie plaatsvond, op 25 april 1974, die uiteraard ook consequenties had voor de kolonies. Hij had zich al aangesloten bij de op marxistische leest geschoeide bevrijdingsbeweging FRELIMO, waarvoor hij pamfletten schreef, later gevolgd door reportages, en in 1975 werd hij directeur van een krantenuitgeverij. Een jaar later begon een bloedige burgeroorlog, omdat de anticommunistische RENAMO, eerst gesteund door het toenmalige Rhodesië, later door Zuid-Afrika, de alleenheerschappij van het FRELIMO betwiste. Zestien jaar lang zou het conflict duren, waarin het land werd bezaaid met landmijnen, de infrastructuur werd vernield en mensen massaal naar de steden vluchtten. Pas in 1992 werd er vrede gesloten. De bevrijdingsbewegingen werden omgesmeed tot politieke partijen en in 1994 volgden de eerste verkiezingen.

Die burgeroorlog is het onderwerp en de achtergrond van de magistrale roman *Slaapwandelend land*, die uitkwam in het jaar van de vrede. Drie werelden komen hier samen: de relicten van het Portugese kolonialisme, de nieuwe marxistische orde en de aloude tradities met hun mystieke en fantastische gebeurtenissen. De bewoners van die werelden dansen om el-kaar heen en de feiten lijken van elastiek, zo rekbaar zijn ze in werkelijkheid en beleving. 'Kijk dan en luister,' lijkt Mia Couto telkens weer te zeggen, 'niets is wat het lijkt.' Wapens worden vergeleken met planten, de natuur zelf wordt een wa-pen. De erfenis van de burgeroorlog is overal aanwezig, ook nu nog, hoeveel landmijnen er ook al onschadelijk zijn gemaakt. Machinaties van heersers en handlangers zijn van alle tijden. Net zoals de slachtoffers.

Wie Mia Couto leest (er is nog een derde boek in het Ne-derlands vertaald: *De laatste vlucht van de flamingo*), zal eerst wellicht wat vreemd opkijken van de versmelting, of noem het gelaagdheid van zijn romans, die soms wat vreemd aandoen, maar wie zich ervoor openstelt, wordt ruimschoots beloond door de altijd poëtische en vernieuwende stijl. In soms aan-grijpende, soms komische taferelen vertelt Mia Couto het ver-haal van wantoestanden in een zich overeind worstelend land dat de wonden van jarenlange onderlinge strijd nog likt. Een geschiedenis van ontvreemding van hulpgoederen, handel in wapens, gesjoemel met mijnen en van handel in drugs. Maar, nogmaals, hoe realistisch de thematiek ook is, hij schrijft geen realistische romans, maar hanteert een mengvorm van sprook-jes, parabels, allegorieën en bij oude verteltradities aansluiten-de verhalen. En bijna altijd is er sprake van een dubbel per-spectief, waardoor het verhaal van twee kanten kan worden belicht. Als verhaal en als commentaar, in de vorm van brieven of dagboekfragmenten. Zo ook in dit *Vrouwen van as*, zijn tien-de roman, waarin hij terugkeert naar de negentiende eeuw.

Het waren roerige tijden voor Afrika, de twee laatste decennia van de negentiende eeuw. De Europese mogendheden aasden op gebieden voor de aanvoer van grondstoffen voor hun steeds veeleisender industrie. Na lang onderhandelen tijdens de Con-ferentie van Berlijn werd het continent in 1885 verdeeld tussen Engeland, Frankrijk, Italië, Duitsland, Spanje en Portugal, dat precies vier eeuwen eerder het huidige Angola had 'ontdekt' en een kleine vijftien jaar later met Vasco da Gama aan de an-dere kant had aangemeerd op weg naar India. Het koninkrijk

(Portugal veranderde pas in 1910 in een republiek) vond dat het recht had op de hele gordel van Angola tot Mozambique. Engeland had echter zijn zinnen gezet op het centrale bekken, zo rijk aan ertsen (koper!), en betwistte de Portugese aanspraken met het argument dat het kleine land niet daadwerkelijk aanwezig was in een groot deel van zijn kolonies, een gunstige vereiste voor het recht op aanspraak dat Londen snel uit de hoge hoed had getoverd. Wat overigens ook klopte, want de koopvaardij had genoeg aan de kust en de aanvoer van slaven uit het binnenland was altijd overgelaten aan Arabieren en zogenaamde *pombeiros*, zwarte Afrikanen die in dienst waren bij de grote handelaren in Luanda en Lourenço Marques. Desondanks was de verontwaardiging groot in Lissabon, dat twee dingen deed.

In de eerste plaats werden in allerijl expedities uitgezonden die het hele terra incognita moesten doorkruisen en in kaart brengen met als politiek oogmerk: samenvoeging van de twee kolonies Angola en Mozambique en de schepping van een groot Portugeestalig Afrikaans rijk. Waarvoor uiteraard een verbindingsroute over land gezocht moest worden. Twee legerofficieren, Hermenegildo Capelo en Roberto Ivens, slaagden erin van de Angolese naar de Mozambikaanse kust te trekken en schreven een boek over dat huzarenstukje, dat in 1886 verscheen, in twee delen: *De Angola à Contra-Costa*.

In de tweede plaats ontketende Portugal een diplomatiek offensief. Op basis van het boek van Capelo en Ivens bracht het zijn aanspraken in beeld via de zogenaamde *mapa cor-de-rosa*, de 'roze landkaart'. Helaas was het al te laat, de koek was verdeeld en het Britse Rhodesië scheidde de twee kolonies ook staatkundig. Verder was het uitsluitend aan de perikelen in Zuid-Afrika te danken dat Mozambique behouden bleef voor Portugal: Engeland had de haven van Lourenço Marques hard nodig om wapens en manschappen aan te voeren in de strijd tegen de Boeren. Als dank voor de steun werd de Portugese kolonie niet opgeslokt door Albion.

Maar Engeland was niet het enige probleem waar Portugal mee te kampen had. Ook in de kolonie zelf rommelde het voortdurend, met name in de zuidelijke helft. Het Afrikaanse continent kent een lange geschiedenis van koninkrijken en volksverhuizingen. Meestal gepaard met oorlogen, vaak met slavenhandel. Vasco da Gama meerde dan ook in 1497 niet bepaald aan in niemandsland. Vanuit het huidige Nigeria waren in de loop der eeuwen Bantoe-volkeren steeds verder afgezakt naar het zuiden. Daaronder ook de Nguni, waartoe de Zoeloes behoorden.

De relatieve rust in Mozambique, tussen de weinige Portugezen aan de zee en de verschillende Afrikaanse bevolkingsgroepen verder in het binnenland, werd in de eerste helft van de negentiende eeuw verstoord door het oprukken van een Nguni-koning, die in het dal van de Rio Limpopo, op Portugees gebied dus, het Gazarijk stichtte, met als hoofdstad Chaimite. Portugal stuurde een gezant om vrede te sluiten, maar Manukosi wees die vrede resoluut af. Bij zijn dood ontstond een felle strijd om de opvolging tussen twee broers, Mawewe en Muzila. De eerste won en Muzila vluchtte met zijn in 1850 geboren zoon Ngungunyane (in Portugal bekend als Gungunhana, lees 'Goengoenjana') naar Transvaal. Toen Mawewe Portugal onder druk zette en dreigde te verjagen, zag Muzila zijn kans schoon, zocht toenadering tot Lourenço Marques en verkreeg de Portugese nationaliteit. Met tijdelijke steun van de Boeren werd Mawewe in 1864 definitief verslagen en begon Muzila een eigen schrikbewind, dat twintig jaar aanhield.

In 1884 kwam, na opnieuw een broederstrijd, Gunganhana aan het bewind. Hij probeerde tussen alle partijen – Portugezen, Engelsen en Boeren – door te laveren, sloot wisselende pacten en maakte vazallen. De Leeuw van Gaza, zoals hij werd genoemd, hield het ruim tien jaar vol in dit broeinest van politieke en economische belangen, want drie grote concessiehouders drongen steeds meer aan op maatregelen tegen lokale vorsten: het werd tijd dat het hele gebied in Europese handen kwam. De vraag was alleen welke. Dat Engeland daarbij de hoogste ogen gooide was duidelijk. Portugal moest buigen, bijvoorbeeld bij het Britse ultimatum van december 1890, waarmee de regering in Londen Portugal dwong het gebied dat momenteel Zimbabwe is te verlaten.

Hoe betrokken Gungunhana ook was bij alle schaakbewegingen en krijgsmanoeuvres, in feite speelde het hele machtsspel zich boven zijn hoofd af. Zijn grootste tegenstander vond hij begin jaren negentig in gouverneur Mouzinho de Albuquerque, een houwdegen die niets moest hebben van onderhandelen en de Gazavorst in feite in handen dreef van de Engelsen. Zo bleef het maar over en weer gaan, tot groot ongeluk van de bevolking, die bloederige veldslagen, wrede represailles en harde onderdrukking te verduren kreeg. In 1895 viel het doek voor Gungunhana. Zijn hoofdstad Manjacaze werd ingenomen door het Portugese leger en op 28 december werd hij in de voormalige hoofdstad Chaimite, waar de geesten van zijn voorvaderen huisden, gevangengenomen door Mouzinho de Albuquerque, die teruggekeerd was uit Lissabon, en kort daarna overgebracht naar de Portugese hoofdstad.

Na publiekelijk vernederd te zijn en bijna een halfjaar te hebben doorgebracht in de gevangenis van Monsanto, werd de Leeuw verbannen naar de Azoren, waar hij bleef tot zijn dood op 23 december 1906. Hoewel hij misschien niet de belangrijkste zwarte vorst in de regio was geweest, groeide hij uit tot een haast mythische figuur, een symbool van Afrikaans verzet tegen de blanke overheersers. Hij werd begraven bij de stad Angra do Heroismo op het eiland Terceira, maar in 1985, bij de viering van tien jaar Mozambikaanse onafhankelijkheid, werden zijn stoffelijke resten plechtig overgebracht naar Maputo. Volgens sommigen zat er geen overschot maar gewoon zand in de sierlijk bewerkte kist.

Gek genoeg treedt Gungunhana in *Vrouwen van as* niet op als personage. Hij blijft een naam, een figuur die in de verte handelt, onzichtbaar voor iedereen die direct of indirect met hem te maken heeft. Als een spook, een schim, een dreigende schaduw. Mia Couto schildert het doorslaggevende jaar 1895 vanaf de zijkant. De handeling voltrekt zich in het dorpje Nkokolani, waar de bevolking niets van de keizer moet hebben en waar een verbannen republikeinse Portugese sergeant in zijn eentje een legerpost bemant en verondersteld wordt de bevolking te beschermen tegen de machts- en gebiedshonger van

Gungunhana. Hij doet zijn beklag in verslagen aan zijn superi
eur die steeds meer persoonlijke brieven worden. En bijzonder
knap een negentiende-eeuwse stijl suggereren. Wat hij daarin
zegt wordt aangevuld, weersproken of becommentarieerd door
het vijftienjarige meisje Imani, door haar moeder *Cinza* genoemd, 'As'. Om haar te beschermen, zegt ze. 'Als je as bent,
kan niets je pijn doen.' Maar as is ook een symbool van rouw
en verwoesting. Met andere woorden: de geschiedenis wordt
van onderaf beschreven, waar heroïek en branie uitmonden in
bloedvergieten en verbrande dorpen, waaronder vooral vrouwen lijden. Zoals het motto van hoofdstuk 9 kort en bondig
aangeeft: 'Het verschil tussen oorlog en vrede is dit: in een oorlog worden de armen het eerst gedood; in vredestijd sterven de
armen het eerst. Voor ons, vrouwen, is er nog een tweede verschil: in oorlogstijd worden we verkracht door mannen die we
niet kennen.' As. En daarmee vertelt deze roman tegelijkertijd
het verhaal van alle slepende conflicten in Afrika. Misschien is
dat wel de grootste kracht van *Vrouwen van as*.

Harrie Lemmens